U0105630

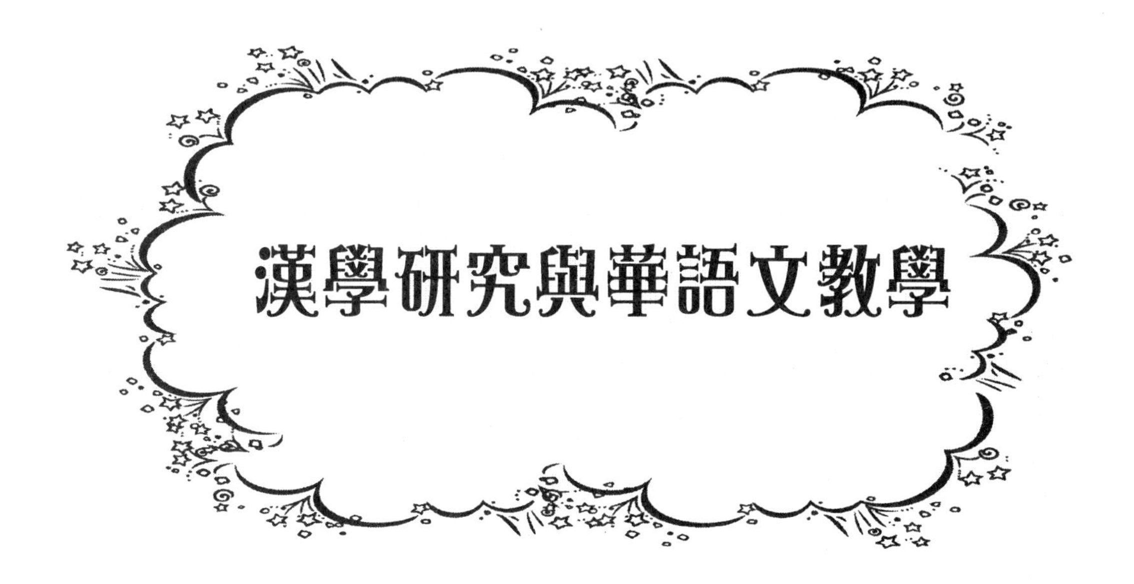

漢學研究與華語文教學

戴維揚・于金龍◎編著

漢學研究晶化華語文教學—代序

「漢學研究」經歷千年淬煉，晶化爲中華璀燦文化，博大精深、包羅萬象。廣爲學術界，終生奉獻，著書立說者，不勝枚舉。近年中國崛起騰飛，全球境外億萬大眾皆以學習漢語、漢字、漢文化此一「國際語文」(Chinese as an International Language, CIL)爲溝通、爲商務、爲要務。因而漢學研究可提高「華語文教學」的層次，更可加深、加廣其結構與策略。

在漢學研究這個大範疇，日本學界著力最深長久遠。鑑此本書特感謝余金龍代邀 8 篇專論研討中日之語言、文化、教學與研究的互動、交流、影響。另就漢學研究與華語文教學也有 7 篇論文，其中陳師滿銘親自撰寫〈篇章風格教學之新嘗試—以剛柔成分之多寡與比例切入做探討〉，並且代邀蒲基維撰寫〈論「讀、寫互動原理」在華語文教學的應用—以華文讀寫教學爲例〉，感激歐雪貞、于嗣宜、戴淑珍等新秀也爲「漢學研究」與「華語文教學」闡發新聲，提供新方向、新策略。

本專書能順利出版，首先得感謝國科會經費贊助，2009 年 5 月 22 日舉辦國際研討會，另感謝教育部、新竹市、縣政府和玄奘大學都大力贊助經費，才能圓滿達成會前的會議論文集；之後經三個多月改寫曾經過論辨的論文，並經篩選，再經陳滿銘、季旭昇、戴維揚、朱榮智、文幸福、柯金虎、王震邦、葉鍵得、余金龍、岡本陵、歐雪貞、于嗣宜等諸位先進，詳細審稿校正，並經研究助理葉書吟、楊雅雯和萬卷樓陳欣欣等打字、排版、整理，才能成書，在此再次感激、感恩、感謝各界的襄助。

玄奘大學應用外語系所主任

戴維揚 寫於愛孫女出生日 2009.9.6.

目　次

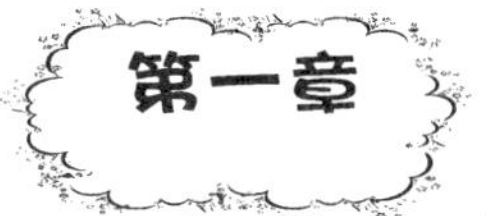

漢學研究與華語文教學的回顧與展望

戴維揚

摘要

漢字、漢文、漢文化的「漢學研究」，早期大都為菁英知識份子的學術研究，自從1960 年代之後，對外漢(華)語逐漸普及到「愈早學愈好」，落實到中學、小學，甚至學前的幼教。將來世界各地步英語文已為國際語文(English as an International Language, EIL)，漢(華)語文也成為強勢的國際語文 Chinese as an International Language (CIL)。將來「世界公民」必須學習雙語，因而現當代的「漢學研究」也涵括「華語文教學」的範疇。本文試圖接合學術研究與實際教學的雙軌並與國際接軌，好讓新興的國際語文的交流、交通更暢通。

本文就「漢學研究」的國際學術交流做宏觀歷史縱軸的回顧，並簡要說明全球普世華語文教學微觀的現況研究報告，再提出今後聚焦台灣，放眼大中華、擴及全球化、深化、強化海峽兩岸三地「華(漢)語文教學」國際化、普及化、多元數位化的展望。

關鍵詞：漢字、漢文、漢文化、漢學研究、漢(華)語教學

一、前言

1.1 漢字、漢學千年歷史的文字、文化淵源

漢唐文明綜合各族群多元的異質文化，中經「五胡治華」，元清異族入主，終至漢化涵化(acculturation)或文化調適(cultural accommodation)爲「五族共和」超級多元化的大漢文化。兩千年來統一的漢文字承載著博大精深的漢文學與漢文化，傳承千年，遠播全球，這期間攸關文史哲的經典名著、軍政經、信仰及習俗的思維與典章制度，都涵溶在「漢學研究」的這個大範疇。

「漢學」傳統在歐洲以拉丁文中國的(Sinica)英譯爲 Sinology，或 Sinological Studies。漢學主要範疇側重於採用傳統與人文學科的方法對於中國傳統的語言、文學、藝術、哲學、史學等學術的研究。及至 1960 年

代美國學者大多改採英譯爲 Chinese Studies 或 China Studies，而「中國研究」各議題或「中國學」「主要採取的是跨學科的區域研究，特別強調社會科學方法在中國研究中的運用」(韋磊、王保勝, 2009)。本文「漢學研究」採廣義，含蓋 1.早期歐洲以及日、韓等「文獻學」或經典譯注 2.美國區域研究範式，以及 3.在 20 世紀時興的比較文學研究、「中國學」或「中國研究」(陳威, 2009；孫秀玲、廖箴, 2008；張西平, 2007；李學勤, 2007；閻純德, 2007)。

漢字古早存現在商周的甲骨文和鐘鼎文(金文)，發展到秦，經李斯、趙高、胡毋敬等人根據大篆加以省改而成的小篆，儼然成爲秦代通行統一的標準文字。繼小篆之後是程邈所制定的「隸書」，之後，漢末漸趨完型以至於今日通用的「楷書」。早在公元 100 年許慎已經撰寫《說文解字》，將所收 9,353 個漢字，依照形符區分爲 540 部首，而且每個漢字的形、音、義都有簡明扼要的解釋。除了中國本土以外，日本、朝鮮、越南等周邊的鄰國在 18 世紀以前大多採用漢字(賴明德, 2003)。漢字、漢文沿用至今，皆可就兩個層面去從事教學或研究。黃沛榮(2003)直指當前、微觀、初階、表層的「漢字教學」該具備三大基本核心能力爲「辨識」、「書寫」和「使用」；大陸學者另從「漢字研究新視野」去探討漢字所承載博大精深的千年文化，如劉志基(1996)從漢字的文化底蘊去探討宏觀、高階、深層的《漢字文化綜論》。

1964 年中國大陸簡化漢字 2,288 字，造成近日海峽兩岸的專家學者多所建議如「繁簡兼識」(賴明德, 2003；黃沛榮, 2003)、「識正書簡」(馬英九, 2009)、「識繁寫簡」(李壽林, 2009)、「兩岸文字趨同化」(季旭昇, 2009)。2009 年「第五屆兩岸經貿文化論壇」共同建議「兩岸使用的漢字屬於同一系統。客觀認識漢字在兩岸的使用的歷史和現狀，求同存異，逐步縮小差異，達成更多共識，使兩岸民眾在學習和使用方面更爲便利。鼓勵兩岸民間合作編篡中華語文工具書。」(引自李壽林, 2009)。

早在 2003 年北京語言大學已出版《兩岸現代漢語常用詞典》，自從 1996 年由台灣中華語文研習所與北京語言大學合作編撰。然而辭典在此變化急速多端的電子書時代仍需不時翻新。中國大陸在「國家語言文字工作委員會」指導「中國社會科學院語言研究所詞典編輯室」出版《現代漢語詞典》可爲參考標準。另觀台灣的教育部編輯的《重編國語辭典》，從 1994 年以後改爲網路版，供大眾使用。修訂後，改稱《重編國語辭典修訂版》，此電子版，仍需與時俱進地不時微調。

1.2 大規模擴張漢字與漢文化的疆域

漢唐盛世早已奠定擴張漢字、唐話、漢學的穩固基礎和領域；原發跡在中原(古稱長安，現叫西安)，再歷經漢張騫開拓西域，開通「絲綢之路」(Silk Road)，唐玄奘擴大取經譯經的規模，鑒真東渡日本，高仙芝原籍朝鮮的將軍也參與西征拓疆的統帥，來自越南 (安南) 的文人張九齡不僅是詩人而且官拜宰相，在在確實達到「萬國來朝」，人文薈萃。

明清之際不僅繼續西拓東傳北征，再加鄭和率領萬人參與百艘龐大的艦隊，首開七下西洋 (1405-1433)的世界先例，航向今日的東南亞並遠及東非的馬林地港 (Malindi)，開拓了南洋「海絲路」之旅，形成今日三千萬以上東南亞華僑，因而華語文已教育大量遠播 (曾金金, 2008；陳偉之, 2006；彭俊, 2005；李其榮, 2005；高崇雲, 2005)。新世紀海峽兩岸的中國人爭先地採取「南向政策」，台灣作爲大中華發展海洋事業的先鋒，已「成爲亮眼的旗艦」(陳偉之，2006)。到 2015 年中國將成爲「東亞貿易自由區」的盟主：結合原東南亞 10 國，加進大洋洲的紐、澳，東亞的日、韓，簡稱「東盟」(台灣叫東協)，期望先與「歐盟」媲美，再超越北美洲聯盟。

明清之際(16 世紀中葉到 18 世紀中葉)，歐洲大批的傳教士學者專家來到中土開展了漢學研究的先聲，其中以利瑪竇(Metteo Ricci, 1552-1610)、龍華民(Niccolo Longobardo, 1559-1654)、高一志(Alfonso Vagnoni, 1566-1640)、艾儒略(Guilio Aleni, 1582-1649) 、湯若望(Johann Adam Schall von Bell, 1592-1666)、衛匡國(Matino Martini, 1614-1661)、南懷仁(Ferdinand Verbiest, 1623-1688) 、白晉(Johnchim Bouvet, 1656-1730)、馬若瑟(Joseph H. M. Prémare, 1666-1735)等耶穌會士大量翻譯西方和中國經典，同時大量著書介紹中國文字、文學、文化，其中，最重要的一部拉丁文譯本 *Confucius Sinarum Philosophus*(1687)將儒家經典：《論語》、《大學》與《中庸》、兼及中國的風土民情推薦給西方菁英。吸引諸多歐洲大師：如英國 Locke(洛克)、法國 Montesquieu(1751-1772, 孟德斯鳩)、Rousseau(1712-1772, 盧梭)、Voltaire(1694-1778, 伏爾泰)、德國 Leibniz(1646-1716, 萊布尼茲)以及眾多熱愛中國的啓蒙思想家(the Enlightenment Sinophilies)。開始研究中國思想而引發歐洲鋪天蓋地的「啓蒙運動」(European Enlightenment) (Dai(戴維揚), 1979；李奭學, 2009；張西平, 2009；潘鳳娟, 2008；陳威, 2009； 曹青, 2007；黃啓臣, 2007；Ronan & Oh, 1988)。同時也影響到中國的知識份子(士大夫)如徐光啓、李之藻、楊廷筠、王徵等共同合作著

書立說，到清朝，直接結交康熙皇帝，將「西學東漸」開展長達兩個多世紀的「東西交流」佳美蹤跡。

早在漢唐盛世，漢文字、文學、文化早已遠播到日本（如上萬的「漢字」Kanji）、朝鮮、越、泰，以及西域、西藏等周邊的區域也納入大量的漢語到各自的語庫，到明清兩朝，再度風行遠播到歐陸，更引發 17、18 世紀的「中國熱」(sinoisere)，當時不僅重視器物、典章制度、就以數理邏輯的思維方式都以整套系統、全盤結構，大規模地引進歐洲的學界，引起歐陸上述波瀾壯闊的啓蒙運動，如萊布尼茲(Leibniz)和牛頓(Newton)兩位以《易經》發展微積分以及開展演譯 0(陰爻)與 1(陽爻)轉化成爲今日數位化的電腦語言(戴維揚(Dai), 1981, 1984, 1996, 2009；曹青, 2007)。

到 21 世紀重新掀起世界各地最新一波的「中國研究」／「中國學」（China Studies；Chinese Studies），蔚爲風潮，掀起一陣陣的「漢學熱」或稱「華語熱」或「中國熱」，隨著中國政經地位愈抬愈高，掀起愈來愈熱、全球化、全方位的華語文教學的新熱潮。當前全球化除了海峽兩岸之外，境外對外已有超過 5 千萬學習者正在傾全力地學習華(漢)語的文字、文學與文化。期望 2020 年全球新創上億的外籍生爭學漢語、漢文的新局，共同開創華語文教學的新天地。

當代漢學家(Sinologist)師承的典範，瑞典漢學家馬悅然(Göran Malmguist)跟隨他先師，同樣也出身在瑞典同一所小學的高本漢(Klas Berhard Johames Kalgren, 1889-1978)，師從法國漢學家沙畹(Edouard Chavannes, 1865-1918)、伯希和(Paul Pelliot, 1878-1945)，先學經書、音韻學，之後，由於閱讀林語堂《生活的藝術》引發了對道教與禪學研究的興趣，之後就集大成地浸游入浩瀚精深的漢學領域。他在 1946 年教馬悅然頭一本課本竟然是《左傳》。之後馬教授教學生也是從古漢語的先秦文獻著手，再回頭學現代漢語的漢學研究或翻譯或教學(楊佳嫻, 2009)。馬悅然不僅研究及教學都首屈一指，他還翻譯並介紹華人作家。高行健第一位華人獲諾貝爾文學獎，馬悅然的推薦，確能達到推波助瀾之功，他們都樹立了當代海外眾多華人作家享譽全球的嶄新典範。

1.3 新世紀全球廣施華語文教學

說華語、學漢字的人口最多，僅在 1. 中國大陸單一國土大家說「普通話」的人口就有 13.4 億，包括非漢族潛在的 7%，再加上台澎金馬學說「國語」的 2 千 3 百萬，以及 2. 第二圈近億的華僑多是潛在學說華語的基本人口，其中以星馬 1 千 2 百萬，泰國、印尼 2 千萬，菲律賓 120 萬，越南、緬、寮、柬約 600 萬以及美洲約 500 萬，最爲壯觀。近年來 3. 遠在非洲都將有近半百萬人熱切的學習漢語，傳統漢學的起緣地歐洲也有不少於百萬學子熱切的學漢語，以及從北方蘇俄、蒙古到南半球的纽、澳也有將近百萬人學華語，另外加上其他世界各地目前對外漢語(華語)的學習者至少 5000 萬，2020 年倍數成長預計近 1 億人學習「對外華語/漢字」，其興旺的榮景，指「年」可待。

新世紀中國大陸經濟起飛，全球各地的「中國城」大量湧進新移民，欣欣向榮，蘇俄首都莫斯科新建七億美金「中國城」將可容納超過 8 千家商店，5 萬到 8 萬戶龐大的市場規模，年營業額可突破 60 億美元，超過美國紐約新舊「中國城」的總數。至於鄰近中國的海參崴百萬人口當中就有十分之一的華人，甚至在炙熱新興的杜拜 80 萬人口，其中就有十分之一的華人、華工、華商。如今地球上只要有太陽照到的地方就有漢人努力工作在流汗，只要有月亮出現的地方，就有華人早在思念故鄉而流淚，總之，華人已遍佈全球各地各界，生生不息，學而不倦，習而常樂。

上述總共擁有 15 億的世界人口積極學漢語(華語)，相較於目前全球第一國際語文，其中 1. 核心內圈以英語爲第 1 語言(L1)有 4 億到 4 億 5 千萬，只佔世界 60 多億人口的(15%-15.3%)，再加 2. 外圈(outer circle) ESL，近 4 億(L2)以及 3.外圈有近 8 億的 EFL，其以英語爲外語的人數遠超過英語爲 L1 的人口。總之合計 20 億以上學習英語文(cf. Crystal, 2003; Graddol, 1997; Kachru, 1990)首屈一指的「國際語文」。相較於第一強勢的英語文，目前中文已經是穩坐二望一的超「強勢國際語文」(戴維揚, 2008)。

二、華語文國際化、全球化的大趨勢

2.1 台灣學者的真知卓見

2009 年《國文天地》283 期由林慶彰主編的「中文學門發展問題及對應之道」，欣見七篇大作論述，恰如七色彩虹，互爲新世紀建構展開新希望、新天地、開拓嶄新的康莊大道，其中兩篇專論「漢學研究」及「華語文教師」，欣現新契機。正如三種基本的原色，映射當前學術研究必備的三種基要核心的訴求：國際化、數位化、多元化。從事中文研究與教學的朋友今後必要和外文、歷史、哲學等人文學科統整，成爲在國內發展深具深層結構的國學研究以及對外可為華語文教學的論述基準。

2009 年上述七篇論述不約而同、語重心長地呼籲，華語文要國際化、全球化。今後中文系務必不斷地「重新定位」，必須達成「國際學術交流之必要、接受外籍生之必要」，「研究能力和外語能力」要達到「接近國際標準」（葉國良）。「全球化視野」和「新的對話模式」成為「國際漢學矚目的焦點之一」（王璦玲）。有些論文應該「用外文發表」，並使用「西方學術正是擅長」的「研究方法」達到「論文也應國際化，爭取國際認同」（詹海雲）。身處國際「標準化」發展的新契機，「多元管道，甚有必要」、「致力求變追新」（張高評）。「全球化已是不可免、不能免的國際趨勢，所以立足臺灣而如何與大陸、國際接軌，就是漢學研究的新取向」，首要「進行國際漢學的交流」。「新世代學者面對新競爭，真要面對新局，學者也需配備足夠競爭的良好條件：語言工具、理論交流、方法共享。」（李豐楙、王福楨）。黃文吉(2008)引用王國龍的分析：「SSCI 所收錄的期刊以英語類期刊占絕大多數，達 1588 種，占 92.9%，其中在美國和英國所出版的期刊共 1389 種，占 81.3%，收錄中國的期刊僅有三種，而臺灣則只有一種。」

誠然，「臺灣是一個海島國家，必須往外發展，學術研究與國際接軌是無可避免的趨勢」，「固然也需要部份學者將其成果帶往國際化」。孫劍秋(2009)〈從事華語文教師的新契機〉建議中文系的同學：(1)要具備專業知識，兼備現代、實用的華語文知識和第二語文習得的理論架構；(2)要精熟任教國家的語言；(3)要熟知教育心理學；(4)在任教過程中要有良好的情緒管理。上述七篇論述，皆為中文系朝向「國際交流」提供藍天宏構、藍海策略，必可為往後普世華語文教與學的藍圖 (戴維揚, 2009)。

2.2 數位化的必然和必要性

前述論及《國文天地》的七篇作者，除了一致要求全球化的國際交流，更不約而同地強調，由於「網際網路」數位化流通的速率、頻率和效率的優勢，華語文必須全方位地運用電腦多媒體的數位教材、教法和評量機制。王璦玲在漢學研究論文中，強調必須「增強基本學術資料庫之設置與資訊交換與網路建構」，以及「增強國際學術之交流」。李豐楙、王福楨在〈引用與分享──一個網際的人文社群〉認為「目前國內的學術網站仍有強化的空間」，結論為「數位化乃是必由之途」；「這個無遠弗屆的新空間正是漢學的新天地」，點出了華語文透過數位化更易於加速達到全球化。

今後必須重點努力發展網路教學以及研發 e 化教材和教法的新策略。

講求時效，迅捷又無遠弗屆的網路強化了「漢學研究」與「華語文教學」的效率和效果。台灣在 1981 年成立「漢學研究中心」致力於推展海內外漢學研究資料以及訊息之蒐集、出版與服務。1998 年進而建置「漢學研究中心資訊網」(http://ccs.ncl.edu.tw)，已將至今 58 期的《漢學研究》建構網路，這期刊一向甚獲佳評，自 2001-2004 連續 5 年榮獲「優良期刊獎」，之後，也屢屢爲國科會評比排序前 5 名的優良期刊，2008 年起改爲季刊仍受國際學界矚目(耿立群, 2008)；另將已出版 110 期的《漢學研究通訊》也上網，此期刊每期刊登的論文早已具有學術價值，海內外學者專家的專文，也皆獲佳評，廣爲引用。上述兩種期刊，自創刊號起，紙本享譽全球如今力求全文上網，免費供學者專家使用(孫秀玲、廖箴, 2008)。

臺灣在 1981 年編成《重編國語辭典》出版，廣爲大眾參考使用，然而 1994 年之後就不再出版紙本，而改爲網路版本爲大眾自由使用。這部網路版的《辭典》仍須經常性地「修訂」，才能跟上時代潮流的改變。另上網的資訊可就台灣僑委會所製作的數位學習資源「五百字說華語」系列爲例，網站中提供多種國家的語言以利各國人士學習，包括印尼、泰國、西班牙、法文等不同版本，方便各地有興趣學華語者，皆可透過母語，自我學習 (http://www.ocac.gov.tw/)，其他網站如「全球華文網」：http://edu/ocac.gov.tw/home.htm/、「華語 e 起來」：http://cel.wtuc.edu.tw/、「漢字乾坤網」：http://taiwan99.tw/都廣泛地爲教學提供寶貴的資訊和教材。另一振奮學界的佳音爲台灣大學在 2009 年結合麥奇數位合作創辦「NTUtorMing 全球中文學習網」提供另一數位學習平台，以真人互動方式，視訊即時矯正學生發音、音調、節奏，此課程內容不只是初階華語會話，也期望達成深層的「文化」層次，外籍生也可藉此認識老子、孔子。

香港中文大學「中國古籍研究中心」將「出土文獻」(甲骨文、金文、竹簡、帛書)以及「傳世文獻」(先秦兩漢、魏晉南北朝、經、史、思想研究)收入電腦資料庫，以便研究爲作者、教育界以及大眾提供一「重要學術工具與文化寶庫」(何志華、潘銘基, 2009)。

三、新編《實用華語文叢書》的主要述求

3.1 順應時代潮流和市場需求

華語文教學要國際化、全球化，必要出版提供教師養成的教科書。從全球興起熱切學習華語的熱潮，可見養成百萬華師的必要性和急迫性。

據孫劍秋的預測：除了華人以外「2010 年全球學者學習漢語人數將達 1 億人，如以師生比 1：20 來估算，則未來幾年就需要 500 萬名華語教師」。蘇鵬元(2008)在《商業周刊》比較保守的預估爲「資策會估計到 2015 年，美國將有 10 萬名的中文師資缺口。從亞洲到美洲、歐洲都缺中文老師，且待遇不差，例如到德國大學教中文的每月起薪是 13 萬元」。他預估全球中文教師荒的職缺達 90 萬個。總之，全球中文師資市場至少幾近百萬。「台灣人才如何抓住需求熱？」是今後從事語文規劃的「領導」該關心的議題。

3.2 出版華語文教材的必要性

爲呼應華語文國際化，極需華語文教學的工具書和參考書。爲此 2009 年筆者邀請華語文界的先進前輩，正要出版由戴維揚、朱榮智等教授共同編著一套五本『實用華語文叢書』。其中鄭錦全院士亦將爲《實用華語語用學》一書撰寫〈漢語拼音的普遍性〉、另爲《實用華語文教材教法》撰寫〈華語文資料庫與數位教學〉兩篇專文；朱榮智教授主編《實用華語文教學》；陳滿銘教授主編《實用漢語語法》；季旭昇和張正男教授主編《實用華語文字學》。戴維揚主編《實用華語語用學》、《實用華語文教材教法》。以上五本叢書正在台北新學林出版付梓中。

3.3 翻譯書刊的必要性

翻譯在中西文字、文學、文化的交流依舊扮演著穿針引線的大功。早在漢唐盛世已有大規模國家級的譯經、注經，及至明清之際也有國家級以及私人團隊大規模的譯經活動。民國以來民間出版社也有大量的翻譯作品。就國家級的譯作，台灣在「國立編譯館」不僅鼓勵贊助英譯中文作品、論著；另也中譯許多名著，最令讚賞的是從 2008 年開始出版極富學術價值的《編譯論叢》。至今已進行兩波大規模的英譯台灣作家的詩、小說、散文各文類的作品；也陸續將中文學術著作英譯出版。譬如戴維揚在 2009 年總策劃出版三本英譯書籍：因而首先邀請 Ohlander、曾貴祺正在翻譯陳滿銘教授所著《篇章結構學》的英譯本；同年再邀請歐雪貞英譯林文寶教授所著的《歷代啓蒙初探》、謝瑤玲英譯、許東海著《諷喻、美麗、感傷─白居易之詩賦邊境及其文化風情》，期盼上述由筆者總策劃的三本英譯書籍以及上述五本教科書皆能有助於華語文教學往後的發展與推廣。

中國大陸「國家對外漢語教學領導小組辦公室」也將重新組織海內外相關領域的學者共同在 2013 年出版「定於一尊」英譯版的儒家《五經》。由此可見「經典」(canon)在各種「文化遺產」(cultural heritages)的重要性。當然當代出版新世紀新教材更有開創性。日本新首相鳩山由紀夫將採用明治維新的大藏省大臣澀澤的論述─依照中國「論語有算盤之理，而算盤有致富之道」，他以親身經驗爲例，認爲論語講「義」，算盤說「利」，義與利兩者相互依存，並行不悖。他自己親當大臣爲民服務，再創業致福，如今貴爲首相，確實做到「義」、「利」雙收。

有關上述的華語文叢書是呼應華語文全球化的必然產物。針對叢書出版及其主要論述觀點，皆因應多元化的市場需求及其創新教學策略的新趨勢，略述其要如下節。

3.4 出版「現代漢(華)語」實用內容的必然性

人類使用語文是爲了互動溝通，久而久之必然統合產生某種「共識」（Consensus），並且逐漸發展媒合爲「共同語文」（Common language）。漢語／華語的文字統一，雖已具有相當程度的穩定性；然而歷經兩千年、億萬人口的傳遞，就其「共時」(synchronic)橫向分佈，各個地區的口音與詞彙逐漸聚合形成各地區的方言系統。眾多的方言也會因爲語言多向的交流而逐漸形成更多元、更複雜交疊的方言區域。上述戴維揚總策劃的叢書一方面強調普世通則（UG, Universal Grammar）的「國際化」（Globalization），因而以標準的「國語」爲主幹；另一方面也尊重各地細微極簡化（minimalism）小小帶有「本地化」（Localization）特殊地方特色的詞彙；調合統合爲「普世的在地化」（Glocalization），兼具創新的台灣特色，仍然涵蘊在傳承主流中的語文模式和教學策略。

語言文字常因政經、人、事、時、地的遷移，以及歷經每個時代實用流行的「語用」（Pragmatics of language）習慣的不同，衍生變換語音、語辭、語法、語意，進而產生語流音變、新詞新意，甚至全套煥然一新的「典範轉移」（Paradigm shifts），成爲每一個時代時興（current）實用活用的生活語文 living languages。華語文的教師可縱觀「歷時」(diachronic)縱深的古漢語、中古漢語、現代漢語，當成背景知識，深入淺出、化繁爲簡。我們目前初階的教學大都專注在淺、顯、易懂，即學、即用的「標的語」(target language),亦即具焦於當前每天日常生活使用(daily-use)的國語/普通話,初級教學可爲最基礎的對外華語/漢語紮根。期望學會基礎漢語之後,能夠更上一層或更深層次地潛浸在中華經千年洗鍊後浩瀚精深的經典名著,盡情地享受大漢文化的精華。

雖經過相當長時間的隔絕,海峽兩岸仍然共同衍生一套相當大同小異的通用語言,即通稱爲「國語/普通話」,除了些微語音與詞彙的差異,仍保存共通的語文特性,通行於全球各地的華人世界之中。新世紀更進一步引起全球億萬的世界公民學習並且使用的必要與興趣,共同熱切地學習大陸依歷史觀點稱爲「對外漢語」,台灣及海外稱爲華人的「華語」,其英文早期譯爲 Mandarin(滿大人語),現代改譯 Chinese(中文, 漢語, 華語)。大家仍可一致共同戮力推展儼然成爲「國際通用的漢語/華語」(Chinese as an International Language, CIL)。當前中國崛起,蔚然成氣候,在可預期的將來,必然跟當前以英語文爲國際語文(English as an International Language, EIL),並駕齊驅,共享爲全球最夯的地球村唯二強勢的共通國際語文。

四、華語文教學的現況研究報告

4.1 台灣華語文師資養成機構

自從國立台灣師範大學的「國語中心」(Mandarin Center)和私立「中華語文研習所」不約而同都在 1956 年開始設立華語文教學中心,也都已超過半個世紀。如今教華語的機構如雨後春筍,比比皆是。這些教學機構大致可分爲兩大類:一是設在各大學裡的華語教學中心或語文中心,另一是民間的語文補習機構。不論哪一種,將近半世紀以來,其師資養成主要是靠個人累積經驗以及短期的師資訓練班,缺乏常期專業制式化(formal)的師資培養管道。

正式制式化的師資系所仍要從台灣師範大學華語文教學研究所從 1995 學年度開始招生,華語文教學的專業學門終於正式進入校園,微量地開啓專業師資培訓的先驅。受限於該所招收有限的人數,因此,專業華語教學的實際需求仍然供不應求。所幸新世紀台灣私立大學奮力增設華語文學系、所與學分學程,華語文專業學科逐漸受到重視。然而,受限於大學人事聘任制度與學經歷的種種限制,能聘請到曾經從事華語文專業教學兼專精研究的教師確實不易,大多數學校還是以外文系、所爲班底,或輔以中文系、所，或加入語言學系所、教育系所，真正的專業華語師資養成，仍在萌芽階段。華語師資培育單位大致可分為四大類：

A. 設置華語系、所的大學如下表：

	校名	成立	說明
1	國立台灣師範大學 華語文教學研究所	1995	國內最早的華語專業師訓，自 2003 年開始招收第一屆博士班。
2	國立高雄師範大學 華語文教學研究所	2001	目前招收碩士班。
3	私立文藻大學 應用華語文學系	2001	2001 年成立，2002 年起招收新生。
4	私立中原大學 應用華語文學系	2002	2007 年增設研究所。
5	私立銘傳大學 華語文教學學系、所	2006	國內第 3 所成立華語文教學系。
6	私立開南大學 華語文教學研究所	2006	2007 年招收碩士班；境內國際華語碩士學分班；境外華語碩士在職專班
7	國立台東大學華語文學系	2006	由原台東師範學院語文教育系所轉型。
8	國立聯合大學華語文學系	2006	由私立轉型。
9	屏東教育大學	2006	已有畢業生
10	國立台師大應用華語文學系	2007	以招收本國大學部學生為主。
11	國立台師大國際華語與文化學系	2007	招收外籍生、僑生為主。
12	中國文化大學	2007	華語文教學碩士班
13	台北市立教育大學	2007	華語文教學碩士學位學程
14	僑光科技大學	2007	應用華語文系
15	元智大學	2007	應用中語系
16	實踐大學	2007	應用中文系
17	育達商業技術學院	2007	應用中文系
18	修平技術學院	2007	應用中文系
19	國立政治大學	2008	華語文碩士學位學程 華語文教學碩士學位學程

B.另設有華語教學學程的學校

1.國立中央大學。2.國立台灣師範大學。3.國立成功大學。4.國立屏東教育大學。5.國立花蓮教育大學。6.世新大學。7.義守大學。8.輔英科技大學。
9.上表列述一些公私立大學學校也曾另設學分學程。

C.設有華語文教學中心者至少有 30 所以上的大學院校：

1.台灣師大(1956)	2.輔大（1964）	3.政大（1990）
4.淡江大學（1991）	5.文化大學（1992）	6.台大（1999）
7.台大文學院（1999）	8.佛光大學（2001）	9.銘傳（2002）
10.中央（2003）	11.中華（2004）	12.交大（2005）
13.開南（2006）	14.台北教大（2006）	15.北科技（2006）
16.東海（1970）	17.逢甲（1975）	18.靜宜（1996）
19.中興（2006）	20.成大（1982）	21.中山（1997）
22.文藻（2002）	23.高師大（2006）	24.高雄大學（2006）
25.屏東教大 （2006）	26.南台科大（2006）	27.台南大學（2006）
28.慈濟大學 （2003）	29.世新大學（2008）	30.清華大學 (2009)

上述各校皆設立華語文中心，另加近年義守大學及崑山科技大學紛紛全力規劃跟辦理暑期班，華語文教學的蓬勃發展由此可見；然而，這也是華語文教學與研究的專業獨立學科必須予以確認的時刻，同時也是各校必要開展出各具特色的關鍵時候。全球的華語文市場雖大，然而各校必須自行開拓市場，以符合未來畢業生就業或升學雙軌：或專業研究或立刻前往職場；在此東盟 10+3 或 10+5 成型的關鍵時刻，也是各校與海外建立合作企劃、教師學生交流互換最佳的契機。

除了大學院校，民間補教機構也紛紛開辦短期華語文師訓班，如台北的「喜龍漢學苑」，一方面因應台灣的華語文師訓熱潮，一方面爲開班機構增聘師資的新力軍。但各班素質參差不齊，這也是台灣華語文教學專業學科遲遲無法建立正式系統化學制的初期，摸索建制的必然現象。

4.2 台灣華語文師資培訓課程

台灣華語文師資培訓，始自 1970 年代初期，最早由「世界華語文教育學會」於 1973 年辦理「華語文師資研習班」，招收赴國外留學以及畢業返僑居地之僑生，給予九週華語文教學專業課程。不過，這些由民間單位所規劃的培訓課程，對象又多半是僑生，所以引發國內各界矚目的效應並未顯著。

4.2.1 華語文教學系所的課程架構

目前台灣華語文教師培訓課程規劃源自國立台灣師範大學英語系的同仁爲華語文教學研究所正式規劃的課程架構，其後陸續成立的系所或培訓機構，大多參照台師大華研所的課程加以增刪而成。台師大華研所碩士班的課程分爲核心課程、華語教學法、漢語語言學、語文及文化、教育等各面向。研究所除論文寫作外，需修習 34 至 36 學分；大學部需修習 128 到 136 學分。難能可貴的要求爲：畢業前另加 36 小時到 100 小時不等的教學實習。由於目前台灣的應用華語系都處於初創期，因考量師資來源與學生出路問題，在課程安排時，多半融合了英語系、中文系、教育系、資訊系等相關學科，學習範圍各具特色。

4.2.2 華語文教學學程的課程架構

由於成立系所不易，有些學校先以設立「華語文教學學程」爲號召，鼓勵校內學生修習第二專長。華語文教學學程則依據「教育部辦理國內大學校院華語教學系所及學程評核作業要點」規定辦理，分爲「核心課程」(必修)與「專業課程」(選修)，簡例如下：

(1)核心課程：

語言學概論、國(華)語語音學、語法學、華語教學導論、華語教材教法。必需修滿五學門 10 學分。

(2)專業課程：

(1)「漢語語言學」專業：詞彙學、中國文字學、語義學、語用學。至少應修習兩門課，4 學分。

(2)「華語語言學」專業：華語測驗與評量、第二語言習得、華語多媒體與電腦補助教學。至少應修習兩門課，4 學分。

(3)「華人社會與文化」：華人文化與社會、中華文化導論、語言與文化、社會語言學。至少應修習一門課，2 學分。

此外，有些學校還規定外語能力及教學實習等相關修習辦法，期使學程教育更符合教學專業。

4.2.3 華語文師資培訓班

華語文師資培訓班多半以各大學華語中心或進修推廣部爲主，也有些民間補教機構積極參與，其課程大致可分爲三類 ：1.師資養成班、基礎理論班；2.師資實務班、進階班；3.師資認證班。各家開班課程大同小異，結業合格則發予結業證明，但不保證工作機會，只有少數幾個培訓班會留下表現優異的學員作爲實習教師或儲備教師。筆者在台師大擔任國語中心主任(2003-2004)曾結合華研所所長信世昌共同開辦師資基礎理論班和師資進階實務班。筆者另在「喜龍漢學苑」師資認證班擔任顧問兼講座演講，實際參與上述三類課程的實務規劃與開班教學。

4.3 華語教師認證與教學能力檢定

4.3.1 台灣華語教學能力認證

根據統計，目前全球華語人口已遠超過十三億，而學習「對外華語」人數則超過六千萬人，隨著這股華語學習的熱潮，華語教師的需求也日益增加。以美國爲例，自 2008 年起，約有兩千四百所高中增設「大學中文學分預修課程」(Advanced Placement Chinese，AP)。以每所一名華語老師爲計算標準，美國高中目前至少需要兩千名教師，還不算其他各級教師以及相繼跟進的其他國家。

這麼大量的師資需求，正是台灣邁向國際華語教學最佳途徑之一。教育部有鑑於此，於 2005 年開始規劃辦理「對外華語教學能力認證作業要點」與「對外華語教學能力認證考試」至 2009 年第四屆，每年平均總有三千人參與。教育部對外華語教學能力認證考試參考網址：https://www.ctcexam.moe.gov.tw/index.php;
https://www.ctcexam.moe.gov.tw/。並於 2006 年 9 月辦理第一次認證作業，同年於 11 月辦理第一次認證考試，此後大都在 7 月考試，台灣和泰國(中華國際學校)同時舉行。筆者有幸也曾親自參與這項重要的認證考試。

這一大步不僅提升對外華語教學人員之教學能力，確立其專業地位，更確定華語文教學是一門專業課程。考試科目爲下列五科：

教育部對外華語教學能力認證考試科目如下：
(一)華語文教學 (二)漢語語言學 (三)華人社會與文化 (四)國文科 (五)華語口語與表達。除了通過上述五科考試，其英語文能力必須達歐規的 B2，托福 iBT85 以上，CBT220 以上，TOEIC800 分以上，全民英檢中高級以上。

4.3.2 大陸對外漢語教師認證

1978 年，大陸中國社會科學院召開的北京地區語言學規劃座談會上，呂必松提出應當把對外國人的漢語教學作爲一個專門的學科，在大學應該設立培養這類教師的專業，並成立專門的研究機構。此意見得到了廣泛的支持。1984 年 12 月，當時大陸教育部長明確表示：「多年的事實證明對外漢語教學正發展成爲一門新的學科。」隨後，大陸的國家教委頒布的學科專業目錄中，則列入了「對外漢語」這門新學科。1987 年 7 月大陸成立了「國家對外漢語教學領導小組辦公室」，簡稱「漢辦」，統一領導協調全國對外漢語教學工作。

1989 年 5 月，大陸國家教委正式批准在「北京語言」(簡稱北語)學院成立「世界漢語教學交流中心」，該學術機構下設「教師研修部」、「漢語水平考試」(HSK, Hanyu Shuiping Kaoshi)、「信息資料部」、「聲像製作部」、「教材編印部」、「對話聯絡部」等六個部門，由「漢辦」與「北語」共同領導。此中心的成立，已爲各國漢語教師參加培訓和從事研究工作，建立了穩定的基礎。

同時，爲了協助在職對外漢語教師，自 1987 年至 1998 年，北京語言文化大學共舉辦了 85 期漢語教師培訓班，培訓了海外三十多個國家和地區、以及大陸當地六十多所大學的漢語教師。

近年來，派到海外進行講學、培訓漢語師資的工作從東南亞等鄰近國家，發展到美國、加拿大等地，也藉著邀請外籍專家至大陸講學，選派在職教師進修一部分本科或研究生課程，以及出國進修等形式，來提升其對外漢語教師的業務執行能力與素質。

中國大陸爲了就對外漢語教師的管理和培養有進一步規範和制度化，推動對外漢語教師素質的提升工作，1990 年原頒布了「對外漢語教師資格審定辦法」，1996 年，重新修訂爲「對外漢語教師資格審定辦法實施細則」，目前已達近萬人取得對外漢語教師資格證書。

大陸的對外漢語教學師資漸具規模，近年也逐步提高其素質與水準，但仍有一些問題尚未解決，如：專職教師數量的增加，與教學規模需求的師資數仍嫌不足；教學與專業研究的建制還不齊全；教師的知識也不盡理想；教學能力和理論水準更是良莠不齊。

然而，爲了促進並優化其對外漢語教學，「漢辦」曾於 2002 年首次舉行全國對外漢語教學優秀教師評選活動，共有北京、上海、天津、南京和廣州的十一所院校的十二名教師被評爲全國對外漢語教學的優秀教師。2003 也首次舉行全國對外漢語優秀教材評選，也有一批優良教材獲得獎勵，並廣爲推展。

現今大陸規劃了對外漢語教學師資能力分級與認證，以有效管理不同背景(海內海外)，不同能力的漢語教師。在分級的規劃上，已經點燃強化了教師自我充實的意願。針對不同國家與派外志工教師的認證上，則採取多管道，或進修的方式來取得證書，並搭配海外輸出計劃，以改變國際間對大陸教師的觀點。

4.3.3 大陸海外教師資格檢定

美國教師聯合會將優先推薦具 TCSOL(Teachers of Chinese to Speakers for Other Languages)認證之華語教師至美國教漢語。其條件如下：

1.持有 TCSOL 或 TCFL 等國際對外漢語教學證書。

2.具 IELTS BAND 6 以上，或 TOEFL iBT 83、CBT220 以上(需在 14 個月內之成績證明)。

3.具大學學士學位(中文相關爲最優先)。且證書經當地政府公證。

4.若申請者學歷未達要求，但仍然有學校願意聘請者，可先至美國接受美國教師聯合會短期培訓，輔導通過美國 PRAXIS TEST 取得教師資格。

5.合格者將優先被推薦至美國各校任教。(上述資訊大致參考張金蘭, 2008)

五、華語文教學的國際現況與台灣各界今後的展望

5.1 方興未艾、蓬勃發展

2008 年澳大利亞新選出的總理陸惠文（Kevin Rudd）以華語文在北大演講，eBay 執行長惠特曼（Meg Whitman）早將大兒子送往北京學習華語文，Rogers 股王量子基金創辦人，舉家遷到新加坡，讓女兒浸入中文環境。坐落在俄國海參崴的遠東大學也以華語文選課人數最多、最強勢的國際語文。泰國、印尼、新加坡、菲律賓都曾有華裔、華人的總理、總統。美國有同時兩位華人榮任部長，再因 2008 北京奧運，2010 上海世博會，欣隨中國崛起，激起華語文再度成爲全球化國際村第二強勢的「國際語文」(Chinese as an International Language, CIL)，僅次於最強勢的英語文

（English as an International Language, EIL），這兩超強的語文都曾經跨越兩世紀以上超強勢的「國際語文」。

5.2 美國全國總動員制式化學習華語文(以 AP 為例)

根據美國國會 2000 年外語學習的統計，約有 5,000 名美國中小學生在學校正式學習中文，到 2008 年早超過 50,000 名，暴增 10 倍以上，這還不包括非正式的周末班遠超過 500,000 華裔及其友的學員。2007 年之前美國的華語教學並未受到正式教育(formal education)的重視，然而自從設置「進階先修課程」之後，2007 年美國大學委員會首次舉辦的 AP 大學預選課程中文測驗(Advanced Placement，簡稱 AP，AP Chinese Program，全稱 Chinese Language and Culture Exam)，再繼美國高中生想進大學必須先參加三主科的標準考試(SAT I)：讀(critical reading)、寫(power writing)、數學三主科，還可再參加 SAT II 的中文(Chinese) 學科，滿級分為 5 分。若想進一流其中排名第一的大學如哈佛或普林斯頓，就像想進台大醫科一定要全考最高級分。所以打從 2007 年列入考試科目，超過 433 所高中以及中文補習班已經開始幫助學生準備 AP 中文考試。「預則立」，因而 2007 年第一次 AP 中文考試共有 3,261 名學生參加，其中 80.9%的學生拿到 5 級分，11.8%獲得 4 級分，及格的學生(3 級分以上)高達 97.2%(郭珠美, 2009；http://www.collegeboard.com/student/testing/ap/sub-chineselang.html)。從此美國各大都市的中文補習班，生意超夯。因為學習華語的兒童必須從幼稚園或小一開始補習「九年一貫」持續不斷的努力，再加一年衝刺班，才能精熟三千常用漢字，熟練地寫出六百字的文章。在兩個半小時之內，答完所有題目。然而每年仍吸引超過 3,000 名高中生報名考試，因而各級學生爭相加入「學習中文熱」的補習班，這現象已在美國火熱進行。

因為美國已經正式從 2005 年開始將中文不僅納入「國家安全語言計劃」(The National Security Language Initiative) 列為攸關國家安全的「戰略語言」，直接由國防部、教育部編列數十億美金強力贊助。先有「星談計畫」(Star Talk Project)，再有「外語援助計畫」(Foreign Language Assistance Program, FLAP)，每年大力資助上千名的教師及學生。2009 年美國國會眾院通過再另加碼撥款 457 萬 5000 元供亞太裔學生較集中的大學院校，如馬利蘭大學(University of Maryland)，協助學生購買教材、開發課程；補助各級補習班，加強學習中文。

AP 中文測驗，所有測驗的題目皆透過 Internet Based Test (iBT) 快速作答，如聽力測驗限時 30 秒答完，秒針一過，網站就換題目，不得回頭改。作文題目相當靈活如「假設你去機場接待一位重量級人士，應該做哪些行前準備？」。至於文化題目更難作答。如 2009 年"Culture Presentation"的題目是讓學生自己選擇一項中國的"Art Form"譬如書法、京劇、剪紙等「藝術形式」，考生要對照「二元對立」(binary oppositions) 的藝術形式，進行具有「論述架構」(discourse frameworks)，又能具體舉例說明扼要地介紹、描述、分析；綜合其表層和深層結構的內涵和各期間包孕衍生多層次的意涵。考生只有 4 分鐘的時間把自己的 presentation 的口頭報告錄在電腦檔。爲此平時考生家長必須配合教師齊心協力至少下十年功夫，才能習得靈活又有內涵地實際溝通和深入廣泛地瞭解及運用中文的能力。有些考生行有餘力，還可另加參與大陸 H.S.K(漢語水平考試)這一龐大的考試機制。

因應上述文化題目中的「藝術形式」(Art From)的論述評比，在學習華語文的過程中必須建構許多「鷹架」(scaffolding) 或「架構」(frameworks)，如康德美學分爲 1.陽剛雄渾(sublime)2.陰柔之美(beauty)；或如本書第二章所採陽剛與陰柔的風格(styles)或品味(taste)也可從宏觀教育理論所呈現各典型衍生的各方式的「典範轉移」(paradigm shifts)切入。總之，平時就要建構一些「論述」(discourse)、觀點(points of view)或「多重面向」(perspectives)，以便即刻撰寫歷經解析、歸納，再呈現具有論點、論據、論證多元論述的論文。

六、華語文教學「熱門議題」(hot issues)論辨報告

6.1 華人、華語流變與傳承

遠在二千年前，發源在中原河南洛水的「河洛語」(古漢語)，逐漸演變成「中原音韻」的「漢語文」，源遠流長，而後一直往東、往南遠播到今日的閩南而形成「閩南語」，這些閩南語再度傳到台灣，成爲目前以福建的泉州、漳州爲主幹，超過 2 千萬人口使用的「台式」閩南語。另一支再往東南傳，成爲當前的「客家語」，以及南傳轉化成爲今日的「廣東話」(粵語)(戴維揚，2004)。漢文字、文學、文化也東傳到韓、日；南傳到

越南（安南）、暹邏、今日的泰國、緬甸、寮、柬、印尼、馬來西亞（包括「娘惹人）、新加坡等華人，華漢文化薈萃的東南亞。

漢文化在漢朝已經由陸絲路往西傳到西域，包括中亞今日烏茲別克東北邊的「東干人」，甚至到今日的東歐；元朝再推向今日的「匈」牙利（筆者親見百萬以上的黑髮「匈」奴後裔）。明朝將漢文化隨着鄭和經海上絲路下西洋，經東南亞再遠播到今日的非洲東岸。甚至漢人陸續地往東北傳到俄國，再東渡白令海峽，到北美成爲「印地安人」。近世華僑再往中南美洲發展，造成全球各地只要有太陽的地方就有中國人在流汗，甚至於只要有月亮的地方就有中國人在流淚。然而華人也繼承了漢文化：汗流滿面也無憾；淚流滿襟也不累，堅忍剛毅地在世界各角落安居樂業。

就歷史傳承而言，早在 18 世紀，耶穌會的傳教士即因歐洲的「中國熱」（chinoiserie）開展漢學研究，影響了歐洲的知識份子，其中英國哲學家、教育家 John Locke、科學家 Newton，以及法國的文學大師 Voltaire、Rousseau，法學家 Montesquieu，哲學家 Pascal 和德國 Leibniz 等國際級的大師都是享譽古今中外、顯赫全球的「漢學家」，因而更引發了繼文藝復興之後波瀾壯闊的『啓蒙運動』（Enlightenment）（詳見戴維揚 1979 年博士論文）。

6.2 國際語文的嬗變

歐洲的羅馬帝國曾經一統江山，達千年之久，因而使**拉丁文**（透過聖經奠基）成爲全歐洲的國際語文；再轉變到 18 世紀，法國崛起，因而使**法文**一度成爲國際外交的強勢國際語文。接著在 1588 年英國打敗西班牙的無敵艦隊，漸漸崛起，到 19 世紀大英帝國全然崛起，**英語文**因而風行全球；到了 20 世紀，更因美國的崛起造成超強的「帝國」(*Empire*)，因而儼然成爲全球化唯一最強勢的「國際語文」。然而 2008 年，華語文也因中國再度崛起，漸成另一新興強勢的「國際語文」（IL）。

中國大陸含港澳地區有超過 14 億說華語的龐大潛在人口，加上台灣兩千三百萬會說國語的人數以及其他地區超過五千萬的華裔，再加上上千萬學華語文的新力軍，華語文儼然成爲繼英語文之後，第二強勢的國際語文。

台灣在歷史傳承、在地理位置、在血源人種，都跟漢語文化息息相關，不僅無法切割，而且是一衣帶水緊密相連的關係，今後繼續繼承、延續上千年粹練精選融合多族群的歷史文化，進而開創出創新的新文化，再採取雙贏、多贏的策略，發揚光大，必然成爲多元文化、多語文地區的新典範。在這一方面，愛爾蘭、紐西蘭兩島國新世紀的「崛起」，值得借鑑。

6.2.1 愛爾蘭驚艷

愛爾蘭這個蕞爾小島，臨近強權的大英帝國，自 17 世紀到 20 世紀，跟大英帝國糾纏不清，一直企圖尋求自主獨立，其間戰爭、暴亂與恐怖活動不斷，民不聊生；筆者 1986 的遊學經歷是：滿目瘡痍、慘不忍睹。然而二十一世紀，英愛兩國將政治擺兩旁，只管經濟，因而立刻成爲全球 GDP 前二十名富裕安樂的地區。當前的愛爾蘭（北愛及愛爾蘭共和國）不常見到恐怖「愛獨」份子，但見全球生意人在此生意盎然的地區，快樂的從事商業及文化活動。

愛爾蘭在語言、文學領域也是全球首屈一指的文學之鄉。北愛出了一位 C. S. Lewis （路益師）正是二十世紀最受歡迎的學者兼作家（戴維揚,1996）。愛爾蘭的都柏林以四位獲諾貝爾文學獎的大師享譽全球：G. B. Shaw（蕭伯納）、Yeats（葉慈）、Backett（貝克特） 以及詩人 S. Heaney，聞名全球，另加無緣獲大獎的超級文壇大師 James Joyce（喬愛斯）。其中特別值得一提的語文政策爲：Yeats 力排眾議，主張不必使用本土母語的 Celtic 語，而改以英語文爲國際語言以及學校教學、寫作使用的學術語文，因此全球的文人莫不耳熟能詳愛爾蘭這寶地是個人文薈萃、享譽全球的文學搖籃。早從 18 世紀以來，以英文創作的大師輩出，如出版《小人國》的 Swift，其故事中第四大段想像出一個如猿的族群叫 “yahoo”，跟當代楊致遠的 yahoo 如出一轍。再看撰寫《中國書信》的 Goldsmith 等名家，都是膾炙人口、享譽全球的大作家；正如在台灣也產生了許多以北京普通話或稱現代漢語/華語爲文的著名作家。馬來西亞也產生了許多以中文寫作的名作家如王潤華、陳慧樺、戴華等著名華人作家。

6.2.2 紐西蘭小巧菁英的語文企業

紐西蘭雖然地處邊陲，然而因爲使用英語文而沾光，人口不到四百萬，可是每年到紐西蘭學英語文的留學、遊學生將近四萬人，外國學生幾乎佔了人口的百分之一，其中有超過 62%來自中國大陸；到 2006 年，教英語文的經濟效益已佔全國產值的第 14 位，收入可觀。同時，紐西蘭也大力提倡學習華語文，到處設立華語文學校、學習班，如朱榮智在奧克蘭創辦學院。鑑此，台灣近來發展華語文教學，外籍學生卻還不到千分之一。這些新興的語文企業，必然可帶來盛富商機。以上兩個島國雖然在新世紀賺了許多英語文教學的企業商機，近日也都漸漸朝向英語文加華語文的雙語文教學，新創另一新興企業，蓬勃發展。

比鄰的澳洲的總理陸惠文(Kevin Ruddy)曾到台灣的台師大國語中心學中文，所以他到北大可用中文演講。也成立了國家級的漢語研究會。國立澳洲、墨爾本、昆斯蘭、雪梨等大學陸續開設東方語言學系教授華語。根據 2007 年之官方資料，澳洲全國共有 49 所中文學校，就讀學生 9,727 人。2008 年，中文已經是澳洲第一大州──新南威爾斯州在所有非英語語言中註冊學生最多的科目之一，學生人數已達 1 萬 7,000 多人。在第二大州──維多利亞州，選擇中文作爲高考科目的應屆學生也是人數最多的。這些中文學習熱潮，興旺的現象，目前在澳洲各地也十分普遍。

6.2.3 馬來西亞華校可爲全球典範

馬來西亞一向以華人爲傲，其就讀華校百萬以上的學生數，筆者三度拜訪，驚敬有加。是中國境外建立了從小學、中學、到大學的較晚整華文教育體系的唯一國家」(高偉濃、廖小健, 2003)。華人占總人數 1957 年獨立時佔 37%到 2000 年約佔 26%大約爲三分之一，因而在 1993 年董教總教育中心落成之後，一直扮演督導總管的重要角色。就 1997 年馬來西亞的統計就有 60 所華人獨立中學，約 6 萬學生，其中寬柔中學就有 5,000 多位學生；另在 1,200 多所華校小學約百萬學生(曾金金, 2008)；跟馬來西亞接界的勿洞的中華中學也具相當規模的華校，如今 2009 年學生人數必然是愈發成長；然而就兩年制的學院至今只有新紀元、南方、韓江、拉曼(吉隆坡和檳城等地)等，另加 2002 年成立拉曼大學(霹靂州金寶)。此外，另有上萬學生遠至台灣的各大學就讀，其中最多學生到台師大就讀，其中又以就讀國文系人數最多。

6.2.4 韓、泰、日補華文比補英文還興旺

中日兩國一衣帶水，交往了兩千多年，兩國的語言文字、文學和文化交流相當頻繁。早在《史記・秦始皇本紀》已經記載「遣徐福發童男女數千人，入海求仙人」，然後「徐福得平原廣澤」就不回到中原，而相傳就留在今日的日本定居，此後中國一有動亂不安，不少移民一再地東渡日

本，所以中日的歷史文化源遠流長(羅晃朝, 1994)。日本到 2002 年沒有中文選修課的高中已經達到 412 所，大學也有 50 所以上(郭修靜, 2003)；如今 2009 學漢字的學生數量愈來愈多是必然的。

到韓國的華人約 10 萬，相對地近年來也有 30 萬以上韓國人到中國創業移民。韓國新世紀新氣象，除了李明博總統大力推展全民學英語之外，民間超過 300 萬人大都自費補習，拼命學華語文。十五年前，從南韓來到台師大國文研究所進修的碩博士生，最興盛的時候每年超過 50 位，足以單獨設所上課；如今轉往中國大陸學漢語文的南韓學生超過 6 萬名，到台灣的不超過兩千，顯然不成比例。南韓超過 200 多所大學，120 多所中學開設中文課程。此外，在首都首爾(舊稱漢城)的外語補習街，最顯目耀眼的是「中國語」補習班。因爲南韓大力傾向美國與中國，專精這兩國語文（國際語文）的人才輩出，因而國際競爭力也呈倍數突增。

回溯早在三國時代漢字已傳到韓國，及至朝鮮王朝（1432-1910）與中國的交往極爲密切，學習漢語因而成爲李朝外交上的大事。這五百年間李朝編纂和使用過的漢語教科書不下十餘種，正可比對出元、明、清三朝的漢語演變。由此可證中韓文之間的互動（景盛軒，2008）。近代韓國又再次借用漢文在文字出版和教學，1972 制定教學上可用 1800 漢字(900 初中，900 高中)；2009 韓國政府又歸劃落實到小學教中文(洪映熙, 2008)。

再看泰國的詩林通公主，一再地親自到中國學中文，不但出版八本攸關漢學的書籍，還在 26 省各設一所國立的師範大學，特將重點專注在培養華語文教師。台灣的台師大，近年來一直配合泰國的華語文教學，尤其近半世紀以來，在泰國我們已有一百多所中小學。筆者曾訪問 28 所（特別聚集在泰北，如滿星疊的大同中學、「美斯樂」在段希文將軍之媳曾化儀建立興華學校，以及創辦建華中小學的陳將軍），他們一直堅守崗位從事華語文教學，甚至使用台灣各家出版社的國高中、小學教科書。2008 淡水的鄧公國小李永霈校長讓泰北老師來淡水爲期兩周研習華語文教學，增強交流互動。在首都曼谷設立許多三語的國際語文學校，其中最著名的爲華人創立的崇明學院以及年年舉辦教師認證考試的中華國際學校。泰國至今仍有六家華文報紙，由此可見泰人學中文的實用效益。近年來中國大陸也開始關心泰國的華校，廈門大學 2007 年開始提供獎學金給華校。

6.2.5 緬、越的華語文教育

全緬華文學校（或補習班），不會少於 150 所，在臘戌是華文學校最

多的地方，有一所高中，八所國中、小學。共有 164 班，7,000 多個學生，教師 292 人，學生多爲華裔，採用台灣國立編譯館之教材。可惜當地教師待遇偏低。

緬甸大學生只要華文具國中程度者，即可擔任華語文教師，但符合此標準者仍佔少數，因此，尚有 81 歲高齡的資深教師。目前僅有高中教師是由大陸聘請來的。由於台商及新加坡外資湧入緬甸，使得懂華文成爲錄取工作的優先條件。

學習對象：不限於華人子弟。

學習華語文動機：華語文的經濟效益、赴台灣、新加坡或中國大陸深造。

所需支援：師資之來源（聘不到老師）、圖書、經費、設備等。

教學導向：第二語言教學、技職專長培養等。

相關機關：

緬　　北：密支那(Myikyina)的育成學校（包含國小、國中、高中各十數班）。目前由校友（台灣高中退休教師）王應昌擔任校長，經費也由台灣佛光山大力資助，在王校長經營下，學校軟硬體設備均得以加強並不時加以改善，小學生另提供免費營養午餐。

緬 中 北：果文中學、果敢語文學校、雙龍中小學校、聖光學校、果民學校、果邦中小學校、果強學校、明德學校、罵猛龍中小學校、金星學校等。

中部瓦城(Mandalay)：設有新加坡人專門來開辦的中英文學校，學習良好的就推薦到新加坡插班就讀國中小。另設有專供富人子弟就讀的英語及華語等各類補習班。

新加坡政府大力在東南亞華僑匯聚的區域，提供獎學金，讓華裔的學生成績優良的可到新加坡就學，並擇優加入新加坡藉；反觀台灣原先禮遇僑生，近十年來漸失良策（部分參放曾金金，2008）。

近鄰的越南古稱安南，一向和中國的關係密切，華裔人口不少於 300 萬。台灣在 1997 年在胡志明市成立台北學校(現改稱台灣學校)，超過 700 學生；中國大陸自從 1992 年開始在胡志明市師範大學中文系主辦多次各級中國國家漢語水平考試(HSK)，人數超過萬人。單在胡志明市就有 29 個華語中心，學生人數超過 3 萬。河內師範大學中文系也培養普通中學的漢語教師(曾金金, 2008)。

6.2.6 歐洲華語文教學的盛況空前

最近幾年每年中國人大量移往歐洲。華僑華人的人數急速上昇到百萬(李明歡, 2002)原本大都以餐飲業爲謀生之道，近年隨著中國經濟起飛，各行各業，漸趨活絡。

法國漢學研究一向執牛耳。許光華(2007)在〈法國漢學三百年〉詳論其中大師輩出；及至新世紀法國政府爲了表示對華語的重視，於 2006 年 3 月 1 日正式設立「漢語總督學」一職，以向全國的中學推廣華語。2008 年已與台大、台師大、義守大學、崑山科技大學合作開發數位華語教材。目前在法國學習華語人數在各類外語中排名第五，但正以每年增加 20%至 30%的速度成長。除大學之外，法國目前有 194 所中學和 12 所小學開辦華語選修課，10 年前學中文的人口只有 2,500 人，目前已有 15,000 人。任命漢語總督學，正可凸顯華語教育在法國教育體系逐漸佔有重要地位。

英國牛津、劍橋、倫敦、里茲等大學，設立漢學研究的年代十分久遠。目前全英國在中小學也開設華語文課程，學習中文的總人數在 15,000 人左右。至於英國南部的布萊頓學院，也在 2007 年 9 月正式開設華語課，這也是英國學校首度把華語列爲必修課程。在英國，1998 年只有大約 6,000 名學生學中文，2008 年跳昇爲 50,000 多名。高中和大學學習中文的學生從 2002 年到 2005 年增加了一倍。大多數西方國家都有類似倍數的成長的熱中現象。

甚至在捷克布拉格的查理大學由 Olga Lomova 設立漢學講座，至今已成立陣容堅強五位大師級教授華語文的博士班，名聞遐邇。

6.2.7 非洲華語熱也急起直追

遠在非洲南端的南非，4,700 萬人口竟然有超過 20 萬華裔，再加上新世紀新移民人數，與日俱增；華語也逐漸引起百萬人的重視。

地處北非的埃及，隨著中埃關係的蓬勃發展，也興起了「中文熱」。目前，埃及的艾因夏姆斯大學語言學院中文系設立非洲最大的華語教學中心，四年制的中文系在校生約有 600 多名。著名的艾資哈爾大學，學習華語的學生也有 100 多名。另外，埃及的開羅大學、紮卡濟克大學、阿斯尤特大學也開設或正在籌建中文教學系、所。2007 年 4 月，中國總理朱鎔基訪埃期間，兩國政府簽訂了有關支援建立中文學校的條文，這所學校將是中東地區乃至整個非洲大陸的第一所中文學校（張金蘭，2008）。臺灣非洲的農耕隊貢獻卓著，目前仍有邦交的四國大筆金額提供獎學金到台灣學華語。爲此，全非的華語熱，與日俱進、與年炙熱。

6.3 中國大陸「國學熱」的興起

最新一波的「國學熱」打從 20 世紀 80 年代中期，到 21 世紀 2008 北京奧運，2010 上海博覽會達到高潮。這一波的國學熱可從學界、出版界、網路和電視推波助瀾，蔚爲奇觀。

6.3.1 學術出版界的組織活動

1986 年深圳大學成立「國學所」，並於同年出版《國學集刊》，1988 年中山大學成立「廣州國學研究社」，1993 年北京大學中國傳統文化研究中心編輯出版《國學研究》，相當程度地奠定「國學」的學術地位。

中華孔子學會編輯《賞經》教材和《中華文化經典誦讀本》；中國青少年基金會推出「中華古詩文經典誦讀工程」；遼寧教育出版社爲了國學知識的普及，1991 年推出《國學叢書》；同時百花洲文藝出版社出版《國學大師叢書》。2006 年《光明日報》推展"國學專版"（每週），光明講壇（雙週），漸漸普及到社會大眾。中國大陸隨著改革開放以來，愈來愈重視國學，加深、加高、加廣全方位提升博大精深的「國學」。

6.3.2 孔子學院全球遠播

2002 年中國人民大學成立「孔子學院」，2005 年 5 月中國人民大學國學院掛牌招生，往後大陸官方在世界各地普設「孔子學院」。全力支持師資、教材、H.S.K 考試，引起並帶動全球學習漢語的新風潮。根據「漢辦」網站報導，截至 2009 年 4 月，已經啓動建設了 326 所孔仔學院(課堂)，分佈在 81 個國家和地區。各地孔子學院全依自己的優勢發展各具文化特色的辦學模式，建構成各地漢語及文化活動的重鎮。

6.3.3 網路與電視推波助瀾

網路和電視爲新世紀的強勢媒體。單就全球化的「專門國學網」主要的有：國學網路（www.guoxue.com），中國國學網（http://www.confucianism.com.cn），中華少年國學網

（http://www.sngx.cn），新國學網（http://www.sinology.cn）出版《新國學》期刊，其他尚有數不盡的各人網站（博客或布絡格），以及古籍數位化（電子化）也增加學習的縱深，如《國學寶典》、《四庫全書》。

電視節目最容易引起廣泛的討論，其中以中央電視台十套的「百家講壇」，讓中國歷史文化走入尋常百姓家。余秋雨、易中天、于丹等人引起海峽兩岸的學界和廣大的社會人士熱烈閱讀「國學」書籍和討論各家話題（包禮祥，2008）。2009 大陸各界爭相邀請台灣的朱榮智主講孔子與老子、莊子等的子學，再聚焦在「止學」，爲新世紀開闢另一「止於至善」的康莊大道。點出中國人「知其所止」、「行其所止」、「適可而止」還能「止止不止」的長長久久、生生不息的大小道理，比美上述三位名嘴、學者、專家。

6.4 台灣華語文教學特殊歷史的優勢地位

目前到中國大陸學華語文的國際學生超過十二萬，到台灣的反而只有一萬一百一十人，遙想 1946 年台師大梁實秋院長創立「國語中心」，1990 年之前，到台灣學華語文的人數一直遙遙領先中國大陸。除了五十三年來收入相當可觀，最重要的是我們已培養了無數的外交官，甚至包括澳大利亞的現任總理，以及數任駐台的美國大使、代表，以及世界各地漢學界的泰斗大師和著名學者。

在筆者擔任國語中心主任時，驚覺日本八大會社經過兩年嚴謹的研究撰寫報告，已然認知：先到台灣學習傳統又富有文化素養的「正」體字，兩年後再學「簡」體字，易如反掌；如先學簡體字，再學正體字，難如登天。因此這些著名的八大會社，一致心甘情願決議：派遣學員先到台灣學正體字兩年，甚至三到五年，一邊學華語，一邊工作。此外，又發現台灣的文化其中有五十年融合了日本文化，這是已經過東西洋文化衝擊，融合焠煉過的結晶精華，是早已經過千錘百鍊的、已可發揚光大的文明、文化：有最傳統的道家修煉 （太極拳、太極劍等） 和最新創發的雲門舞集、明華園的歌仔戲以及最新科技研發的「河洛漢語及普通話」並置的「雅音四書集粹」，同時還可免費上網下載，因而在台師大國語中心，單單是來自日本的註冊學生，一年四期再加量身訂製的特別班就超過兩千人次。

所有到台灣學華文的學生都發現，台灣大量保留中華文化其中最精華、最傳統的「故宮文物」，因而多重地孕育了深厚的文化涵養；又發展已經融合了中國大江南北各種口味的飲食文化，融合了與時俱進各具特色的東西洋餐廳。甚至在台師大國語中心還開餐廳教室，教導學生自己包水餃、妙炒飯等自理、自養的日常生活文化。這些自由、民主又融合當代全球文化的精緻「小巧」實驗的成功案例，也是到台灣學漢語兼及漢文化的利基所在。

6.5 台灣華文及文化領先全球的特殊環境

台灣地處日、韓東北亞和菲、新、馬、越等東南亞以及南半球紐澳之間的樞紐，再加乘我們已經具有至今超過五十年的僑生僑教，這些人脈是我們堅持保持著（相對照於中國大陸 1966~1976 的文革十年浩劫）；今後仍需僑委會繼續提供全球超過八萬所的週末「華語文教學會所」（其中大都爲教堂或小學教室），期望仍依十年前的往例繼續提供教材與教師，大力支援華校。其中最值得矚目的爲馬來西亞，一直保有一千兩百所以上的小學，60 幾所中學的華校，每所平均有三千個中小學學子；泰國也有超過 100 所華文的中小學，以及東協（盟）等十國都有大量的華人、華校，繼續不斷地教授華語漢文。

大陸 2004 年才開始要設立目標 500 所「孔子學院」，我們早已設立「老子」、「孫子」、「肚子」（餐飲班）、「身子」（練氣功、外丹功）等綜合文字、文學、文化的課程，上述論及的超過八萬個小小的學習班，個個都特具台灣中小企業小而美的螞蟻雄兵的經營理念，再加以遍滿全球華人的雄心大志，都全心全意地堅持永續的中華文字與文化的志業。

大陸發展 H.S.K.（漢語水平考試），台灣在 2003 年，筆者「國語中心」主任的任內也發展 C.P.T.（華語文程度考試），後來由「國家華語測驗工作委員會」舉辦「華語文能力測驗」（Test of Proficiency—Huayu）。傳承我們已結合了傳統的正體字的檢測機制，因而美國的 AP 也兼採台灣這套保存兩千年的古漢語、古漢字。檢視閩南語仍然保存古音、中古音，這和日、韓、越、泰的華語語音都同屬於聲母、韻母變音（sound shifts）之前的中原音韻。此外，我們也兼採大陸發展的「漢語拼音」以及台灣特具神效的「注音符號」雙軌標音系統的教學。

總之，我們必須正視台灣深具保存傳統文字和文化所帶來的特殊優勢，並加以發揚光大，今後仍可和中國大陸並駕齊驅，各具特色，又漸

「趨同化」共建雙贏的大中華亮麗榮景。

6.6 寶島正是華語文教學的寶地

台灣寶島處處都在發揚光大中華文化，如重印許多大部頭的叢書；除了精裝燙金 16 開本，共 1,500 巨冊的「文淵閣四庫全書」之外，教育部也編列 10 億元推動閱讀。之前曾志朗、洪蘭夫婦全面大力提倡閱讀，因而即使花蓮縣地處邊陲，仍出版《2008 後山的閱讀桃花源記》的閱讀手冊，透過閱讀紀錄和獎勵的方式，鼓勵學生每天閱讀 20 分鐘，養成「自我學習」的能力和習慣，而能時時自主的進行深度閱讀，2008 年有 34 校 224 班共 5,600 多個學生熱烈響應。這種鼓勵自學的學風，也可以引進華語文教學，成爲小而精美的自學方案，以小班教學方式進行，並配合上述台灣已經研發成功的「線上學習」，一方面保存並發揚傳統的文字、文學、文化，同時發展新鑄語彙以及嶄新融合特具特色的創新文化。至今我們仍是學習華語文的重鎮、燈塔。

6.7 流行文化與華語文教學

漢學研究的議題屬於菁英式的陽春白雪、曲高和寡的專題研究；相對於嚴肅、嚴謹的研究，在實用的教學策略肯定要親近廣大的人群，樂其所好，共享通俗文化、流行文化。舉 2009 中國大陸「中國網」舉辦「新中國最有影響的文化人物」評選，吸引了兩千多萬人次投票，結果排名第 1 的是台灣的鄧麗君，第 2 王菲、第 3 周杰倫，出身台灣的羅大佑也在前 10 名排行榜，由此可見大眾瘋狂喜好台灣的「流行音樂」，其影響力遍及整個華人世界，從中國大陸到美洲新大陸，到新加坡，皆如是觀。華語文教學也可藉流行音樂的歌詞學習漢語、漢字、漢文化。如陳滿銘主編的《實用漢語語法》就有兩篇涉及流行歌詞的教學：蒲基維(2009)〈台灣華語流行歌曲的藝術特色—以游鴻明〈孟婆湯〉、周杰倫〈東風破〉爲例〉，蕭千金(2009)〈周杰倫敘事 MTV 在寫作上的運用—以整體意向與今昔結構切入做探討〉。

除了大量流行歌曲的流行文化，近年來「秀」(show)場文化，也是當紅最夯的熱門(點)話題，由此衍生的「流行文化」引起學界的矚目。中國大陸的倉理新(2009)撰寫〈從流行語看流行文化—以超女選秀爲例〉捕捉當代流行文化之軌跡，反映「流行偶像」(pop idol) 與粉絲(fans)之間，蹦出

「超女現象」(Super Girls)在在都是華語文教學的熱門(點)課題。

6.8 華語文學與現當代文學研究

季進(2009)在一篇〈海外漢學：另一種聲音─王德威訪談錄之一〉點出「現在海外漢學研究越來越受到關注」。海外的現代文學、古典文學研究、歷史研究、文化研究，已經爲中國大陸學界開啓另一扇窗，聽到「另一種聲音」、「絕對成了一個很大的熱點」。因而考慮出版「海外中國現代文學研究譯叢」，目前初定 15 種包括老一輩的學者，必如《夏志清論中國現代文學》、《李歐梵論中國現代文學》以及中青一輩的周蕾的《婦女與中國現代性》、奚密的《現代漢詩》、張英進的《影響中國》。台灣出身的王德威在麥田出版的《當代小說二十家》也是舉足輕重的重要里程碑。總之，文學作品在文字與文化之間，永遠扮演著重要的角色，在漢學研究與華語文教學之間，也是絕不可或缺的重要一環。然而在本文，著墨不深，一則是筆者在 1996 年以前已經撰寫出版若干論文；再則本文重點聚焦在文字與文化，他日再另撰專文補齊。另則李奭學(2009)也已大力補齊這些東西交流，令人讚賞的文學作品與翻譯的這些重大環節。

七、結論─對外漢語(華語)到國際漢語的新展望

中國大陸二十一世紀已將「對外漢語教學」擴展爲「漢語國際推廣」、「漢語國際教育」。因應「漢語國際推廣的新時代、新任務、新機遇、新挑戰，要求今後以新思(絲)路、新姿態、新部署、新工作」，不僅要將 12 萬外國學生「請進來」學漢語，還要「走出去」朝開拓 500 所「孔子學院」(目前已開設了 326 所)的願景(陳學超，2008)。台灣教育部也要求將 2009 年 1 萬 9 千位外籍學生擴充到 2015 年 13 萬外籍生來台學習，媲美 2009 年中國大陸外籍生等數的人數學漢語和其他專業學科，依此推演，中國大陸到 2015 年應該有 30 萬以上的外籍生。

展望海峽兩岸今後應該合作發展「漢字文教數位化內容 2.0 開放平台」以及「新一代華語文教學內容載具及教具」等文化創意旗艦產業。

7.1 發展「漢字文教數位化內容 2.0 開放平台」文化創意旗艦產

業

21 世紀初，兩岸三地政府都不約而同先後將文化創意產業列爲新世紀重要的「知識經濟」發展策略，不僅視爲一個經濟策略，也因爲它高度關聯到文化、教育、藝術、科技等多元領域的發展策略，具有火車頭效應，是所有文創產業中的「重中之重」(郭爲藩, 2006)。

7.1.1 面臨 2008 以來金融大海嘯危機，提升國民就業率最有效的方法是鼓勵微型創業，文化創業是最低門檻的創業領域，例如喜馬拉雅開放智識網志工甯耀南建議海峽兩岸鼓勵 1,000 萬大學畢業生做文化創業或受僱於企業從事文化創意工作。假設每一位文化創業者及創意工作者連自己在內可以帶動就業市場僱 3 人，就可以帶動 3,000 萬人就業，每一就業人口連自己在內能養活一家 3 口人，就可以養活 9,000 萬人，倘未計入經濟學上所謂的乘數效應及產業連鎖效應所產生的效益。(喜馬拉雅開放知識網(Himalaya Open Knowledge Net)：http://www.hhu.org.tw/fu65j/ 其中的「中國學開放知識庫」：中國學研究中心網站鏈結、漢學研究資源鏈結、中國學研究—《認識中國》系列)都將位各界無私無疆界、無時限的分享與服務。

7.1.2 要鼓勵文化創業，先要培養「國民的文化創造力」，形成一種「文化創業」的新文化，而培育「國民文化創造力」應先由「國民的文字創意力」開始，中國歷代科舉制度開科取士都以考文字能力選才，當時的邏輯是：有文字組織、文章的創意能力，一定就有的治國能力，在經驗上必有一定水準以上的「道理」。以今日從事現代工、商、服務事業的人才而言，也可以改爲：有文字組織創意力，就有一定的「文化創業力」，與創業後的公司治理能力，故振興文化產業必先由培育「國民文字創意能力」開始。

7.1.3 爲培養國民文字創意力，宜先總整理中華五千年迄今所累積的文字遺產與文化智慧的活資產，其中有蘊含了龐大的文化創意基因，可供15 億漢字文化圈(含日、韓、星、馬、越等國在內)使用者搜尋使用，才能形成未來更多、更大的文化創意市場。要做好這個工作，除了要仿效歷朝大規模文字總整理工程，例如明編纂永樂大典、清編纂四庫全書，還需要運用現代數位科技及網路平台，首先應從建置「漢字文教數位化內容 2.0 開放平台工程」開始。

7.2 建議：大規模整理漢字文教數位化內容

作爲四大文明古國碩果僅存的中國，發展文創產業的優勢無疑的就是五千年以來老祖宗代代相傳留下來的文字與文化寶庫，其中可汲取出博、大、精、深的創新文化基因。但是在 21 世紀網路時代整理中華五千年文化典籍的方法與歷代大規模整理典籍的文字工程，應該善用現代網路搜尋科技的各種輸入、儲存、檢索、搜尋、傳送技術，如此首要的建設就是搭建一開放式「天下爲公」的 2.0 數位內容平台，讓文創工作者能藉此平台取之於天下，用之於天下。2.0 的意義就是全球的漢字文化網民，既是內容生產者也是消費者，因此必須建立使用平台的公約（Protocol），包括內容的分類、編纂、校對、修改、新增、取用、加值等規則。另外運用最新的高速全文檢索技術，使離線、在線並用(詳見：葉建欣的刹那搜尋引擎)，動員網路義工做五千年典籍輸入及注釋的超連結工作，務使內容的存取具有廣度、精度、速度、深度等四度優勢，如此，文創工作者方能博古通今，薪火相傳，推陳出新。此一平台姑且名爲「漢字文教數位化內容 2.0 開放平台」旗艦計畫。目前最好的西方典範就是谷歌(Google)及維基百科(Wikipedia)。

7.3 網路時代新的「船堅炮利」是維基、谷歌—「數位內容的共

產社會」或「線上英文帝國主義」

打從 18 世紀工業革命，西方國家以新的航海科技、武器利器殖民全球，中國也經歷了百年屈辱。20 世紀末網路世界興起，新的「船堅炮利」應該是智識與資訊的產出、整理、傳輸、搜尋、使用及再加工創造所形成的文化創意霸權系統。以維基百科爲例，成立於 2001 年，只花 5 年，用 2 名全職人員發展出 200 多種語言版本，尤其是英文版，累積內容已超過百萬條，比「大英百科」超出七倍，採用開放平台，內容、校對、審稿皆由全球各國的智識份子義務提供。谷歌也推出免費查詢的線上百科全書，最近還提供 50 萬公版權線上書籍內容與 Sony 的電子書聯手，這類平台具備資料隨時更新、快速免費搜尋、條目多、資料量大、可聯絡各種期刊、博客文章等數不盡的優勢，因而在英語文世界等同形成一個接近零成本、無限產值的「數位內容共產主義」，雖然維基是多語言的，但是英語文具有絕大的優勢，在語文上也形成了一種線上「英文帝國主義」，對其他語文及文化形成一種資訊、智識及文化霸權，因而漢字文化有必要急起直追、迎頭趕上。

7.4 命名「漢字文教數位化內容 2.0 開放平台」商榷

此一命名之選項有多種考量，大致可以命名爲「中國」、「中華」或「漢字」各有不同的意涵，使用「中國」比較容易聯想到歷代的中國典籍；使用「中華」也可涵蓋五千年的典籍；而使用「漢字」則跨越國家考量，今日「漢字文化圈」已經是涵蓋亞太諸國，除了兩岸三地外還包括日、韓、越、星、馬等地；漢字文化也可以意指漢學。「漢學」也是國際上對中華五千年文化內容的統稱。採用「文教」比「文化」所代表的專業範疇更廣，不只包括了文化、藝術也涵蓋了教育、科技內容。而「數位」意指整理內容的工具已經 e 化了，也就是運用了現代網路及通訊所有的軟、硬體工具，數位內容不只是文字內容，也可以是多媒體，包括影、音、圖像、動漫等文字以外的內容。「開放」有兩層意思，1.免費、公用，「天下爲公」；2.內容的來源與校編是非壟斷及非權威的，在合理範圍內對各種見解內容，「兼容並蓄」。

7.5 平台語言文字的選擇

首先要確立漢字的選擇原則不僅應該「正、簡並容」，還應上溯加上甲骨文、金文、篆體、隸書呈現的內容，如此才能保存所有的文字基因。無疑地，就使用者的角度，簡化字做爲一個生活與職場的工具有絕對的優勢，而正體字做爲全球漢學家研究古籍學術工具，以及漢字文化圈的日、韓、台、港、星、馬、越、泰等地區的書道美學，及生活用字也有相對優勢，兩者都是文化創意的瑰寶，在電腦數位的科技能力日異擴張的時機，正體字書寫效率與內容容量限制都不是問題，兼收兩種文字資產、由市場決定取捨，是較聰明的作法。

這個平台的下一步是迎接全球化的挑戰，將來進一步整合西方的典籍，並用多國語文呈現。除華語文之外，首要之國際文字選擇是英語文，再延伸到法、德、俄、西、阿拉伯等全球各大語文。在此 21 世紀英語已成爲世界語，華語是第二個使用人口最多的語文，採用英、漢雙語一方面可以方便全球各語文的網路社群了解中華文化，及相互溝通，另一方面也可以整合英語文的文化、教育、科技文獻典籍。雙語的漢字文化典籍數位內容將成爲華文新文化創產業的基礎建設，也將與全球英語文創產業交互影響，帶動波瀾壯闊的「全球數位時代的文藝復興」，必將豐富了 21 世紀的全球文化創新內容。

7.6 發展「新一代數位文教內容載具及教具」旗艦產業

有了「漢字文教數位化內容 2.0 開放平台」及持續不斷地整理古今中華 5 千年文化典籍之後，消費者還需載具，包括 PC、Notebook、

Network、智慧手機及電子書包等，涵蓋價昂但具備多元功能的 PC，但如果要普及全中國 13 億以上的同胞，尤其是 3 億多的學童，電子書包產業將成爲漢字數位內容之首要載具。尤其是電子書產業是成本最低、最接近書本的載具。

7.7 電子書產業之現況及未來

目前全世界電子書系統有亞馬遜的 Kindle 電子書，及 Sony 與 Google 合作的 Reader 兩大系統。爲求省電及肉眼的持久閱讀，兩大系統皆採用電子紙、非彩色電子油墨、低速翻頁設計。台灣的英華達集團正規劃下一代的電子書，其功能接近 PC，可以與 3G 結合呈現多媒體內容，比美華碩、宏碁的簡易 PC，但價格遠低於 Kindle 與 Reader，也是未來頗具潛力取代 PC 的載具。(詳見：張景嵩先生所提供之電子書規範)

7.8 發展新一代 2.0 數位教具及教材的主張以樂學明日教學計畫的案例說明

過去的教學系統要仰賴博聞強記、擅長教學方法的少數卓越老師。當前面臨教育市場化趨勢，都會地區名校往往優先得到精英師資，而形成教學資源的不平衡分佈；內陸、邊陲、山區、農村等弱勢地區不僅師資貧乏，圖書、設備大不如大都會學校，如能藉助電子書及新一代 2.0 數位教具及教材輔助，一般素質的教師也不比優秀教師遜色。台灣馬凱先生籌組的「樂學明日教育計畫」(詳見：馬凱先生所提「樂學明日教育計畫」，)志工團隊已進行實驗，採用樂學板集電子書、網路電腦及智慧型手機於一體，可隨時更新並輸入新的數位教學內容，而教材採多媒體技術設計互動教學，內容以虛擬遊戲、角色扮演方式呈現，學習智識宛若電玩遊戲，容易引發學習動機。中國 3 億學生是未來文化創新及創業的後備大軍，普及運用新一代 2.0 數位教具與教材將為文化創意產業培育源源不絕的數位文化創意的生力軍。

7.9 家電下鄉政策可延伸到電子書包等數位內容載具並配合新一代 2.0 數位教具及教材

2008 下半年全球面臨金融大海嘯衝擊，中國政府提出了 4 兆的多元化大規模投資計劃，大幅減緩了大蕭條的衝擊，也藉此做了經濟結構的調整。不過大多數偏向消費型家電，而電子書、簡易 PC 不僅是消費家電，也是下一代的數位學習最佳工具，兩岸的 IT 軟、硬體產業已具有成熟的產業鏈與技術優勢，若能由政府領頭推動電腦下鄉、電子書下鄉，將可平衡城鄉教育差距、教師的素質差距，長期也可以縮小農村、偏遠地區人民的智識差距與貧富差距，政府扮演的角色佔著舉足輕重的地位。

7.10 政府扮演的角色

海峽兩岸的政府皆可扮演支持者、監督者及使用者等三個主要角色，分別說明如下：

7.10.1 支持者－ 政府可以用財政補貼政策，例如上述的家電下鄉政策，及獎勵產業投資政策支持，也可以提供公版權的書籍、檔案內容，例如：台灣的葉建欣先生運用法院的檔案，編了一套線上法典，法官、律師可以用隨身碟備存，用全文檢索方式用 0.1 秒的時間找到相關之法條、判例。(詳見：Accelon，一個開放的數位古籍平台)，他還編了大藏經數位內容(詳見：開放古籍平台的意義與實作)。

7.10.2 監督者－ 政府也可以採用過濾軟體方式篩選不法、淫穢內容，也可以採取防駭客措施，僱用學術人員共同參與編、校工作，提出較平衡之見解。

7.10.3 使用者— 例如前述之法律檔案，醫療、公衛檔案、教科書內容等公版權內容，政府可以是提供者，而加入許多司法、教育、醫政、健康部門的公務員也是使用者。

7.11 數位文藝復興時代來臨了！漢字內容數位平台是人類文明的多層建構

漢字文教數位內容平台並不只是兩岸三地文化創意或創業的新策略，也是世界數位文化創意或創業的半邊天，蓋漢字是人類碩果僅存的圖像文字，也能呈現單音的方塊文字，而當代存活的英文及所有其他文字都是拼音、多音節文字。少了漢字這個刺激全腦的語言符碼(code)，人類未來的創新發展是有限的，而未來電腦語音辨識程度提升最大的障礙在拼音文字「重語輕文」的結構，不如圖像式的漢字可發展全腦「語文並重」的優勢。

前瞻數位文藝復興時代，漢字內容數位化工程責任重大，肩負著人類數位文明發展的新創天下，少了數位漢字內容的文明只是部分文明，故發展「漢字文教數位化內容 2.0 開放平台」是兩岸中華同胞今後的重責大任，同時也可揹來無限的商機。

當前世界先進國家的大學或研究機構都正在建構「國際語文」的「樹庫」(tree bank)。例如英語的樹庫有英國的 Lancaster-Leeds(http://clwww.essex.ac.uk/w3c/corpus_ling/content/corpora/list/private/LOB/lob.html)和美國賓大的 U-Penn(http://www.cis.upenn.edu/~treebank/)。就漢語的樹庫有美國賓州大 U-Penn 漢語樹庫(http://www/cis.upenn.edu/~chinese/ctb.html/)以及台灣中研院(Sinica Tree-bank:http://turing.iis.sinica.edu.tw/treesearch/)(王躍龍, 2009)。

本文期望「漢學研究」與「華語文教學」都能達到 seven/eleven 終日不

打烊的經營方式，生生不息。今後的中國(China)首要結合台灣(Taiwan)爲Chinwan，再結合印度(India)爲 Chindia (Engardio, 2007)；再結合美國(America)爲 Chinmerica，這樣漢語以及漢文化就能走遍天下，長長久久，生生不息。

參考書目

王瓊玲 (2008)。從全球化視野下的漢學研究談中文學門發展之方向。**國文天地，24**(7)，8-10。

王躍龍 (2009)。漢語樹庫總述。**當代語言學，11**，47-55。

包禮祥（2008）。數字時代國學研究的大眾化與保真問題。**文化研究，4**，53-55。

李安山 (2009)。中非合作背景下的華僑華人與國家政策之關聯。載於夏誠華(主編)，**新世紀的海外華人變貌**，345-354。新竹市：玄奘大學海外華人研究中心。

李學勤 (2007)。列國漢學史書系序。**漢學研究**(*Chinese Studies*)，**10**，1-2。

李奭學 (2009)。歐洲中世紀・耶穌會士・宗教翻譯—我研究明末耶穌會翻譯文學的回顧前瞻。**編譯論叢，2**(2)，165-176。

李壽林 (2009)。從「一國兩字」到新的「書同文」。**海峽評論，224**，55-61。

李耀武 (2009)。時移勢易海外華教現商機—以探討泰國爲例。載於夏誠華(主編)，**新世紀的海外華人變貌**，61-98。新竹市：玄奘大學海外華人研究中心。

李豐楙、王福楨 (2008)。引用與文章——個網際的人文社群。**國文天地，24**(7)，15-20。

李其榮 (2005)。海外華文教育與文化多元共存—兼論 21 世紀初海外華文教育發展趨勢和問題。載於夏誠華(主編)，**僑民教育研究論文集**，23-48。新竹市：玄奘大學海外華人研究中心。

何志華、潘銘基 (2009)。資料庫之利用與學術研究。**國文天地，25**(4)，49-56。

何淑貞、張孝裕、陳立芬、舒兆民、蔡雅薰、賴明德（2008）。**華語文教學導論**。台北：三民。

季旭昇 (2009)。兩岸文字趨同化芻議。「**兩岸統合路徑**」**研討會**，北京：中國社科院台灣研究所・兩岸統合學會合辦。

季進 (2009)。海外漢學：令一種聲音—王德威訪談錄之一。**文化研究**，**3**，86-93。

林明歡 (2002)。**歐洲華僑華人史**。北京：中國華僑出版社。

洪映熙 (2008)。簡論韓國的漢字教學。**國際漢學集刊**，**2**，117-127。

邵敬敏 (2008)。**現代漢語通論(第二版)**。上海：上海教育出版社。

韋磊、王保勝(2009)。1960 年代美國學界關於中國學學科問題的討論。**漢學研究通訊**，**28**(2)，15-23。

夏誠華 (2009)。從競爭走向合作—台灣海峽兩岸政府僑務工作之轉變。載於夏誠華(主編)，**新世紀的海外華人變貌**，5-22。新竹市：玄奘大學海外華人研究中心。

徐榮崇 (2009)。澳洲台灣移民的回流型態、意向與適應。載於夏誠華(主編)，**新世紀的海外華人變貌**，167-182。新竹市：玄奘大學海外華人研究中心。

徐征（2005）。日本「學力低下」爭論之解讀。**比較教育研究** ，**176**，63-67。

高偉濃 (2005)。對海外華文教育的歷史變化與因應之道的若干思考。載於夏誠華(主編)，**僑民教育研究論文集**，49-56。新竹市：玄奘大學海外華人研究中心。

高偉濃、廖小健 (2003)。馬來西亞華文教育的發展與前瞻。**第七屆世界華語文教學研討會論文集**，**5**，34-43。

高崇雲 (2005)。東南亞各國華文教育問題的研究。載於夏誠華(主編)，**僑民教育研究論文集**，57-82。新竹市：玄奘大學海外華人研究中心。

耿立群 (2008)。《漢學研究》二十五年來的回顧與展望。**漢學研究通訊**，**105**，25-31。

崔承現 (2003)。**韓國華僑史研究**。香港：香港社會科學。

孫劍秋 (2008)。從事華語文教師的新契機。**國文天地**，**24**(7)，30-31。

孫秀玲、廖箴 (2008)。興與變：近二十五年來台灣漢學研究發展初探。**漢學研究通訊**，**105**，1-12。

張西平 (2009)。**歐洲早期漢學史－中西文化交流與西方漢學的興起**。北京：中華。

張存武 (2009)。台灣華僑華人研究。載於夏誠華(主編)，**新世紀的海外華人變**，1-4。新竹市：玄奘大學海外華人研究中心。

張金蘭 (2008)。**實用華語文教學導論**。台北：文光圖書。

張高評 (2008)。人文評鑑與論文規範。**國文天地，24**(7)，15-20。

郭珠美 (2009)。日漸升溫的中文熱與應對。**2009 第二屆華語文教學國際研討會暨工作坊論文集**，1-6。

郭爲藩 (2006)。**全球視野的文化政策**。台北：心理。

郭修靜 (2003)。談日本的中文教學教材與教學環境。**第七屆世界華語文教學研討會論文集，6**，148-157。

曾金金 (2008)。**華語語音資料庫及數位學習應用**。台北：新學林。

景盛軒 (2008)。《朝鮮時代漢語教科書》釋詞。**語言研究，28**(1)，30-33。

曾金金編著（2008）。**華語語音資料庫及數位學習應用**。台北：新學林。

彭俊 (2005)。華文教育的學科性質和特點。載於夏誠華(主編)，**僑民教育研究論文集**，1-22。新竹市：玄奘大學海外華人研究中心。

閻純德 (2007)。漢學歷史與學術型態—列國漢學史書系。**漢學研究**(*Chinese Studies*)，**10**，3-15。

陳威 (2009)。北美漢學研究現況。**漢學研究通訊，110**，47-52。

陳偉之 (2006)。從鄭和下西洋的歷史啓示探索台灣的南向政策。**海外華人歷史與經濟發展**。台北：樂學，67-88。

陳學超 (2008)。從對外漢語到國際漢學。**國際漢學集刊，2**，58-62。

許光華 (2007)。法國漢學三百年。**漢學研究**(*Chinese Studies*)，**10**，154-183。

許榮崇 (2006)。澳洲台灣移民的遷徙過程中的問題、調適與適應。**海外華人歷史與經濟發展**。台北：樂學，89-117。

黃文吉 (2008)。中文人何必跟著哀哀叫—談對 SCI、SSCI 的因應之道。**國文天地，24**(7)，26-29。

黃沛榮 (2003)。**漢字教學的理論與實踐**。台北：樂學。

黃啓臣 (2007)。俐瑪竇在肇慶、韶州和南雄。**漢學研究**(*Chinese Studies*)，**10**，324-332。

楊佳嫻 (2009)。從語言學入手・追尋「英文化風景—專訪瑞典漢學家馬悅然教授。」**漢學研究通訊，109**，26-30。

曹青 (2007)。法國耶穌會士白晉事蹟綜論。**漢學研究**(*Chinese Studies*)，**10**，184-207。

葉國良 (2008)。我對中文學門問題的意見。**國文天地，24**(7)，4-7。

詹海雲 (2008)。如何改善及提昇中文學門的研究環境。**國文天地，24**(7)，11-14。

潘鳳娟 (2008)。從「西學」到「漢學」：中國耶穌會與歐洲漢學。**漢學研究通訊**，**27**(2)，14-26。

劉珣（2006）。**漢語作爲第二語言教學簡論**。北京：北京語言大學。

劉志基 (1996)。**漢字文化綜論**。南寧：廣西教育。

賴明德 (2003)。**中國文字教學研究**。台北：文史哲。

戴維揚 (1996)。從二元對立 vs.合而爲一到協商式的文化教學。**文訊雜誌**，42-43。

戴維揚 (1981)。論儒家經典西譯與基督教聖經中譯。**教學與研究**，**3**，241-278。

戴維揚 (2008)。華語文已成爲新興強勢國際語文。*English Career*，42-47。

戴維揚 (2009)。開闢中文系國際交流的新天地。**國文天地**，**24**(8)，86-87。

戴維揚、方淑華（2004）。就語言流變追根溯源閩台漢語。載於戴維揚(主編)，**人文研究與語文教育**，15-42，台北：台灣師大。

戴維揚 (2009 付梓中)。易經教學：數理邏輯及人生哲理。陳滿銘主編，**實用漢語語法**。台北：新學林。

羅晃潮 (1994)。**日本華僑史**。廣州：廣東高等教育。

蘇鵬元 (2008)。全球中文教師荒職缺達 90 萬個。**商業周刊**，**1057**，119-122。

Dai, D. W. Y. (1979).。*Confucius and Confucianism in the European Enlightenment.* Unpublished Ph. D. Dissertation, University of Illinois.

Dai, D. W. Y. (1984). The Confucian *Five Classics* as a contradiction of the Mosaic Pentateuch: A study of the Encounter between East and West on the subject of chronology. *Discovering the Other Humanities East and West.* Malibu: Undena.

Engardio, P. (Ed.) (2007). *CHINDIA: How China and India are revolutionizing global business.* New York: McGraw-Hill.

Ronan, C. E, & Oh, B. B. C. (Eds.) (1988). *The Jesuits in China, 1582-1773*〔東西交流─耶穌會士在中國〕. Chicago: Loyola University Press.

作者簡介：

戴維揚 玄奘大學應用外語系教授兼主任

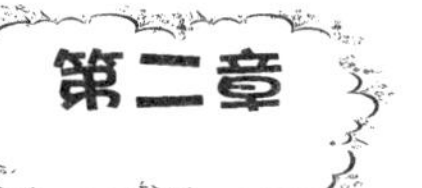

篇章風格教學之新嘗試
——以剛柔成分之多寡與比例切入作探討

陳滿銘

摘　要

篇章是建立在二元（陰柔、陽剛）互動之基礎上，以呈現其「多、二、一（0）」結構的；而其風格之形成，便與這種由二元（陰柔、陽剛）互動所組織而成之「多、二、一（0）」結構與其「移位」、「轉位」、「調和」、「對比」，息息相關。本文即以唐詩、宋詞各一首之教學為例，用這種由二元（陰柔、陽剛）互動所組織成之的篇章結構與其「移位」（順、逆）、「轉位」（拗）、「調和」、「對比」為依據，對整體結構之陽剛與陰柔之「勢」，探討其多寡與比例，並將這種模式探索之結果對應於傳統直觀表現之結晶作進一步的觀察。結果發現：在教學中審辨作品之篇章風格時，除必須參考直觀表現之成果外，又嘗試拓展「有理可說」的模式探索空間，將有助於審辨品質之提高。因此這種新嘗試對篇章風格之教學改進而言，是有相當高之參考價值的。

關鍵詞：篇章風格、剛柔、多寡、比例、「多、二、一（0）」結構、語文教學

一、前言

一般說來，風格是多方面的，而文學風格更是如此，有文體、作家、流派、時代、地域、民族和作品等風格之異[1]。即以一篇作品而言，又有內容與形式（藝術）風格的不同，其中以內容來說，就關涉到主題（主旨、意象），而形式（藝術），則與文（語）法、修辭和章法等有關。而一篇作品之風格，就是結合內容與形式（藝術）所產生有整個機體所顯示的審美風貌[2]，這是合作者之形象思維與邏輯思維爲一而形成，可以統攝主

[1] 見黎運漢《漢語風格學》（廣州：廣東教育出版社，2000 年 2 月一版一刷），頁 3。又見周振甫《文學風格例話》（上海：上海教育出版社，1989 年 7 月一版一刷），頁 1-290。

[2] 見顧祖釗《文學原理新釋》（北京：人民文學出版社，2001 年 5 月一版二刷），頁 184。

題、文（語）法、修辭和章法等種種個別風格，呈現整體風格之美。其中篇章之風格，由於它涉及篇章之意象內涵（內容材料）及其邏輯組織（章法結構），乃關係到綜合思維，是合形象思維與邏輯思維而為一的。

這種篇章風格，自古以來大都經由「直觀」（intuition）加以捕捉，往往偏於主觀，因此難免因人而異；而如今辭章之「模式」（module）研究，則日新月異，已可試著用此成果進行探索，以補「直觀」之不足。由於風格，從其源頭看，涉及了剛柔，因此本文特聚焦於篇章風格剛柔成分的多寡、比例，凸顯「模式」研究之初步成果，並由此引證一些由「直觀」累積之結晶，舉一詩一詞為例作說明，見其一斑，以作為各級國文或其他相關課程的教師改進篇章風格教學之參考。

二、嘗試辨析篇章風格中剛柔成分之多寡

篇章風格教學之新嘗試，可著眼於其剛柔成分之多寡。如眾所知，篇章之風格，可由「陰陽二元對待（一般稱二元對立〔binary opposition〕）」所形成之「剛」（sublime）與「柔」（beauty）加以呈現，成為各種風格之母。而我國涉及此「剛」與「柔」的特性來談風格的，雖然很早，但真正明明白白地提到「剛」與「柔」，而又強調用它們來概括各種風格的，首推清姚鼐的〈復魯絜非書〉。它「把各種不同風格的稱謂，作了高度的概括，概括為陽剛、陰柔兩大類。像雄渾、勁健、豪放、壯麗等都歸入陽剛類，含蓄、委曲、淡雅、高遠、飄逸等都可歸入陰柔類。」[3] 由於篇章「剛」與「柔」之呈現，主要得靠同樣由「陰陽二元對待」所形成之邏輯結構[4]，它由可分陰陽剛柔的章法形成，以呈現篇章內容材料之邏輯關係，而這種結構，藉其移位、轉位、調和、對比等變化，可粗略透過公式推算出其陰陽剛柔消長之「勢」，以見其風格之梗概。因此透過篇章邏輯結構之分析，是可以看出篇章「剛」與「柔」之「多寡進絀」（姚鼐〈復魯絜非書〉）所形成「勢」[5] 之強弱 的。

今舉王維的〈送梓州李使君〉詩為例，以見教學此詩的篇章風格時所要特別注意之重點：

---

[3] 見周振甫《文學風格例話》，同注 1，頁 13。

[4] 見陳滿銘〈章法風格論 － 以「多、二、一（0）」結構作考察〉（《成大中文學報》12 期，2005 年 7 月），頁 147-164。

[5] 參見涂光社《因動成勢》（南昌：百花洲文藝出版社，2001 年 10 月一版一刷），頁 256-265。

萬壑樹參天，千山響杜鵑。山中一夜雨，樹杪百重泉。漢女輸橦布，巴人訟芋田。文翁翻教授，不敢倚先賢。

此乃「一首投贈詩，是寫當地（梓州）的風景土俗，並寓歌頌之意[6]。它採「先實後虛」的結構寫成：「實」的部分，含前三聯，先以開端四句，寫「梓州」遠近之風景，再以「漢女」二句，寫「梓州」特別之土俗。其中「萬壑」二句，一訴諸視覺，一訴諸聽覺，來寫遠景；「山中」二句，藉「先久後暫」的結構，以寫近景：「漢女」二句，用「先正後反」的條理，來寫土俗。而「虛」的部分，則爲末二句，以「寓歌頌之意」作結。這樣一路寫來，可說「切地、切事、切人」，十分得法。對此，喻守真詳析云：

此詩首四句是懸想梓州山林之奇勝，是切地。同時頷聯重複「山樹」二字，即是謹承起首「千山萬壑」而來。律詩中用重複字，此可爲法。頸聯特寫「巴人漢女」，是敘蜀中風俗，是切事。有此一聯就移不到別處去。結尾尋出文翁治蜀化民成俗，是切人，以文翁擬李使君，官同事同，是很好的影戳，是切人。這兩句意謂梓州地雖僻陋，然在衣食既足之時，亦可施以教化，不能以人民之難治，就改變文翁教授之政策，想來梓州人民亦不敢倚仗先賢而不遵使君的命令。[7]

如此解析得愈深入，愈有助於對此詩的瞭解。附結構分析表如下：

---

[6] 見喻守真《唐詩三百首詳析》（臺北：臺灣中華書局，1996年4月臺二三版五刷），頁147。
[7] 見《唐詩三百首詳析》，同注6，頁148。

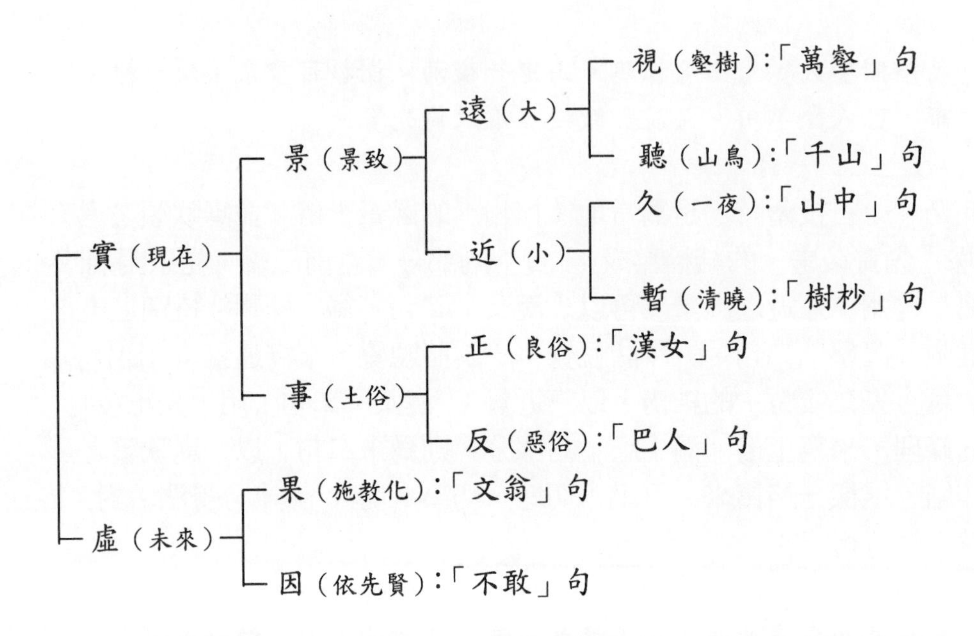

如此對應於「多、二、一（0）」結構來看，則它以「景事」、「因果」、「遠近」、「正反」、「視聽」、「久暫」等輔助性結構，形成「多」，以「虛實」自為陰陽徹下徹上所形成之核心結構[8]，可視為關鍵性之「二」，而由此充分地將一篇主旨與風格呈現出來，是為「一（0）」。如進一步以剛柔結構來呈現，則如下表：

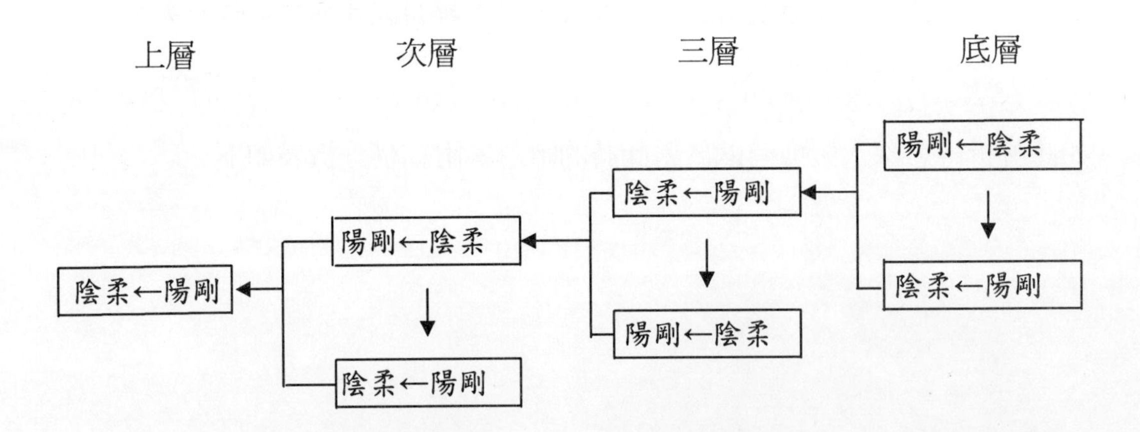

此詩之結構由四層重疊而組成：它最上層之「先實後虛」（逆、移位）乃其核心結構，其「勢」之趨向為「陽剛→陰柔」；次層有「先景後事」（順）、「先果後因」（逆）等兩個「移位」結構，其「勢」之趨向為

8 見陳滿銘〈論章法「多、二、一（0）」的核心結構〉（臺灣師大《師大學報・人文與社會類》48卷2期，2003年12月），頁71-94。

「陽剛→陰柔」→「陽剛→陰柔」；三層有「先遠後近」（逆）、「先正後反」（順、對比）等兩個「移位」結構，其「勢」之趨向爲「陽剛→陰柔」→「陰柔→陽剛」；底層有「先視覺後聽覺」（順）、「先久後暫」（逆）等兩個「移位」結構，其「勢」之趨向爲「陰柔→陽剛」→「陽剛→陰柔」。總結起來看，此篇所形成之「勢」，趨向「陰柔」的有四個結構、趨向「陽剛」的有三個結構，可看出其「陰柔」之「勢」較「多」較「進」，而「陽剛」之「勢」較「寡」較「黜」；尤其最重要的核心結構，即上層結構，其「勢」又趨向於「陰柔」。因此此詩顯屬偏於「陰柔」風格，[9] 關於這點，周振甫分析如下：

> 對王維這首詩的前四句，紀昀評爲「高調摩雲」，許印芳評爲「筆力雄大」，可歸入剛健的風格。值得注意的，是許印芳提出王維這類詩，兼有清遠、雄渾兩種風格，就意味講是清遠的，像寫既有萬壑的參天大樹，又有千山的杜鵑啼叫。經過一夜雨，看到山上的百重泉水。這裡正寫出山中雄偉的自然景象，沒有一點塵囂，透露出清遠的意味來。但從自然的景物看，又是氣勢雄渾的。假使不能賞識這種清遠的意味，就不能讚賞這種自然景物，寫不出雄渾的風格來。這個意見是值得探討的。[10]

內容情意，亦即「意味」，就辭章而言，是決定一切的根源力量，也就是「意象」之「意」；而「景象」則爲「意象」之「象」[11]。既然本詩就「意味講是清遠的」、就景象講是「雄渾」的，那麼這首詩就當以「清遠」（陰柔）爲主、「雄渾」（陽剛）爲輔，也就是說此詩的風格是「清遠中有雄渾」的。假如這種看法沒錯，則由「內容的邏輯結構」（章法結構）所推出來的剛柔流動之「勢」，正好可解釋這種現象。大致說來，這首詩雖說偏於「陰柔」，卻寓有相當強的「陽剛」之氣，可算接近於「剛柔相濟」；而「剛柔相濟」，在美學中是受到極高之推崇的[12]。

可見一篇風格之形成，與剛柔、「內容的邏輯結構」（章法結構），關係十分密切。換句話說，「風格」這種「審美風貌」有偏於「陰柔」、偏於「陽剛」或「剛柔相濟」的多種可能，是各自統合「意」與「象」而產生

---

9 見陳滿銘〈章法風格論 － 以「多、二、一（0）」結構作考察〉，同注 4，頁 156。

10 見《文學風格例話》，同注 1，頁 49。

11 見陳滿銘〈意象「多」、「二」、「一（0）」螺旋結構論 － 以哲學、文學、美學作對應考察〉（《濟南大學學報．社會科學版》17 卷 3 期，2007 年 5 月），頁 47-53。

12 見陳望衡《中國古典美學史》（長沙：湖南教育出版社，1998 年 8 月一版一刷），頁 186-187。

的。教學時如能著眼於其剛柔成分多寡之辨析，對篇章風格之掌握而言，將是大有助益的。這對篇章風格教學之改進來說，是一個很新的嘗試。

三、嘗試推定篇章風格中剛柔成分之比例

篇章風格教學之新嘗試，除著眼於其剛柔成分多寡之辨析外，又可進一步著眼於其剛柔成分比例之推定。眾所周知，篇章各層之意象組織，是以「陰陽二元」之互動爲基礎，經其「調和」性或「對比」性之「移位」(順、逆)、「轉位」(拗)所形成的[13]；如此透過它們所產生之或強或弱之「勢」，使得層層篇章意象組織之「陰柔」或「陽剛」起了「多寡進絀」(多少、消長)的變化，結果就由「多」而「二」而「一0」[14]，以呈現其篇章風格。而進一步對風格中「剛柔成分之量化」，則可試著依據幾種相關因素(如陰陽二元、移位、轉位、對比、調和、結構層級、核心結構……等[15])所形成之「勢」的大小強弱，可約略對一篇辭章剛柔「多寡進絀」之比例加以推定。大抵而言，據各相關因素作如下之推定：

1. 判定各二元結構類型之陰陽，以起始者取「勢」之數爲「1」(倍)、終末者取「勢」之數爲「2」(倍)。
2. 將「調和」者取「勢」數爲「1」(倍)、「對比」者取「勢」之數爲「2」(倍)。
3. 將「順」之「移位」取「勢」之數爲「1」(倍)、「逆」之「移位」取「勢」 之數爲「2」(倍)、「轉位」之「拗」取「勢」之數爲「3」(倍)。
4. 將處「底層」者取「勢」之數爲「1」(倍)、「上一層」者取「勢」之數爲「2」(倍)、「上二層」者取「勢」之數爲「3」(倍)……以此類推。
5. 以核心結構一層所形成「勢」之數爲最高，過此則「勢」之數

[13] 見陳滿銘〈論章法結構之方法論系統〉(《肇慶學院學報》總95期，2009年1月)，頁33-37。
[14] 見陳滿銘〈論章法「多、二、一(0)」結構的節奏與韻律〉(臺灣師大《國文學報》33期，2003年6月)，頁81-124。
[15] 見陳滿銘《章法學綜論》(臺北：萬卷樓圖書公司，2003年6月初版)，頁298-328。

（倍）逐層遞降。

雖然這些「勢」之數（倍），由於一面是出自推測，一面又爲了便於計算，因此其精確度顯然是不足的，卻也已約略可藉以推測出一篇辭章剛柔成分之比例來。而且可由這種剛柔成分比例之高低，大概分爲三等：（甲）首先爲強剛或強柔：其「勢」之百分比高至「66.66%→71.43%」；（乙）其次爲偏剛或偏柔：其「勢」之百分比達到「54.78 %→66.65%」；（丙）又其次爲剛柔互濟：其「勢」之之百分比屬於平分秋色之「45.23%→54.77%」。其中強勢「71.43%」是由轉位結構的陰陽之比例「5/7」推得，這可說是陰陽比例之上限；而「66.66%」是由移位結構的陰陽之比例「2/3」推得，這可說是陰陽之比例之中限，相當於西方所謂之「黃金割」（golden ratio）；至於「45.23%」與「54.77%」是以「50」（即陰 50、陽 50）爲準，用上限與中限之差數「4.77」上下增損推得。如果取整數並稍作調整，則可以是：

1.強剛、強柔者，其「勢」之數為「66% → 72%」。
2.偏剛、偏柔者，其「勢」之數為「56% → 65%」。
3.剛、柔互濟者，其「勢」之數為「45% → 55%」。

如此雖略嫌粗糙，但已可初步爲姚鼐「夫陰陽剛柔，其本二端，造萬物者糅而氣有多寡、進絀，則品次億方，以至於不可窮，萬物生焉」的說法，作較具體的印證[16]。

今舉白居易〈長相思〉詞爲例，以見教學此詞的篇章風格時所應特別注意之重點：

汴水流，泗水流，流到瓜州古渡頭。吳山點點愁。
思悠悠，恨悠悠，恨到歸時方始休。月明人倚樓。

這闋詞敘遊子之別恨，是採「先染（敘寫內容）後點（時空定位）」的條理來構篇的。

就「染」（敘寫內容）的部分而言，乃用「先景（象）後情（意）」的結構所寫成。首先以「景（象）」的部分來看，它先用開篇三句，寫所見

[16] 詳見陳滿銘〈章法風格論 — 以「多、二、一（0）」結構作考察〉，同注 4，頁 147-164。

「水」景，初步用二水之長流襯托出一份悠悠之恨。其中「汴水流」兩句，都是由「先主後謂」之結構所形成的敘事句，疊敘在一起，以增強纏綿效果。此外，作者又以「流到瓜州古渡頭」來承接「泗水流」，採頂真法來增強它的情味力量。這樣用頂真法來修辭，自然把上下句聯成一氣，起了統調、連綿的作用。況且這個調子，上下片的頭兩句，又均爲疊韻之形式，就以上片起三句而言，便一連用了三個「流」字，使所寫的水流更顯得綿延不盡，造成了纏綿的特殊效果。作者如此寫所見「水」景後，再用「吳山點點愁」一句寫所見「山」景。在這兒，作者以「先主後謂」的表態句來呈現。其中「點點」兩字，一方面用來形容小而多的吳山（江南一帶的山），一方面也用來襯托「愁」之多。這樣，水既以其「悠悠」帶出愁，山又以其「點點」擬作愁之多，所謂「山牽別恨和腸斷，水帶離聲入夢流」（羅隱〈綿谷迴寄蔡氏昆仲〉詩），情韻便格外深長。而這「吳山點點愁」之「愁」，乃將「山」擬人化，特附在此既以形容「山」，又預爲下面之「恨悠悠」鋪路。然後以「情（意）」的部分來看，它藉「思悠悠」三句，即景抒情，來寫見山水之景後所湧生的悠悠長恨。在此，作者特意在「思悠悠」兩句裡，以「悠悠」形成疊字與疊韻，回應上片所寫汴水、泗水之長流與吳山之「點點」，造成統一，以加強纏綿之效果；並且又冠以「思」（指的是情緒，亦即「恨」）和「恨」，直接收拾上片見山水之景（象）所生之「愁」（意），表達了自己長期未歸之恨。而「恨到歸時方始休」一句，則不僅和上二句產生了等於是「頂真」的作用，以增強纏綿感，又將時間由現在（實）推向未來（虛），把「恨」更推深一層。

就「點」（時空定位）的部分而言，僅「月明人倚樓」一句，寫的是「景－事（象）」。這一句，就文法來說，由「月明」之表態句與「人倚樓」之敘事句，同以「先主後謂」的結構組成，只不過後者之「謂語」，乃含述語加處所賓語，有所不同而已。而「月明人倚樓」，雖是一句，卻足以牢籠全詞，將時空加以定位，使人想見主人翁這個「人」在「月明」之下「倚樓」，面對山和水而有所「思」、有所「恨」的情景，大大地起了「以景（事）結情」的最佳作用[17]。所以白居易以「月明人倚樓」來收結，是能增添作品的情韻的。何況他在這裡又特地用「月明」之「象」來襯托別恨之「意」，更加強了效果。

作者就這樣以「先染『景（象）、情（意）』後點『景－事（象）』」的

---

[17] 邱鳴皋：「『月明人倚樓』句……為思婦對著汴泗懷念愛人的時間、地點。……這個結句極富意義，有深化人物形象和昇華主題的作用。」見唐圭璋主編《唐宋詞鑑賞集成》（香港：中華書局香港分局，1987 年 7 月初版），頁 42-43。

結構，將「水」、「山」、「月」、「人」等「象」排列組合，也就是透過主人翁在月下倚樓所見、所為之「象」，把他所感之「意」（恨），融成一體來寫，使意味顯得特別深長，令人咀嚼不盡。有人以為它寫的是閨婦相思之情，也說得通，但一樣無損於它的美。附結構表如下：

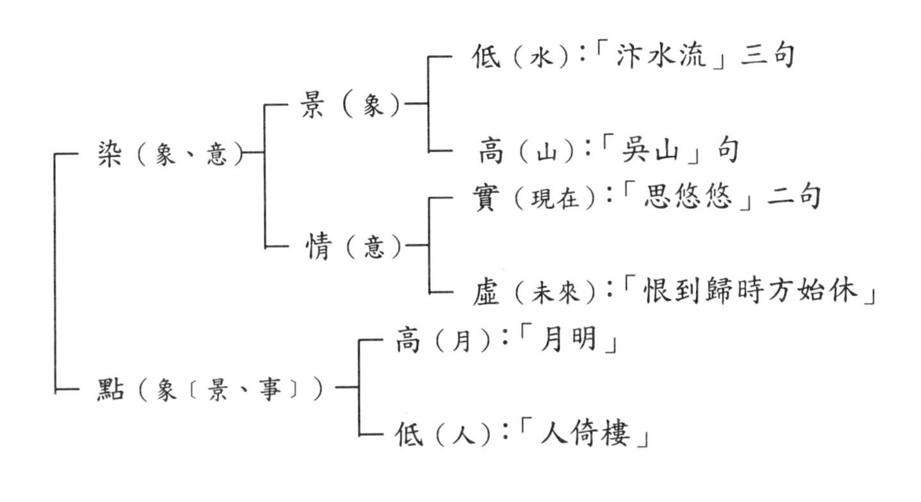

這種結構，如對應於「多、二、一（0）」來看，則它以「點染」、「高低」（二疊）、「虛實」等輔助性結構，形成「多」，以「情景」自為陰陽徹下徹上所形成之變化性結構，可視為關鍵性之「二」，而由此充分地將「恨悠悠」之一篇主旨與「音調諧婉，流美如珠」[18]之風格凸顯出來，是為「一（0）」。如果由此凸顯其陰陽流動並進一步地加以量化，則可分層表示如下：

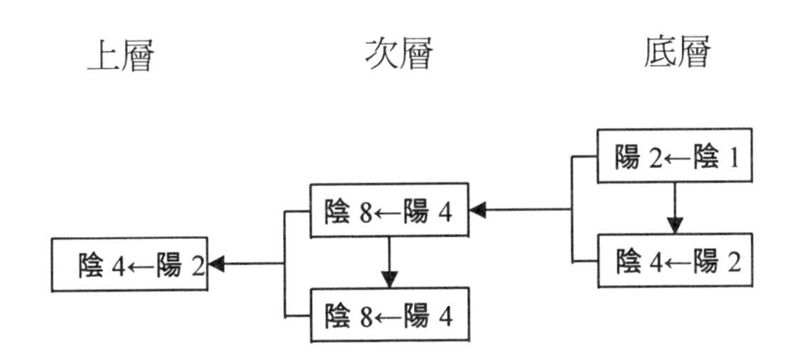

由此圖可知，此詞含三層結構：底層以「先低後高（順）」、「先實後虛」（逆）形成移位結構，其「勢」之數為「陰 5、陽 4」；次層以「先景後情（逆）」、「先高後低（逆）」形成移位結構，其「勢」之數為「陰 16、陽

18 見趙仁圭、李建英、杜媛萍《唐五代詞三百首譯析》（長春：吉林文史出版社，1997 年 1 月一版一刷），頁 148。

8」；上層以「先染後點（逆）」形成移位結構，其「勢」之數爲「陰 4、陽 2」；這樣累積成篇，其「勢」之數的總和爲「陰 25、陽 14」，如換算成百分比（四捨五入），則爲「陰 64%、陽 36%」，乃接近「強柔」的作品。這樣，顯然已初步能爲此詞充分地將「恨悠悠」之一篇主旨與「音調諧婉，流美如珠」這種接近「強柔」之風格凸顯出來，使人領會到它的美。趙孟認爲此詞：

> 詩人別開生面，取川流狀思潮的激越和連綿，取遠山狀愁緒的凝重，無不得景之神而繪心，造成虛與實、急與緩、動與靜的強烈對比，使全詞的格調淒迷而不蒼涼，纏綿而不悱惻，達到陽剛之美與陰柔之美的有機結合。這首詞堪稱以景言情的佳作。[19]

所謂「格調淒迷而不蒼涼，纏綿而不悱惻，達到陽剛之美與陰柔之美的有機結合」，說的就是「篇章風格」，這主要是偏於「直觀表現」所得結果。而這種「有機結合」，如用「模式探索」將剛柔成分之比例「陰 64%、陽 36%」加以觀察，則可推定是很接近「強柔」（陰 66%、陽 34%）之「偏柔」風格。

雖然要將作品中剛柔成分之比例經由量化加以推定，是十分專業的事，非人人可以勝任，但只要專業研究之成果累積到相當程度，是可以提供給教師作參考的；希望這個日子很快就能到來。這對篇章風格教學之改進而言，是很大膽的一個新嘗試。

四、篇章風格教學新嘗試之綜合探討

綜合以上詩、詞各一首對其剛柔成分之多寡與比例進行辨析、推定的結果，可分三層作綜合檢討，以見這種嘗試改進篇章風格教學之實際功用：

首先從剛柔成分「多寡」與「比例」之幅度來看，它們可概括成下表：

---

[19] 見袁行霈主編《歷代名篇賞析集成》上（北京：中國文聯出版公司，1988 年 12 月一版一刷），頁 1027。

詩、詞篇名	剛柔多寡、比例	剛柔類型
王維〈送梓州李使君〉	剛寡柔多	偏柔
白居易〈長相思〉	剛 36%柔 64%	偏柔

從上表可看出：上舉兩首作品所形成風格的剛柔成分，都偏於陰柔：其中王維之〈送梓州李使君〉經觀察其剛柔成份多寡的結果，可知是「剛寡柔多」，也就是屬於「柔中帶剛」之偏柔風格；而白居易之〈長相思〉詞，經進一步將剛柔成分量化之結果，可知是「剛 46%、柔 54%」，也就是很接近「強柔」之「偏柔」風格。可見兩者之風格，雖然均屬「偏柔」，然而後者卻經由「量化」推得其剛柔成分之比例，知道它很接近「強柔」，因此後者之「模式探索」顯比前者更勝一籌。

其次就影響剛柔成分最大之內容主旨來看，上舉詩、詞各一篇的內容主旨列出如下表：

詩、詞篇名	內容主旨
王維〈送梓州李使君〉	寫梓州的風景土俗，並寓歌頌之意、送別之情
白居易〈長相思〉	寫山水的綿延來抒發自身相思之情

如就這種內容主旨看剛柔成分之關係，首篇寫風景土俗偏於陽剛、歌頌之意與送別之情卻偏於陰柔，而成爲「偏柔」之作；次篇寫山水之綿延與自身相思之情，風格同樣屬「偏柔」，卻偏得更爲強烈，而成爲接近「強柔」之作。這樣看來，影響篇章風格的因素雖多，但單從其內容主旨來推測，就已可獲知大概了。直觀捕捉之所以有好成果，或許與此大有關連，因爲內容義旨之捕捉，對直觀而言，是比較直接的。

最後從直觀表現結晶與模式探討結果之比較來看，其概略情形如下表：

詩、詞篇名	直觀表現結晶	模式探索結果
王維〈送梓州李使君〉	「清遠」、「雄渾」	「清遠」(柔)中有「雄渾」(剛)：偏柔
白居易〈長相思〉	「淒迷」、「纏綿」「陰柔」、「陽剛」	「柔中(淒迷、纏綿)」(64%)中帶「剛」(36%)：偏柔

在我國，自曹丕《典論論文》與劉勰《文心雕龍》開始，對風格概念，就加以探討，而特別涉及「剛」與「柔」的特性來談風格的，則較晚，如南朝梁鍾嶸的《詩品》、唐司空圖的《二十四詩品》、宋嚴羽的《滄浪詩話》等，它們所談的風格，就有與「剛」、「柔」相接近或類似的，卻還沒直接提到「剛」與「柔」；就是明末清初的黃宗羲在〈縮齋文集序〉裡，固然以陰陽之氣論文，與「剛柔」有關，也一樣未直接提到「剛柔」[20]；真正明白地提到「剛」與「柔」，而又強調用它們來概括各種風格的，首推清姚鼐的〈復魯絜非書〉，因此周振甫即指出：「姚鼐把各種不同風格的稱謂，作了高度的概括，概括爲陽剛、陰柔兩大類。像雄渾、勁健、豪放、壯麗等都歸入陽剛類，含蓄、委曲、淡雅、高遠、飄逸等都可歸入陰柔類」[21]。這就把前人以「直觀表現」爲主的傳統成果作了一個總結，由此可大致看出它的重要性來。當然「直觀表現」與「模式探索」兩者，是不能截然劃分的，也就是說：「直觀」中往往有「模式」、「模式」中往往有「直觀」，這種天、人互動之作用是無法避免的。不過由於「模式探索」，一直以來，還沒達到將其中「剛柔成分」據其陰陽流動觀察其強弱，並進一步加以「量化」之地步，所以在這一方面便沒有太大的突破。爲此，這次大膽地作初步之突破，呈現「模式探索」之現階段嘗試，而又爲凸顯此一 「突破」，特將前此之成果，直接概括爲「直觀表現」，與此次大膽之「模式探索」進行粗略之比較。比較結果可看出：「直觀表現」雖對作品風格之「稱謂」有了成果，卻無法確知其剛柔之「勢」的多寡、比例；「模式探索」雖推知其風格剛柔之「勢」的多寡、比例，卻無法由此直接推得作品風格之「稱謂」。這樣看來，「模式探索」既使有「有理可說」的這種好處，卻必須置基於「直觀表現」之上，才能對作品之篇章風格作更佳的審辯。這種嘗試，對篇章風格教學之改進來說，無疑地提供了一條可行之大道。

五、結語

綜上所述，可知在改進篇章風格教學之嘗試上，既要重視先天「直觀」累績的結晶，也不可忽略後天學習「模式」，遵循研究的成果。雖然

[20] 見于民、孫通海《中國古典美學舉要》（合肥：安徽教育出版社，2000 年 9 月一版一刷），頁962。

[21] 見《文學風格例話》，同注 1，頁 13。

受限於時間與篇幅，只舉一詩一詞爲例加以說明而已，卻所謂「以個別表現一般，以單純表現豐富，以有限表現無限」[22]，卻可藉以看出兩者之互動關係。如此在「直觀」之外開拓「有理可說」的空間，應該是值得努力，而且是大有可爲的。因此，各級國語文或其他相關課程的教師，在嘗試作篇章風格教學之改進時，如能這樣兼顧先天「直觀」的累積結晶與後天「模式」的探索成果，將課文的篇章風格嘗試作「直觀」與「模式」的對應關照，並且參酌不同層級的學生的程度將講授的內容予以適度之調整，相信是會收到比較良好之教學效果的。

參考書目

于民、孫通海 (2000)。**中國古典美學舉要**。合肥：安徽教育出版社。

周振甫 (1989)。**文學風格例話**。上海：上海教育出版社。

袁行霈主編 (1988)**歷代名篇賞析集成**，北京：中國文聯出版公司

唐圭璋主編(1987)。**唐宋詞鑑賞集成**。香港：中華書局香港分局。

唐圭璋、繆鉞等 (1999)。**唐宋詞鑑賞辭典**。上海：上海辭書出版社。

涂光社 (2001)。**因動成勢**。南昌：百花洲文藝出版社。

陳望衡 (1998)。**中國古典美學史**。長沙：湖南教育出版社。

陳滿銘 (2003)。論章法「多、二、一（0）」結構的節奏與韻律。**國文學報，33 期**， 81-124。臺北：臺灣師大

陳滿銘 (2003)。**章法學綜論**，臺北：萬卷樓圖書公司。

陳滿銘 (2003)。論章法「多、二、一（0）」的核心結構〉，**師大學報·人文與社會類，48**(2)，71-94。

陳滿銘 (2005)。章法風格論 － 以「多、二、一（0）」結構作考察。**成大中文學報，12**，147-164。

陳滿銘 (2007)。意象「多」、「二」、「一（0）」螺旋結構論 － 以哲學、文學、美學作對應考察。**濟南大學學報·社會科學版，17**(3)，47-53。

陳滿銘 (2009)。論章法結構之方法論系統。**肇慶學院學報，95**，33-37。

喻守真 (1996)。**唐詩三百首詳析**。臺北：臺灣中華書局。

葉朗 (1986)。**中國美學史大綱**。臺北：滄浪出版社。

趙仁圭、李建英、杜媛萍 (1997)。**唐五代詞三百首譯析**。長春：吉林文史出版社。

---

[22] 見葉朗《中國美學史大綱》（臺北：滄浪出版社，1986 年 9 月初版），頁 26。

黎運漢 (2002)。**漢語風格學**。廣州：廣東教育出版社。
顧祖釗 (2001)。**文學原理新釋**。北京：人民文學出版社。

作者簡介：

陳滿銘，男，臺灣苗栗人。1935 年生。臺灣師大國文系學士、碩士、講師、副教授、教授。現已退休。專長含儒學、詞學、章法學、意象學、語文教學等。個人出版有二十多種專著、發表有近四百篇論文。近年以「陰陽二元」為基礎，經由其「移位」、「轉位」與「包孕」，確認「多」、「二」、「一(0)」螺旋結構，成功建構科學化章法學體系及層次邏輯系統，成為一門新學科，而普受肯定，認為成就「空前」。先後有多篇論文獲獎，入編《中國科技發展精典文庫》、《當代中國科教文集》、《中華名人文論大全》、《中國改革發展理論文集》等大型叢書，業績入編《中國專家人名辭典》、《世界優秀專家人才名典》、《中國當代創新人才》、《中華名人大典》、《中國改革擷英》、《中國學者》及英文版《世界專業人才名典》（美國 ABI）、《二十一世紀 2000 世界傑出知識份子》（英國 IBC）、《國際名人大辭典》（英國 IBC）等珍藏典籍，且以「研究成果在特定領域領袖群倫」，正入編《500 偉大領袖》（ABI），頒授「榮譽證書」。

日本人学者の中国学研究への貢献及びその役割を論ず

——現代の著名学者金谷治・伊藤漱平等を例として

黄華珍

要旨

中日両国は長い交流の歴史を持っている。歴史上、日本人は中国の文化を熱心に学び、それを大量に吸収してきたが、明治維新以後になると、逆に中国人が日本人から少なからず日本にもたらされた西洋文化を学んできた。この密接な交流により、中日両国文化の多くの親縁性が決定づけられるとともに、両国の研究者に多くの共通の課題を残すこととなった。海外での中国学研究分野において、その研究チームの規模もしくは業績の量のいずれをとって見ても日本は世界一の座を占めている。過去、日本の伝統的な「漢学研究」については、経学を中心としていたが、現在ではすでにその範囲を遥かに超えている。本稿では中国思想史研究家・金谷治、『紅樓夢』研究家・伊藤漱平等現代の著名な学者の優れた業績を辿りながら、日本人学者の中国研究への貢献及びその役割を考察・紹介したい。

キーワード：中国思想史、伊藤漱平、考証、金谷治、紅樓夢。

論日本學者對中國學研究的貢獻和作用
——以金谷治、伊藤漱平等當代著名學者爲例

黃華珍

摘要

中日兩國的交往淵源流長。歷史上日本人曾熱心學習、大量吸收中國文化，明治維新以後則是中國人從日本人那裡學習了不少引進日本的西方文化。正是由於這種密切的歷史交往，決定了中日兩國文化的諸多親緣關係，也為兩國學者留下了許多共同的課題。在海外中國學研究領域中，無論從隊伍的規模還是從成果的多寡來看，日本都不愧為世界之最。過去日本傳統的所謂「漢學研究」主要以經學為中心，而現在的日本中國學研究已大大超出了這個範圍。本稿將以專治中國思想史的金谷治、專治紅學的伊藤漱平等當代著名學者在中國學研究方面的卓越成就為例，考察和介紹日本學者在中國學研究方面的貢獻和作用。

關鍵詞:中國思想史、伊藤漱平、考證、金谷治、紅樓夢。

一、引言

中日兩國的交往歷史淵源流長。歷史上日本人曾熱心學習、大量吸收中國文化，明治維新以後則是中國人從日本人那裡學習了不少引進日本的西方文化。這些史實我們可以從諸如日本古典的內容、漢字的使用和日語的發音，以及從中國近代文學作品、現代漢語詞彙等得到證實。比如日本《憲法十七條》(604 年)的每一條用語都可在中國古典中找到源頭，而哲學、經濟、電話等大量現代漢語詞彙都源自日語。

在此，我們可以簡要地談談《憲法十七條》的一些具體情況。從內容來看，這部日本最古老的憲法的大部分條款都涉及君臣關係或對臣下的具體要求，在第 4、5、6、7、8、12、14、16 等諸多條款中還談到了治民、治國等問題；在強調以禮爲治國之本的同時，還規定了各級官吏的行爲準則，爲處理君臣、臣民關係描繪了一幅具體的藍圖。這在強化皇權，限制世襲氏族集團勢力方面，無疑具有積極的作用。該憲法用語涉及到的中國古典有《國語》、《管子》、《淮南子》、《禮記》、《論語》、《春秋左氏傳》、《韓非子》、《孝經》、《說文解字》、《說苑》、《韓詩外傳》、《老子》、《莊子》、《漢書》、《尚書》、《荀子》、《墨子》、《詩經》、《潛夫論》、《史記》、《孫子》、《楚辭》、《孟子》和《文選》等。在這樣一篇不太長的憲法中，竟出現如此大量與中國古典有關的內容，除了證明有關典籍或已在日本流傳之外，還清晰地反映了當時日本統治集團的上層人物，爲了有效地統治和發展自己的國家，如饑似渴地吸收、借鑒中國文化的急切心情。正因爲採取了這種積極引進的態度，不僅豐富了他們治理國家的智慧和理念，也大大地促進了日本文化的形成和發展。

正是由於過去有著如此密切的歷史聯繫，決定了中日兩國文化的諸多親緣關係，也爲兩國學者留下了許多共同的課題。在海外中國學研究領域中，無論從隊伍的規模還是成果的多寡來看，日本都不愧爲世界之最。過去，傳統的所謂日本「漢學研究」主要以經學爲中心，而現在的日本中國學研究已大大超出了這個範圍。由於中國經濟的不斷發展，國力的不斷提高，喚起了許多學者對中國的濃厚興趣。他們研究的課題範圍很廣。既有傳統的，也有現代的。既有漢族的，也有少數民族的。既有政治經濟的，也有文化藝術的。大家都試圖從各自的研究領域去考察中國的過去和預測中國的未來。因此，嚴格地說來，今天已難於以「漢學研究」來統稱日本的中國學研究了。

提起日本學者對中國學研究的貢獻，我們有很多可以談論的話題。比如，在筆者重點研究的中國哲學領域，特別是在《莊子》研究方面，自明治維新以來的一百多年中，日本就出版了很多研究專著和一般書籍，其中不乏傳世之作，爲莊學研究增添了不少光環。2001 年筆者曾應邀翻譯了池田知久先生所撰《《莊子》──「道」的思想及其演變》一書，由台灣國立編譯館出版。最近作者又在原有內容的基礎上，增補了近年來對各種出土文獻資料研究的新成果，撰成了一部日文版新著《道家思想の新研究──『莊子』を中心として》。該書內容十分豐富，從中可以看到，重視新出土文獻資料的研究，是當前日本學者試圖突破傳統的中國學研究並賦予其新意的一種努力。

本稿將集中以專治中國思想史的金谷治以及專治紅學的伊藤漱平等當代著名學者爲例，探討和考察日本學者對中國學研究的諸多貢獻。實際上，筆者與金谷先生素未謀面，只是較常接觸他的著作，更參閱過其師武內義雄（1866-1966）的許多大作；十多年前，筆者撰寫的《莊子音義研究》正是借鑒了武內先生的研究方法。至於伊藤先生，筆者不僅認識、熟悉，而且還是筆者的恩師。

二、金谷治的學術研究及其業績

金谷治，生於 1920 年。三重縣伊賀市人。1944 年畢業於日本東北帝國大學，專攻中國哲學，精於中國思想史研究。1948 年起先後任東北大學講師、助教授、教授，文學部部長，1983 年至 1990 年任追手門學院大學教授，文學部部長。1961 年獲文學博士學位。2002 年爲日本學士院會員。2006 年病逝。

金谷先生一生從事教育，桃李滿天下。主要著作有:《老莊的世界──淮南子の思想──》、《秦漢思想史研究》、《孟子》、《論語の世界》、《易の話》、《孔子》、《死と運命－中国古代の思索──》、《管子の研究──中国古代思想史の一面──》、《老莊を読む》、《中国思想を考える──未来を開く伝統──》、《金谷治中国思想論集》等；譯註本有:《孟子》、《荀子》、《論語》、《孫子》、《孫臏兵法》、《莊子》、《老子──無知無欲のすすめ──》、《韓非子》等。

金谷先生的作品，筆者接觸較多的是與中國思想史有關的《莊子》等書籍。在筆者看來，像譯註《莊子》這類古典，雖然可以有、也應該有譯註人員自己的觀點，自己的思考，但闡述的空間是比較有限的。因為譯註者只能通過譯文、註釋等形式來反映、表現自己的觀點。譯註者的基本功應該是熟悉瞭解古往今來的研究情況，在形成文字時又不得不有所側重，有所取捨。任何人都無法在未搞清基本歷史情況之前，任意地譯註古典。這是譯註與一般翻譯的不同之處。下面讓我們來考察一下金谷先生譯註《莊子》的一個具體章節。

逍遙遊篇　第一
金谷先生首先根據古文獻的記載，對篇名的含義、用字等進行解釋和介紹。
其次分章列出原文。
一 (即第一章)

北冥有魚、其名為鯤、鯤之大、不知幾千里也、化而為鳥、其名為鵬、鵬之背、不知其幾千里也、怒而飛、其翼若垂天之雲、是鳥也、海運則將徙於南冥、南冥者天池也、

再其次是日文的訓讀。無疑這是一種能夠比較準確地理解中國古典的傳統的閱讀方法。

北冥(ほくめい)に魚あり、其(そ)の名を鯤(こん)と為(な)す。鯤の大いさ其の幾千里なるかを知らず。化して鳥と為(な)るや、其の名を鵬(ほう)と為す。鵬の背、其の幾千里なるかを知らず。怒(ど)して飛べば、其の翼(つばさ)は垂天(すいてん)の雲の若(ごと)し。是(こ)の鳥や、海の動(うご)くとき則(すなわ)ち将(まさ)に南冥に徙(うつ)らんとす。南冥とは天池(てんち)なり。

然後是對原文重要文字的訓詁、考證。接下來是訓讀部分的文字註釋。
最後才是現代譯文。

北の果(は)ての海に魚がいて、その名は鯤(こん)という。鯤の大きさはいったい何千里あるか見当もつかない。〔ある時〕突然形が変わって鳥

となった。その名は鳳という。鳳の背中は、これまたいったい何千里あるか見当もつかない。ふるいたって飛びあがると、その翼はまるで大空一ぱいに広がった雲のようである。この鳥は、海の荒れ狂うときになると〔その大風に乗って飛びあがり、〕さて南の果ての海へ天翔る。南の果ての海とは天の池である。

由此可知，以上譯文是在經過幾道程序後才完成的。至於爲什麼要這樣翻譯，這樣理解，看了前面幾道程序中的有關內容就可明白了。即便讀者對某些文字的理解和解釋，或者對引用的資料有異議，也可清楚地知道譯註的根據和理由；或出於《釋文》，或出於王叔岷，或出於《爾雅》，或出於馬敘倫，或出於林希逸，不至於讓人摸不著頭腦。在現代譯文中，爲了通俗易懂，有時需要加些譯者自己的話，凡出現這種情況時，譯註者都加上了引號(如〔ある時〕等)，以示與原文譯文的區別，反映了一種嚴謹的治學態度。

爲了進一步瞭解金谷先生的研究內容及其成果，讓我們再來看看其代表作《金谷治中国思想論集》。該書上、中、下三卷，副標題分別爲「中國古代的自然觀和人間觀」,「儒家思想和道家思想」以及「批判主義的學問觀的形成」。上卷「目次」如下:

目次

然観序章——、二 劉禹錫の「天論」——科学的合理的自然観の開
花——、三 中国古代における自然観
第二部 中国の人間観
一 中国古代における神観念としての天、二 人間観の覚醒、三 人
間性をめぐる論争、四 中国古代における欲望論——古代思想の諸
相——、五 心の中の心——中国古代心理説の展開——、六 中国思想にみる犯罪観
第三部 古代中世の思想
一 中国古代の思想家たち——墨子・孫子・荀子・韓非子——、二
先秦道家思想概説、三 国教となった儒教、四 漢代の今古文学——古文派抬頭の思想史的意味——、五 後漢末の思想家たち——特に王符と仲長統——、六 魏晋の老荘思想、七 「文心鵰龍」の美、八 白楽天の精神

本卷的中心題目是探索中國古代的自然觀和人間觀。一般說來，道家以自然爲本，自然哲學是道家學派的強項，其他各家談論得並不多，但也各有特色。金谷先生在「序」中寫道:“第一部的自然觀，原本是按照長年探索的課題「中國古代的自然觀」擬定的，暫且編至董仲舒古代典型的自然觀的形成爲止。不過，把這次歸納說成是暫且，是因爲在作者的意識中自知這項研究有必要繼續下去，說理不夠之處還很多。”他又寫道:“探索自然觀的歷史並揭示它作爲中國思想特色的想法,究竟從何時產生的呢?當然是受到以唯物論研究爲主的新中國思想史研究的現實的刺激，而其開始的直接原因是閱讀了約翰·尼達姆先生《中國的科學與文明》第二卷「思想史篇」。這本書在日本學術界還不太知名之時，我能在一個偶然的機會讀到它是很榮幸的。當時真有眼界大開之感。於是，我感到重視人的問題(特別是倫理和政治)的一般思想史，將可能由於探索這樣的自然觀的歷史而結出更豐碩的果實。”他還談到：“本書第二部的人間觀，是和上面的自然觀對應擬定的主題，按照標題進行研究的只有最前面的兩章。第三部則更雜了，以古代至中世的思想史問題爲課題，尤其是爲了與時代的脈絡相聯繫第一次公開了舊講義 3 篇。從現在的研究情況來看，也可能會有被責難爲

陳腐之處，不過也應該有作爲他山之石之處吧。”

從以上「序」言的字裡行間，讀者可以感到：一生從事教育事業的金谷先生，在回首往事之時，是以一種既平靜又不滿足的心情來看待自己的研究成果的，他深知中國思想史博大精深，“吾生也有涯，而知也無涯”，“薪，火傳也。”

爲了瞭解《金谷治中国思想論集》的全貌，現亦將其中卷和下卷「目次」抄錄如下:

目次

目次

中国哲学のゆくえ、１　中国思想と現代、２　中国哲学のゆくえ、３　中国哲学に時間論のないこと、４　中国の孔子批判に思う、５　東洋思想の可能性——中国の思想対決の示すもの——、６　曲阜孔子誕辰記念行事に参加して——、７　儒学はいま中国で——儒学国際会議に参加して——８　儒学国際学術討論会の報告、９　孔子研究について——孔子誕辰記念随感——

第四部　書評・雑纂

一　書評　１　バートン・ワトソン著『古代の中国文学』、２　重沢俊郎著『中国哲学史研究』、３　福永光司著『荘子——古代中国の実存主義——』、二　雑纂、１　前四史標点本の出版——とくに『後漢書』について——、２　米沢訪書記、３　古文尚書解題、４　アメリカの東アジア図書館、５　古典の翻訳について、６　石津照璽先生の思い出、７　『論語』と門人の年齢、８　『論語』から何を学ぶか——国語教育の上から——、9　『論語』と私、１０　私の研究生活、１１　伊賀の里から補　中巻第一部十一付４　アスタナ出土の論語鄭注について

著作目録

あとがき

從以上「目次」，我們既可清楚地看到金谷先生的研究內容，也可瞭解日本中國學者在中國思想史研究領域中的關心所在。

三、伊藤漱平的學術研究及其業績

伊藤漱平，生於 1925 年。愛知縣碧海郡人。畢業於東京帝國大學，專攻中國文學，精於《紅樓夢》研究。1949 年起在北海道大學、島根大學、大阪市立大學、東京大學等處任助手、講師、助教授、教授。1986 年起任二松學舍大學教授、校長等職。

伊藤先生不僅是一位桃李滿天下的教育家，還是國際知名的紅學家。他幾十年如一日，辛勤研究、翻譯《紅樓夢》等中國文學作品。主要著作有:《児戯生涯　一読書人の七十年》、《伊藤漱平著作集》(紅樓夢編)等,譯作有:《われら愛情の種をまく》、《紅樓夢》、《嬌紅記》等；編著有:《中国の古典文学》、《中国学論集》、《魯迅・増田渉師弟答問集》(共編)等。

伊藤先生所譯日文版《紅樓夢》，以俞平伯校訂的《紅樓夢八十回校本》(人民文學出版社、1958 年)及其附錄所收後四十回程甲本校本爲底本，並參照各種脂硯齋本和程偉元本等多種版本譯出，於 1958-1960 年由平凡社首次出版，共三冊，當時收入《中國古典文學全集》；1963 年又收入「中國古典奇書系列」出版普及本，當時儘可能嘗試性地作了改訂；後又於 1969-1970 年改版收入《中國古典文學大系》時作了全面的改譯；1996-1997 年出版平凡社文庫版，共 12 冊，當時再次進行了全面的改譯。總之，伊藤先生對《紅樓夢》在日本的研究和普及作出了巨大的努力。根據自述，伊藤先生從 30 多歲起，經其師松枝茂夫(1905-1995)推薦、指定接手翻譯《紅樓夢》，當時從未去過大陸或台灣，對中國人的文化生活習慣的瞭解僅限於書本和報章的知識，卻勇敢地挑起了這一副重擔。直到 1980 年以後，伊藤先生才有機會到北京大學、紅樓夢研究所等處去講學和交流。每當回憶起這些往事，伊藤先生感慨萬分。確實，如果要準確翻譯這部被喻爲中國文化百科全書的《紅樓夢》，就首先必須理解它，唯有理解了它才有可能去翻譯、去進行文字的再創作。眾所周知，該書雅俗共賞，內容涉及古往今來、帝王將相、平民百姓、歷史傳說、天文地理、政治經濟、宗教迷信、琴棋書畫、燈謎詩詞，還有不少市井風情、俗言俚語，即使是中國人也不一定都能準確地理解它的所有內容。可以想像，在翻譯過程中，伊藤先生花費了不少心血。爲了便於讀者閱讀和理解，他不僅對原文進行了細緻的翻譯，還相應作了「家族及其主要人物表」和「注」，並附有「賈家世系圖」、「榮國邸邸內想像圖」和「解說」等等，而且幾乎每次編輯出版，都要根據紅學的最新研究成果進行認真的補訂。當文庫本剛問世之時，伊藤先生就曾公開表示，今後還要再進行改譯，反映了他對學問精益求精，一絲不苟，審慎嚴謹的態度。爲了瞭解伊藤先生所譯《紅樓夢》的概況，僅抄錄第一回開篇的內容如下（括號中的中文原文爲筆者所加）：

第一回　甄士隱　夢路に奇しき玉を見しること　(甄士隱夢幻識通靈)
　　　　賈雨村　浮世に妙たる女を恋うること　(賈雨村風塵懷閨秀)

まずは詩をひとつ——
　なにをあくせく浮世を渡る　(浮生著甚苦奔忙)
　はなの宴もいつか果てんに　(盛席華筵終散場)
　嬉し悲しもまぼろしに似て　(悲喜千般同幻渺)

今はむかしの夢のはかなさ　　　　　(古今一夢盡荒唐)
涙の紅袖の重きはもとより　　　　　(漫言紅袖啼痕重)
尽きせぬ情痴の恨みぞ長き　　　　　(更有情痴抱恨長)
一字一字に血をにじませて　　　　　(字字看來皆是血)
十年の辛苦げに尋常ならじ　　　　　(十年辛苦不尋常)

さてもみなさまがた、いったいこの物語はいかにして生まれたとおぼしめす? ことの起こりこそ作りごとめきますれど、よくよく味わっていただければ、ずいぶんと趣きも深いはず。

さりながら、てまえその由来を説きあかさぬことには読者も得心がゆかれますまい。

從中我們不僅可以看到譯者翻譯古典的技巧,還能瞭解到這一段文字有別於《紅樓夢》的一般版本。譯者在文後「注 2」中寫道:“這首題詩只在所謂的「甲戌本」中出現,一般認爲可能是作者的原作,也可能是脂硯齋或其他批評者所作。本回開篇後諸本都有三百幾十個字的評語與原文並列。其評語可能是脂硯齋所作。現刪除。”由此可知,在翻譯過程中,伊藤先生首先著力於版本考證。這一點可以在伊藤先生的其他紅學論文中得到證實,而甲戌本的收藏者及紅學研究版本考證學的開創者正是著名的胡適之先生。

伊藤先生所譯《紅樓夢》並不是唯一的日譯本,影響卻最大。究其原因主要是:一,在翻譯過程中不斷吸收紅學研究的新成果。伊藤先生並不是單純地拿來翻譯,而是不斷深入研究,認真考證,精益求精。二,注意嘗試日中文學形式的對應。比如用和歌對應詩歌等,形成了一些新的風格。三,伊藤先生的個人魅力。他知識廣博,爲人謙和,在學術界享有盛譽。

自 2005 年以來,汲古書院已出版了《伊藤漱平著作集》「紅樓夢編」三卷。今後還將陸續出版四、五兩卷,內容爲「中國近世文學編」和「中國近現代文學・日本文學編」。爲了進一步瞭解伊藤先生在紅學方面的業績和貢獻,特抄錄「紅樓夢編」一至三卷「目次」如下:

第一卷

目　次

卷頭語 、凡例、自序——序の舞に代えて——

伊藤漱平著作集　第一卷　紅樓夢編(上)

『紅樓夢』——版本論(書誌學・文獻學)的研究——

第一部　寫本研究——脂硯齋・畸笏叟と脂硯齋本『石頭記』と——

紅樓夢首囘、冒頭部分の筆者についての疑問——覺書——、紅樓夢首囘、冒頭部分の筆者についての疑問（續）——覺書——、「紅樓夢首囘、冒頭部分の筆者についての疑問（續）——覺書——」訂補、脂硯齋と脂硯齋評本に關する覺書

第二部　刊本研究——程偉元・高鶚と程偉元本『紅樓夢』と——

程偉元刊『新鐫全部繡像紅樓夢』小考——程本に見られる「配本」の問題を主とした覺書——、「程偉元刊『新鐫全部繡像紅樓夢』小考」補說、「程偉元刊『新鐫全部繡像紅樓夢』小考」餘說——高鶚と程偉元に關する覺書——「程偉元刊『新鐫全部繡像紅樓夢』小考」餘說・補記

第三部　版本論文叢

『紅樓夢八十囘校本』について、『紅樓夢書録』瞥見、近年發見の『紅樓夢』研究新資料　揚州靖氏藏舊鈔本その他について、レニングラード本『石頭記』の影印本を手にして

附録 曹霑と高鶚に關する試論

解說・解題

解說——『紅樓夢』序說、自撰解題、自跋——處女論文から著作集まで、追い書き

第二卷

目　次

卷頭語 、凡例

伊藤漱平著作集　第二卷　紅樓夢編（中）

『紅樓夢』——作家論・作品論的研究

第四部　作家論

概說　曹雪芹、曹霑の肖像畫、曹霑の畫技について、曹雪芹肖像畫の真贋——いわゆる王岡筆小像のこと——、「夢で逢いましょう」という啓示——いまだ相見えざる『紅樓夢』原作者よりのメッセージ——、曹雪芹の没年論争と句讀、晚年の曹霑の「佚著」について——『廢藝齋集稿』等の真贋をめぐる覺書——

第五部　作品論

概說『紅樓夢』

作品論甲——成立論——、『紅樓夢』成立史臆說——七十囘稿本

存在の可能性をめぐって——、船越達志博士の『『紅樓夢』成立の研究』を讀みて作品論乙——登場人物論——、概説　ある「列女傳」、關鍵としての賈元春の「元」字、金陵十二釵と『紅樓夢』十二支曲（覺書）、『紅樓夢』の脇役たち——王熙鳳の娘およびその他の諸人物に就いての覺書——、『紅樓夢』に於ける甄（眞）・賈(假)の問題——二人寶玉の設定を中心として——、『紅樓夢』に於ける甄（眞）・賈(假)の問題（續）——林黛玉と薛寶釵の設定を中心として——、『紅樓夢』に見る女人像および女人觀（序説）——金陵十二釵を中心として——、『紅樓夢』に於ける象徴としての芙蓉と蓮と——林黛玉、晴雯竝びに香菱の場合——作品論丙——作品の種々相——、概説『紅樓夢』、『紅樓夢』——歌物語としての側面を照らす——、『紅樓夢』の「鬪草」の遊び、合山究教授の『紅樓夢新論』に寄せて、『紅樓夢』を讀むための七つ道具

附録　概説　李漁、李漁と曹雪、その作品に表われたる一面——愛の相をめぐるある喜劇と悲劇に就いての覺書——

自撰解題

第三卷

目　次

卷頭語、凡例

伊藤漱平著作集　第三卷　紅樓夢編（下）

『紅樓夢』——讀者論、比較文化・比較文學的研究

第六部　讀者論

紅樓夢圖畫——改琦『紅樓夢圖詠』を中心に——、『紅樓夢評論』解題、王國維の『紅樓夢評論』と雜誌『教育世界』について——その書誌的覺書——、胡適と古典——舊小説、特に『紅樓夢』の場合を中心とした覺書——、周汝昌教授のプロフィール、概説　世界文學における『紅樓夢』、日本における『紅樓夢』の流行——幕末から現代までの書誌的素描、丸山浩明著『明清章回小説研究』書後——『紅樓夢』を「線索」端緒として

第七部　比較文化・比較文學論

近世食文化管窺——『金瓶梅』『紅樓夢』を“材料”として、通稱「『紅樓夢』を味讀する會」からのレポート、通稱「『紅樓夢』を

味讀する會」からのレポート　第二弾、『儒林外史』と『紅樓夢』と——須藤洋一著『儒林外史論』の後に書す——「一經を治むれば一經損ふ」『紅樓夢』第七十一回——、曲亭馬琴と曹雪芹と——和漢の二大小說家を對比して論ず——

附録（卷末横組）

一九九七年北京國際紅樓夢學術研討會開幕式上的致詞、二十一世紀紅學展望　一個外国學者論述《紅樓夢》的翻譯問題（同前研討會上的報告）、《紅樓夢》成書史臆説——關於七十回稿本存在的可能性、Formation of the *Chiao-hung chi*:Its Change and Dissemination、《嬌紅記》的成書及其變遷和傳播、『嬌紅記』の成立とその演變及び流傳自撰解題

從以上三卷所收論文可以看到，伊藤先生熱愛紅學，並爲此貢獻了自己寶貴的精力。他的論著涉及紅學的方方面面，從抄本、版本、作者、脂批，到芙蓉、蓮花等等，凡涉及《紅樓夢》的各種線索，他都孜孜不倦地窮追不捨，表現了一個研究人員的執著和堅定。“求紅索綠費精神，夢幻恍迎華甲春，未解曹公虛實理，有基樓閣假歟真?”這是 1986 年 3 月，伊藤先生從東京大學退官時寫下的感慨自己紅學人生的一首漢詩。功夫不負有心人，伊藤先生的研究業績及其對紅學的貢獻，已獲得了國際紅學界的普遍讚賞和肯定。

四、結語

綜上所述，我們可以確認，日本學者是海外中國學研究的重要力量，他們的研究往往與中國學者相呼應，在不同程度上彌補了中國學者的某種不足，他們的貢獻是巨大的，理應得到充分肯定。儘管在一些具體問題上，本國學者或者中日兩國學者之間的看法未必一致，這在學術研究方面是正常的。人云亦云，倒不是什麼好事。有爭論，有批評，甚至有批判，學術研究才能深入，各種課題才能得到圓滿解決。

總之，不少日本中國學者的研究態度和研究方法都是值得我們學習和借鑑的。本稿考察和介紹的金谷、伊藤兩先生的研究領域雖然不同，但在研究方法上卻都具有老一輩日本學者的共同特色，那就是重視立論之前的考證。這是日本學界自江戶時代以來受到清代樸學的影響形成的優良傳

統。在學術問題上，事無巨細，都要認真求索，從不敷衍了事。他們的一些經典之作，比如伊藤先生的《『紅樓夢』成立史臆説——七十回稿本存在の可能性をめぐって——》等，正是胡適之先生提倡的"大膽的假設，小心的求証"的良好體現。

主要參考文獻

金谷治 (2004-2005)。**莊子,全四卷**。東京：岩波出版社。

金谷治 (1996-1997)。**金谷治中国思想論集，全三卷**。東京：平河出版社。

曹雪芹作, 伊藤漱平 (1998)。**中國古典文學大系：紅樓夢，全三卷**。東京：平凡社。

曹霑作, 伊藤漱平 (1994)。**奇書系列：紅樓夢，全三卷**。東京：平凡社。

曹雪芹著, 伊藤漱平 (2002)。 **紅樓夢，全十二冊**。東京：平凡社。

伊藤漱平 (2005-2008)。**伊藤漱平著作集(紅樓夢編)，全三卷**。東京：汲古書院。

黃華珍 (2005)。**知性與創造—日中學者的思考：日本《憲法十七條》與中國古典—試論中日文化的歷史聯繫**。北京：中國社會科學出版社。

作者簡介

黃華珍 岐阜聖德學園大學外國語學部、大學院國際文化研究科

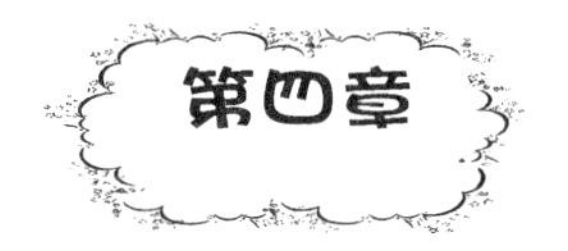

如何有效運用漢語快速學習日語

余金龍[1]

摘要

語言很重要，尤其是母語。如果最初學會的是中文，中文便是你的第一語言。如果上學或長大後才學英語，那麼英語便是第二語言。學會第二語言，視野會擴大，知識會增廣，而且語言代表智能的開發程度。如果中文的讀、聽、寫、說，達到相當水準，表示語言的開發智能，相對提升。透過語言智能的開發，學習外語「觸類旁通」，而「融會貫通」，也是因為第一語言的學習程度提升而增進的。

如果學習第二語言，其程度通常不易超越第一語言的能力。但是，如果因後學第二語言，而開啟先前未能開啟的語言智能。將使第二語言，增加其第一語言的程度。特別是在學習日語的情形，將有效提升第一語言之程度，相對也可提升外語（日語）之程度。

本文所提出的是，以日文漢字及字音學習法，加上簡易形容詞、形容動詞、動詞及助詞文法之學習，將可使初學日文者快速學習日文，並提升本身對中文文法的瞭解與重新認知中文的重要性。例如，「睡覺」，在中文只是單一名詞，但是在日文的漢字卻是，「睡」與「醒」兩件事，才是一完整的語彙，如此也將發人深省，提供本身中文語言智能的另一思考方向與研究主題之開發。

相對的，只要有相當的中文造詣，即使日本文學、社會等，也能很快的領悟箇中奧妙。讀「通」中文後，「觸類旁通」，「融會貫通」後，其語言之理解力，將快速提升，學習日文，也更能得心應手了。

關鍵詞：中文、日文、漢字、音讀、文法

[1]玄奘大學外文系教授兼研發室主任、現任新生醫護管理專科學校學務主任。日本二松學舍大學文學博士

The Way to Learn Japanese quickly by Use Chinese in Effect

Yu chinlung

Abstract

The first language is important. If you learn the Chinese language at first, it is your first language. If you study English in school or other ways, it is your second language. When people can use second language, they will have great eyeshot and extensively knowledge. So the second language means the development of intelligence. If people can read, listen, write or speak foreign language well, it means they become more advancement in intelligence. They can use intelligence to heave their foreign language ability more thoroughly by a little touch or feeling.

Our second language always worse than our first language, but second language is the key to improve our first language. Especially in Japanese, we can heave our Chinese language or other foreign languages by learning Japanese.

This article focuses on learning Japanese quickly by Chinese character, pronunciation, adjective, adverb, verb and grammar. By the way, we also can understand the important meanings in Chinese. For example, "shui-jiao" is an simple substantive in Chinese, but Japanese separates this word into "shui" and "jiao". Because "shui-jiao" means two movements, that is "sleeping" and "waking up". We can use this opinion to think that how to develop the possibility about the deep meanings in Chinese.

By the way, if you can use Chinese well, you also can understand the Japanese culture or Society well. When you understand Chinese thoroughly, you will learn Japanese well.

Keywords：Chinese, Japanese, Chinese Character, Chinese Pronunciation, Grammar

一、前言

台灣學子學習英文之種種問題，相對的在學習日語上，所面臨之問題，亦是大同小異。特別是日語學習，在台灣是第二大外語學習最多之人口，因此在教材與教法上，亦呈現出相同之問題。

按照一般傳統之教材與教法，學生之學習意願、興趣低落，本科生（日文系、應用日語系學生及選修日語通識課程學生），學習日語文四年，畢業後，無法琅琅上口，仍需藉助日商公司、赴日留學等學習環境後，才足以學以致用。為何於大學四年、甚至碩士班二至三年期間，均無法聽、說、讀、寫流利，是否教材、教法上仍有商榷之餘地。

沒有環境是藉口，因為可以自己創造環境。例如，在學校裏，與客家同事就嘗試與他講客家話，與會說日語的同事就講日語，其實，許多環境就在你身邊，看你要不要掌握罷了。

其次，若沒有適當的朋友，可以一起學習，那現在市面上開發了許多語言多媒體教材，有的已達「虛擬實境」效果，不僅活潑，而且可以互動，採用此種學習教材，等於是進入該語言環境中。再者，如果覺得多媒體教材太貴或是必須在電腦前面學習，不太方便，那最經濟也最方便的方法就是，自己虛擬環境、想像力。

巴黎的記憶專家羅林威博士之研究指出，人腦每秒中記一筆資料，連續記一百年，才使用了人腦百分之一的記憶儲存空間。《學習地圖》[2]一書亦指出，大部分的人，頭腦開發不到百分之十，只要開發到百分之三十，可以講一二○種語言。由此可見，不是記憶力不好，而是沒有運用有效的記憶方法。

相對的，只要有相當的中文造詣，即使日本文學、社會等，也能很快的領悟箇中奧妙。讀「通」中文後，「觸類旁通」，「融會貫通」後，其語言之理解力，將快速提升，學習日文，也更能得心應手了。

本文所提出的是，以日文漢字及字音學習法，加上簡易形容詞、形容動詞、動詞文法之圖表學習法，將可使初學者快速學習日文，並提升中文文法的能力與重新認知中文的重要性。

[2]《超倍速學習－6 天突破學習困境》莊淇銘。月旦出版社。2000 年 4 月。第 18～22 頁。

二、效率日語學習方法

高效率的記憶法有許多種，本文第一先舉「音意聯想法（日本漢字音記憶法）」，音意聯想法採用的策略，是將要記的單字及發音與學習者，原本會的語言進行聯結，強化記憶效果。

第二是「字意聯想法（「和製漢字」記憶法）」，就是找出要學習之語言與本來就會的語言之關聯性。不過在這裏要提出的是，字意聯想法是運用在相近語系上，如拉丁語與英語可互相運用。同樣的中文影響著日文及韓文，會中文的人，學日文或韓文都可採用字意聯想法。[3]

2.1 日本漢字音記憶法

日本漢字音源流[4]，即日語的漢字音讀（音読み），是由古代中國直接或間接傳入日本的，基於中文的漢字讀音，依其傳入時間和地點的不同，可區分如下：

1.古音（こおん Ko-on）：早於吳音傳入日本的漢字音。可能源於中國上古音。日本漢字音的「古音」一般認為是早於吳音傳入日本的漢字讀音。從日本方面的資料而言，「古音」並未直接作為「漢字音」獨立記錄下來，僅在萬葉假名及某些特定辭彙中，留下若干記載。萬葉假名中，無法根據吳音或漢音的體系，說明的例子，認為屬於「古音」。現代日語的常用辭彙中極少出現古音讀法，除了若干被認為與古音有關的訓讀詞。[5]

---

[3]《掌握學習基因》莊淇銘。如何出版社，2001年5月。第147～156頁。

[4]維基百科，自由的百科全書。「日本漢字音讀」。

[5]首先對古音作研究的，是大矢透的《假名源流考》（仮名源流考），其中提出《推古遺文》中的「移」（ヤ）、「已」（ヨ）、「彌」（メ）、「里」（ロ）、「奇」（ガ）等讀法可能來自中國的上古音（漢魏及更早時期的讀音）。與吳音、漢音相比存在以下差異。例如：魚韻字讀エ列乙類，如：「居（ケ）」「舉（ケ）」；大矢氏通過對周代以後的詩的韻腳的分析，認為這些特徵源於周代古音。此外，推古遺文中有部分讀音與吳音的特徵相一致，如支韻的「義（ゲ）」「俾（へ）」，脂韻的「尼（ネ）」，之韻的「意（オ）」「己（コ）」「止（ト）」「已（ヨ）」「里（ロ）」，微韻的「氣（ケ）」「希（ケ）」，皆韻的「介（ケ）」，祭韻的「賣（メ）」等。此等讀音的存在表示《推古遺文》的假名與吳音相連續，大矢氏因而認為這些音來自於漢魏時的讀音。而春日政治的《假名發達史序說》（仮名発達史序説）認為大矢氏聲稱為周代古音的讀音也應當看作來自漢魏時的讀音。總之基本可以認為萬葉假名的漢字音中最古的層次對應於中國的上古音。《推古遺文》的作者據推測為朝

2.吳音：一般認爲吳音在西元五至六世紀的南北朝時代，從南朝直接或者經朝鮮半島（百濟）傳入日本的字音。此種說法根據是「吳音」名稱中的「吳」以及倭的五王向南朝的宋朝貢和儒教與佛教由朝鮮半島傳入日本，然而並無直接的史料證明吳音，是南方系統的發音。吳音的別名「對馬音」和「百濟音」說明古代日本人曾認爲吳音來自朝鮮半島。

只存在吳音的時代並無「吳音」的名稱，此名稱是漢音引入後所出現的。由於吳音融入日語程度較深（常用於基本詞彙中），古代稱爲「和音」。平安時代之後，逐漸被稱爲「吳音」，據說是推動漢音普及的一方，及本來學漢音的留學生對「吳」所取的蔑稱。原因是中國的唐代稱長安附近地域的讀音爲秦音，稱其他地區特別是長江以南的音爲「吳音」或「吳楚之音」。歸國的日本留學生以長安音爲正統，因此稱之前日本流通的字音爲「吳音」。

另外，尚有「對馬音」和「百濟音」的名稱，由來是欽明天皇時百濟的僧人法明來到對馬，以吳音讀維摩經傳播佛教。[6]吳音多用於佛教用語與律令（古代的法律與政令）用語，在漢音導入後也沒有消失，直至現代仍用漢音一併使用。另外「古事記」的萬葉假名多使用吳音。

3.漢音：於西元 7 世紀左右開始，日本派出遣唐使自唐習得的字音，多使用於儒學。近代又用於大量創造新辭彙「和製漢語」，對當代日語影響最爲深遠。

漢音是日本漢字音（音讀）的一類，古代稱爲「からごえ」。漢音是西元七，八世紀的奈良時代後期至平安時代初期由遣隋使、遣唐使和留學僧，從中原帶回日本的漢字音，主要反映唐朝中葉長安附近地域的音韻體系。與吳音，唐音等相比最具系統性。另外，唐末渡來中國的僧侶，帶回的漢字音有較多後期中古漢語、近代漢語的特徵，相對於通常的漢音，往往被稱爲「新漢音」。

漢音的普及，持統天皇 5 年（691）從唐招請續守言、薩弘格東渡，並聘爲「音博士」，致力於漢音的推廣普及。桓武天皇也於延曆 11 年

鮮系渡來人（由朝鮮半島移居日本列島的人），《推古遺文》的假名也跟《日本書紀》引用的〈百濟記〉假名有很高的相似性。因此推古期及更早的假名可能是朝鮮人記錄的日本語，並受他們的音韻體系影響。故也有研究者如馬淵和夫等認爲大矢氏所推測源於周代古音的讀音並非一定要以周代古音來解釋。部分訓讀詞被認爲來源於音讀，其中若干詞可認爲基於古音。如「馬（ウマ）」「梅（ウメ）」「竹（タケ）」。這些詞依上段敘述也有可能是經由朝鮮而移植的讀音。

[6]「山攝」，山刪韻部分字，吳音以エン韻表示，漢音以アン韻表示。如：「間」吳音ケン漢音カン；「山」吳音セン 漢音サン。（註：此特點區別於寒桓韻）

（792 年）頒布獎勵漢音使用的敕令，規定大學寮的儒學學生，必須學習漢音。對於佛教，在僧侶的考試中，音博士也會進行以漢音誦讀經典的考查，不學漢音的僧侶，不得前往中國。漢音學習者認爲吳音由來不明，且是有日本口音的不正統發音，以「吳音」的蔑稱之，而以漢音爲正統發音。儘管如此，在日常語中固定使用的吳音並未能被完全排除，直到江戶和明治時代，漢音也未佔據絕對優勢。[7]

以漢音誦讀的佛經，佛經原則上以吳音誦讀。例外的是，真言宗的「理趣經」以漢音誦讀。如開頭的「如是我聞」不按吳音讀作「ニョゼガモン」，而按漢音讀作「ジョシガブン」。此經典論說「煩惱即涅槃」，有肯定「男女情愛」等愛慾的內容，爲不招致不必要的誤解，故意以漢音誦讀，即使慣讀佛經之人，僅憑聽，也無法明白意思。

4.新漢音：漢音的最晚層，約在唐末期傳入日本。「新漢音」[8]的主要資料是隨密教傳入日本的「聲明」（しょうみょう，佛典的配樂誦唱）。有名的如天台宗的《法華懺法》和《例時作法》等漢字音。這些漢字音，主要是由平安中期以前，訪問中國的僧人如圓仁（慈覺大師，794～864）、圓珍（814～891）等傳回日本的。

漢音傳承的是中國北方的中古音，在其傳承過程中，通過遣唐使的交流，日本一直可以接觸到最新的中國音。因此，漢音因時代差異，又有較舊和較新的層次之分。現存的漢音是平安時代初期（唐朝後期）之前傳入，並日本化的讀音，而平安時代中期日本所接受最新的漢音（所謂「新漢音」）並未使用，僅在文獻中有所留存。

5.唐音：廣義上指宋以降傳入日本的漢字讀音（即「唐宋音」）。狹義上指明清時傳入日本的漢字讀音。唐音是日本漢字音（音讀）的一類。廣義的「唐音」（唐宋音）指鎌倉時代以後直至近代傳入日本的漢字音，包含鎌倉時代傳入的「宋音」與狹義的「唐音」，即江戶時代（明清）傳入的漢字音。「唐音」的「唐」與「吳音」的「吳」和「漢音」的「漢」一樣，並非指朝代，而是對中國的泛稱。

江戶時代傳入的「唐音」與之前的「宋音」一樣，主要限於佛典誦讀及學問研究等，對一般用語的影響很小，僅限於特定的詞語，唐音內部尚

[7]「聲調」漢音資料比較忠實的反映廣韻的調類。詳見《日本漢字音的聲調》。

[8]主要以漢音爲參照作比較。入聲尾的弱化與脫落，明顯反映出其母胎音的中國音的入聲尾開始退化。因此新漢音屬於漢音的最終層，移植時期大致在唐末期（約 850-900 年）。新漢音的體系與漢音大體重合，故後世未將其作爲漢字音的單獨一類。

有不同的系統。就來源而言，大體分爲以下三系。第一是隱元隆崎（福州府福清縣人）於承應三年（1654）渡日後，由黃檗宗所傳承，用於誦讀清規的明代音。第二是延寶五年（1677）渡日的曹洞宗心越派開祖心越興儔（杭州人）所傳的清規和琴譜（明樂）的誦讀音。第三是江戶時代的漢語學者岡島冠山（1674～1728）及韻鏡學者文雄（1700～1763）等研究者，通過長崎通事（翻譯官）等所學的中國音。有坂秀世氏將此三類分別稱爲黃檗唐音、心越系唐音和譯官系唐音。這些音主要源於明末清初的杭州音和南京官話音，相較鎌倉時代的宋音反映出更新的音韻變化。[9]

6.宋音：指鎌倉時代（南宋至元初）傳入日本的漢字讀音。包含於廣義的「唐音」。

宋音是日本漢字音的一種。主要是鎌倉時代訪問中國（南宋）的僧人傳入日本的漢字音，可以歸納爲廣義的「唐音」（唐宋音）。主要限於特定的禪宗詞彙，對一般用語的影響比較少。但作爲繼吳音、漢音、新漢音之後的漢字音的一層，仍然具有比較重要的地位。

唐朝末期遣唐使制度廢止，日本處於一定程度上的鎖國狀態（平安時代後期至院政期）。但通過中國商船的通行以及前往天台山、五臺山參拜的僧人，仍然與中國有些許的交流。至院政期後期，隨武士階級的得勢，日本與中國（北宋末至南宋）的交流，又再次活躍，僧人的往來也是其中之一。傳播漢字音的主要有南宋時期入宋求法的「求法沙門」，包括律宗與禪宗的眾僧，以及移居日本的中國高僧如蘭溪道隆、兀庵普寧、無學祖元等。鎌倉時代的禪僧傳入日本的是南宋末至元初的江浙地方的方言音。至鎌倉時代末期，宋音已經大致形成並固定下來，具體資料如「正法眼藏」（1288）等。[10]

此外，傳入日本後發生變化，不合於以上任一種的讀音，稱爲「慣用音」。[11]最早討論吳音、漢音、唐音傳入日本的歷史過程的是本居宣長（も

---

[9]唐音的特徵，唐音由於母胎音的關係，帶有明顯的類似於現代官話和吳語發音的特色。唐音的例詞，如下列舉（此處一並列舉可能爲宋音的詞）。椅子（イス） 蒲団（フトン） 行燈（アンドン） 行腳（アンギャ） 餡（アン）明（ミン） 清（シン） 普請（フシン） 白湯（パイタン） 石灰（シックイ） 饅頭（マンジュウ）。關於唐音與現代借音的關係，參見日語中的現代漢語借詞。

[10]宋音體出現中國音由中古音向近代音過渡過程中的變化。宋音沒有表示聲調的符號「聲點」。

[11]慣用音：關於日本漢字音的聲調資料，參見日本漢字音的聲調。作爲漢字音的延續，參

とおり・のりなが、1730～1801），著有《漢字三音考》（《本居宣長全集5》，築摩書房）。慣用音，是指音讀（日本漢字音）中，不屬於與中國讀音有對應關係的吳音、漢音、唐音的任一類的讀音。來源一般是誤讀的約定成俗，或者是爲發音方便改讀的。古代並無此說法，經大正時代語言學研究後，方有此概念。[12]

7.日本漢字音的聲調，是指日本漢字音的資料中，所標注的關於漢字的聲調的內容。不同聲調的字，以不同的符號作區分。日語僅有音高重音，並無如漢語的聲調，現代日語的漢字音讀，也並不區分聲調。

《廣韻》將漢字按聲調分爲四聲（平聲、上聲、去聲、入聲）。雖然現代日語不區分漢字的聲調，日本漢字音的原始資料，往往對聲調的區別有記錄。日本漢字音的聲調體系，依種類不同而相異，總體而言漢音資料比較忠實的反映中古音的聲調，而吳音資料與其有較大的差異。漢音的聲調，漢音的聲點資料，最早在平安時代初期的最後階段出現。吳音的聲調，吳音在傳入日本時聲調並未記錄。吳音資料聲點的添加遠晚於漢音，直至十一世紀方出現。其聲調原本如何，只能以現存資料爲線索作推測。

平安後期至鎌倉時代的《法華經》誦讀音顯示，吳音分平、上、去、入聲四種調類，內部不再區分「輕」／「重」。根據假名所加的聲點顯

見日語中的現代漢語借詞。難以分類的字音，有的漢字讀法明顯來自中國且廣泛使用，但無法歸入吳音、漢音、唐音的任一類。如：「茶」吳音「ダ」、漢音「タ」、唐音「サ」。「チャ」的讀法，見於院政時代的字典『色葉字類抄』等，一般認爲是漢音與唐音之間的時期流入的。此類字音可歸入慣用音。入聲「フ」的變化音，漢字的-p 入聲字在日本音中以「フ」結尾，依後接的字有不同變化，可變爲長音「ユウ」/「オウ」等韻，如「甲子園（コウシエン）」「合成（ゴウセイ）」「入賞（ニュウショウ）」「集會（シュウカイ）」「法廷（ホウテイ）」等，亦可保留促音如「甲子（カッシ）」「合戦（カッセン）」「入聲（ニッショウ）」「集解（シッカイ）」「法度（ハット）」等。保留促音時，有的字「フ」尾變爲「ツ」尾。例如「圧力（アツリョク）」「立面（リツメン）」「確執（カクシツ）」中的「圧（アフ）」「立（リフ）」「執（シフ）」。此種讀法可歸入慣用音。

[12]讀白字，部分錯誤讀法(白字)約定俗成之後成為正式讀法，特別是按聲旁讀半邊。例如「輸（シュ）」誤讀為「ユ」（「輸入（ユニュウ）」），相當於在中文中把「輸」讀為「俞(ㄩˊ，yú)」，「輸入」讀為「俞入」。又如「洗（セイ）」「滌（デキ）」「涸（カク）」「攪（コウ）」「耗（コウ）」等字也發生誤讀：「洗滌（センジョウ）」「涸渇（コカツ）」「攪拌（カクハン）」「消耗（ショウモウ）」。多音字產生的混淆，漢字因不同的意義有時產生不同的讀法，如「易」作「容易」解時讀「イ」，作「改變」解時讀「エキ」（漢音）或「ヤク」（吳音）。此種多音字有時導致讀音與意義的錯誤搭配。例如，「罷」作「疲勞」解時應讀「ヒ」，作「停止」解時應讀「ハイ」，但在「罷免」（「ヒメン」）等詞中並未讀「ハイ」而讀「ヒ」。此時對應於「停止」意義的「ヒ」讀法可歸入慣用音。促音的脫落，有的入聲字促音脫落，變為舒聲。如「日本」(ニホン)的「日」，本讀「ニチ」，入聲尾脫落變為「ニ」。

示，平安後期以前的吳音資料，只有平、去、入聲。[13]

現代日語發音，基本上，只有五個母音「あいうえお」(a i u e o)，而其音節基本上，由一個母音或一個母音加上一個子音所構成，而其音節幾乎是開音節，亦即以母音為結尾。

根據傳統日語音節，可分為清音、濁音、半濁音、拗音、撥音、促音、長音（ああ）。原則上一個音節，由一個假名來表示，亦代表一個拍「mora」。

例如：

「さくら」／sa ku ra／（櫻花），即有三拍。

另外，漢字發音可分為：

（1）音讀：有「漢音」、「吳音」、「唐音」等發音，而產生複雜多樣發音。例如：「明」，即有「めい」／mei／、「みょう」／myo／、「みん」／min／等發音。

（2）訓讀：則依照漢字之字形、字義加上日語本身之發音所形成日本特有之發音。例如：「山」，音讀為「さん」／san／，訓讀為「やま」／yama／。

（3）音調

即重音（accent）。歐美體系屬「強弱重音」，日語則屬高低重音。根據有無重音核而分為平板式（無重音核）與起伏式（有重音核）兩大類型。起伏式（有重音核）則根據重音核出現位置分為，頭高型、中高型、尾高型三種。例如：

①平板型：無重音核。第一音節略低，其餘音節高。

はな（鼻）　さくら（桜）　たけのこ（竹の子）

②頭高型：重音核在第一音節。第一音節高，其餘音節低。

はし（箸）　いのち（命）　ふじさん（富士山）

③中高型：重音核在中間音節。第一音節與重音核後之音節低，中間音節高，中高型重音，只出現在三個音節以上的語詞。

あなた（貴方）　うぐいす（鶯）　あおぞら（青空）

④尾高型：重音核在最後一個音節，第一音節低，其餘音節高。

はな（花）　おとこ（男）　いもうと（妹）

---

[13]鎌倉時代傳入的宋音及江戶時代傳入的唐音，無聲點資料。

2.2「和製漢字」記憶法

江戶時代開始以假名表達漢字音讀的「字音假名遣」研究，比當時日常使用的吳音，被更具體系性的研究。以字典和韻書爲依據，絕大多數的漢字的漢音都被推定，可用在漢音讀的字。因此漢音取得了漢字音的核心地位，在明治時代導入西方科學和思想時，成爲了創造新譯語「和製漢語」的有力工具。

在此特別提出說明的是與中文息息相關的「和製漢字」，日語中的現代漢語借詞，指日語從近現代（清末以來）的漢語中，借入的辭彙，相繼於吳音、漢音、唐音等漢字音，是古代以來中日之間語言交流的延續。關於現代漢語從日語借用辭彙的情況，可參見下述漢語中的日語借詞。

日語自古以來從漢語吸收了大量辭彙，近代（江戶後期至明治時期以來）更以漢語詞（漢字詞）爲基礎，創造了大量西洋概念的新譯語，稱爲「和製漢語」。又反輸入中國、朝鮮及越南，深刻影響它們的語言。

漢語詞從本來意義上說，在日語中屬於借詞（外來語），但由於歷史久遠及「和製漢語」的大量使用，這些詞已經融入日語並成爲其基礎，日本人使用時並不會意識到它們是外來語，故日語中的所謂「外來語」一般只指西洋語言，直接音譯的辭彙，不包括近代以前傳入的漢語詞。

中國與日本在東漢以來，即有交流記載，隋唐時期的交流達到高峰。整個古代，中日之間的文化交流傳播可以說是單向的，即由中國傳入日本。中文中找不到由日本傳入的辭彙，外來語主要是從印度傳入的佛教用語。何種類的詞在現代傳入日本，與中日間的文化交流內容有關。由於近現代中國國勢衰落，日本積極學習西方的技術、制度與文化，已經不可能再像古代的佛教、儒學那樣從中國大量引入學術用語。相反，是中國積極從日本引入大量的學術用語。

在此，進一步指出的是，在〈倭人傳〉的行文中，有這樣一段。如：

> 下戶與大人相逢道，逡巡入草。傳辭說事，或蹲或跪，兩手據地，為之恭敬。對應曰噫，比如然諾。[14]……

[14]《三國誌·魏書·倭人傳》的記載，倭國（亦即古代日本國）是一個島國，它的方位在朝鮮半島帶方郡（漢末公孫康所設）的東南大海中。若從中國大陸來看，「當在會稽、東冶之東」。在魏晉以前有 100 多個小國，曾向漢朝遣使朝貢。魏晉時期，有 30 國，統屬於邪馬台國女王的統治。

日本人與別人談話時，不斷發出的「はい」或「へい」的應答聲。更有趣的是，經日本方言學者的研究證明，在日本各地方言中，表示應答的詞語可以分成「ナイ類」、「ハイ類」「エー類」、「ヘー類」等 11 種，其中「イー類」分布集中於日本西部地區（即古代中央語言地區），或古代語言殘留較多的周邊地區。與這些事實相聯繫的話，〈倭人傳〉中的記載，就顯得更加重要了。

在〈倭人傳〉中記載，就不單是這些固有名詞了，甚至包括了應答的感嘆詞，可說當時中國人對日本觀察，是何等之細。

自《三國志》以後，中國的歷代史書都有對日本的記載。據考證，從《後漢書》至《清史稿》，總共 14 部史書中，都有關於「倭人」、「倭國」或「日本」的記載。特別是日本引進漢字，有了文字工具以後，與中國交往中，多使用漢字、漢文。正如《三國志》，對日本固有詞彙，使用近似音的記載，在以後的史書中，就很少見到了。

明代，由於「倭寇」的問世，社會上出現許多關於「倭國」或記述倭國的書籍，其中不乏記載日本語言詞彙的部分。據考證，其中多者，如《日本一鑒，窮河話海》卷五〈寄語〉之記錄，有關日語詞彙多達 3400 多條。但是，因爲只侷限於單詞，對於日語的語法結構，沒有達到一定的程度。

1868 年，日本成功實現明治維新，更進一步全盤引進西方文明。特別是 1894 年中日之間爆發甲午戰爭，中國在戰場失敗後，日本更是令中國人刮目相看。1897 年，清政府正式向日本派遣留學生，呈現出一股要學習日本的風潮，當然也有許多人注意到日語的發展。

明治初年在文章界發生了「漢語流行」現象，當時流行的漢語「勉強，規則，注意，關係，管轄，區別，周旋」等，迄今仍是日常用語。官方行文和民間輿論流行所謂的「四文字熟語」，例如：

文明開化，王政復古，大政奉還，自由平等，神佛混淆，舊弊頑　　固，因循姑息，利用厚生，權利義務，公明正大，新政厚德。[15]

此現象，牧野謙次郎有如下之解釋：

明治初年，舊幕府的鴻儒們使漢語漢文流行起來，比如，當

[15]天野郁夫著，陳武元譯，《高等教育的日本模式》，教育科學出版社出版，2006 年 2 月。

時的用語，「髮床」改成了「理髮店」，「洗澡」被改稱「入湯」，出現小麻煩的時候以「失敬」作為道歉。而考慮漢語流行起來的原因，則是由於幕末維新之際，為國事而奔走于全國諸藩的人們需要互相交流。當時全國諸藩有各種各樣的方言，而且標準語沒有像今天這樣普及，比如仙台的人和鹿兒島的人根本無法互相理解，因此而造成很多障礙和麻煩，而如果使用漢語說話問題就容易解決了。漢語就這樣流行開來，在維新之後，交流更加頻繁，因此漢語就成了上流社會的用語。(《日本漢文學史》昭和十三年）[16]

正如上述，漢語作爲「共通語言」上產生相當大的作用，然而從流行的另一方面看，也與漢語本身的「自由造語能力」有很深的關係，是不容忽視的。此特點在當時翻譯西歐語時，表現明顯。最著名的是福澤諭吉將「Speech」翻譯成「演說」，中村敬宇將「News」翻譯成「新聞」。將「Philosophy」翻譯成「哲學」的西周（島根縣津和野人），翻譯整理大批學術用語。如下：

Logic－論理學，Psychology－心理學，Ethics 倫理學，Aesthetic－美學，Phenomenon－現象，Object－客觀，Subject－主觀，Notion－觀念，Conception－概念，

Imagination－想像力。[17]

西周曾在藩學養老館裏學習多年，後來看到荻生徂徠批判朱子的著作，似乎領悟到朱子學的失誤，後來去關西，本立志於成爲名儒，後來感於時勢變化，轉向西洋學。隨後赴荷蘭萊頓大學留學，取得優異成果。他精確的把握西洋原詞的含義，以其深厚的儒學功底，將其翻譯成貼切的漢語詞。這些用語包括「藝術，理性，科學，技術」等。明治時期學者的譯語，今天在日本人的日常生活中，是不可或缺的，而且還反輸入到中國，成爲中日共同語，也證明「和製漢語」的巧妙。如：

[16]牧野謙次郎《日本漢文學史》世界堂書店、1938 年。昭和十三年。
[17]天野郁夫著，陳武元譯，《高等教育的日本模式》，教育科學出版社出版，2006 年 2 月。

社會、權利、資本、條件、象徵、原始、基本、崇拜、解釋、開始、狀態、方法、職業、行為，基礎，幸福，貨幣，意義，藝術，重要，完全，偉大、生產、文化、文明、民族、思想、法律、經濟、資本、階級、分配、宗教、哲學、理性、感性、意識、主觀、客觀、科學、物理、化學、分子、原子、質量、固體、時間、空間、理論、文學、美術、喜劇、悲劇、社會主義、共產主義。[18]

上述優秀「和製漢語」，看到日本人對漢字研究之執著。

當然，新詞彙有一個逐步說服人們的過程，譬如梁啓超文章中：

美利堅……一戰而建造獨立自治之國家者，華盛頓時代也。……三戰而掌握世界平準（日本所謂經濟，今擬易此二字）之權者，麥堅尼時代也。[19]

他不時遊走於中國的舊詞及日本的新詞中，如究竟要用舊詞「平準」，還是新詞「經濟」，後來是「經濟」佔了上風。又如他寫：

日本自維新三十年來，廣求智識於寰宇，其所著有用之書，不下數千種，而尤詳於政治學、資生學（即理財學，日本謂之經濟學）、智學（日本謂之哲學）、群學（日本謂之社會學）等。[20]

最後，當然是「經濟學」、「哲學」、「社會學」，壓倒「資生學」、「智學」、「群學」。接受日語借詞的矛盾心理，現在漢語在向日語借詞的過程中，並非全盤接納，其中也經過排斥、抵抗。但最後日語借詞仍大量湧入，如「經濟」一詞便是。新人物喜歡用新詞，當時的出版商，只要稿子

[18]天野郁夫著，陳武元譯，《高等教育的日本模式》，教育科學出版社出版，2006 年 2 月。

[19]徐一平、〈中國大陸日本語教育與社會的結合度〉。《大學日文教學與社會結合度》國際研討會論文，大新出版社。2002，15-18 頁。

[20]徐一平、〈中國大陸日本語教育與社會的結合度〉。《大學日文教學與社會結合度》國際研討會論文，大新出版社。2002，15-18 頁。

中有新名詞，便儼如看到品質保證，可是舊人物卻恨之入骨。

例如，張之洞曾經在一份文件上，批示不要使用新名詞，可是他的幕僚說，「不要使用新名詞」中的「名詞」二字，便是來自日本的新名詞，可見新詞彙滲透力之大，就連反對它的人，都不知不覺地在使用它。

另一例是，滿清退位之後，在東北準備捲土重來的蒙古貴族升允，曾在民國二年（1913）六月間，發表三篇檄文，其中第二篇，居然專門攻擊新名詞：

> 嗚呼！近時為新名詞所惑也眾矣。人有恆言，動曰四萬萬同胞，曰代表，曰保種，曰排外，曰公敵，曰壓力，曰野蠻，曰推倒君權，其不可一、二數。凡此皆僅以為籠絡挾制之術者也。[21]

他的檄文，當然是針對清末推翻滿清的幾種新政治詞彙而發，其中有幾個即是來自日本，例如「代表」。

1915 年，有一《盲人瞎馬之新名詞》的書，作者署名「將來小律師」（趙文祖），他說自戊戌變法以來，日文行於中土，其中流行的新名詞有59 個：

> 支那、取締、取消、引渡、樣、殿、哀啼每吞書、引揚、手續、的、積極的一消極的、具體的一抽象的、目的、宗旨、權力、義務、相手方、當事者、所為、意思表示、強制執行、差押、第三者、場合、又、若、打消、動員令、無某某之必要、手形、手乎、律、大律師、代價、讓渡、親屬、繼承、片務一雙務、債權人一債務人、原素一要素一偶素一常素、取立、損害賠償、姦非罪、各各一益益、法人、重婚罪、經濟、條件付之契約、慟、從而如何如何、支拂、獨逸一瑞西、衛生、相場、文憑、盲從、同化。[22]

上述名詞表中，有一些已經不流行了。不過將其中一大部分，從中文中取消，造句作文必定是另一番景象。

---

[21] 徐一平、〈中國大陸日本語教育與社會的結合度〉。《大學日文教學與社會結合度》國際研討會論文，大新出版社。2002，15-18 頁。

[22] 趙文祖《盲人瞎馬之新名詞》（作者署名「將來小律師」）。徐一平、〈中國大陸日本語教育與社會的結合度〉。《大學日文教學與社會結合度》國際研討會論文，大新出版社。2002，15-18 頁。

1934 年，江亢虎、王西坤、胡樸安、潘公展、顧實等人組織「存文會」，提出「保存文言」的口號，但他們的宣言書很快就遭到攻擊。1935 年 5 月《現代》刊登了江馥泉的一篇文章，指出「存文會」的宣言中，凡是被他標有底線的詞彙，都是「群經正史諸子百家」見不到的，其實就是來自日本的詞彙。

嚴復就強烈反對冒用日語借詞，他提倡使用「計學」（zh-classical：計學）取代「經濟學」、使用「群」取代「社會」（類推「群學」取代「社會學」）、使用「天演」取代「進化」等，學界習稱「嚴譯」。而嚴復也不是一概否定日本譯詞，例如，他接受「自由」一字，作爲「liberty」、「freedom」之譯名，並曾言：「西名東譯，失者固多，獨此無成，殆無以易。」[23]也有少數新製漢語，取代日語借詞的例子，如「邏輯（logic 的音譯）」取代和製漢語的「論理」。

再如，早年孫文著作可看到「democracy」的譯詞爲「德謨克拉西」、「virus」的譯詞爲「微生物」、「revolution」的譯詞爲「造反」，現在分別由「民主」「病毒」「革命」[24]所取代。民國初年，漢語中通用的和製漢語，就有數百條。其中不乏「～主義（-ism）」、「～化（-ize）」。這類造詞性很強的詞尾，在現代漢語中佔有相當的份量。如下：

～團。例：工團、法團
～力。例：購買力、
～法。
～性。
～的。 -->（ ～底/～的/～地）。
～制。
～主義。
～會。

另一方面，漢語詞彙眾多，要判斷某個詞是否來自日語，有時並不容

[23]「自由」一詞是否為和製漢語有爭議。古漢語亦常用「自由」，指不受拘束的狀態；而作為譯語的自由更強調行動權、發言權等人權概念。而根據紀錄，福澤諭吉選自佛教用語的「自由」（無我、盡情自我之意）作為「liberty」的譯語。在此舉此例，只是舉例說明嚴復所認同的「日本譯詞」，而不評論「自由」一詞是否為「和製漢語」。

[24]革命一詞原意是改朝換代的現象，而非推翻政府。是一個半和製漢語。

易。[25]除了一些由名人所譯的和製漢語，如「科學」一詞由日本人西周（にしあまね）所譯外，許多詞難以考證。尤其有些「半和製漢語」原爲漢語詞，只是日本學者先確立其作爲某西語詞的對譯語後，中文再倣仿。此類詞彙是否屬於日語借詞也有爭議。中文中的日語借詞，是指中文由日語引入的借詞。是中日之間語言交流的一部分。中文從日本借用辭彙發生在近代，主要以漢字爲媒介。日語借詞對現代中文的形成，有重要的作用。

以下分類別討論現代漢語中來自日語的辭彙「和製漢語」。由於中文也是因爲 19 世紀時，急迫需要翻譯西文，大量從日本輸入新詞，大部分進入中文的日語借詞，都是日語中的「和製漢語」。舉凡「電話」、「社會主義」、「資本主義」、「幹部」、「藝術」、「否定」、「肯定」、「假設」、[26]「海拔」、「直接」、「警察」、「雜誌」、「防疫」、「法人」、「航空母艦」，都屬於和製漢語日語借詞。要注意的是，並不是所有日語中的「和製漢語」，都在現代中文中通用，如「介錯」、「怪我」、「油斷」，這類和製漢語詞，都沒有進入漢語。

部份抽象化中文保存原有詞彙而意義有所改變的半和製漢語詞彙，如「社會」、「經濟」，原先雖爲中文，但現今使用的意義已經與古文相異，是否認定爲日語借詞有爭議，有些學者稱這類詞彙爲「回歸詞」。[27]

來源於「宛字」的詞，「宛字」，日語「当て字／宛て字」。日語傳統上多用漢字，有時非漢語詞也利用中文的讀音（音讀與訓讀皆可能用到），以漢字紀錄，如「滅茶苦茶（めちゃくちゃ）」。這種做法最初是在假名未出現的時代使用（如萬葉假名），但假名出現後仍然常用。這種做法類似於六書的假借，但爲區別於中國的假借，本文稱之爲「宛字」。

來源於漢語宛字的詞，此類較少，常見的如，「壽司（すし）」（本字是「鮨」，「寿司」是宛字）。來源於外來語宛字的詞，由於明治時期翻譯西洋詞（主要是專有名詞）時，學術詞彙使用漢字詞，表達還是主流，所以頻繁使用宛字翻譯。如 クラブ「俱樂部」、ロマン「浪漫」、ガス「瓦斯」、コンクリート「混凝土」、カタログ「型錄」、リンパ「淋巴」等，

---

[25]光明網：中西日文化對接間漢字術語的釐定問題。
[26]此處指數學、科學上「未經證實的論點」之意的假設（名詞）。作為「如果」解釋的假設是純正漢語。
[27]〈漢語中的新詞語〉，見新華網。

都被漢語借用。此類詞彙雖然看起來像是漢語詞，但實質上是對西語的音譯，對日語來說，這些詞不屬於和製漢語，而是外來語。

漢語詞以中文寫法引入，絕大部分的漢語的人名、地名等專有名詞是以中文寫法，而非讀音直接引入漢文。部分辭彙亦以中文寫法，直接引入漢文，如：取消（取り消し）、場合（ばあい）、立場（たちば）、手續（てつづき）、出口（でぐち）、入口（いりぐち）、取締（とりしまり）、見習（みならい）等。

日語自身讀法的音譯，此類詞彙多是日語本身，非以漢字表達的詞彙，但華人習慣於以漢字引入日本辭彙（包括專有名詞），所以自行以音義方式輸入日本詞。如「卡拉 OK」（カラオケ），「榻榻米」（畳）等。商標的例子較多，如「馬自達」（マツダ，松田）、「日產」的俗名「尼桑」、「立邦漆」（Nippon Paint）等。

流通於台灣的日語借詞，由於台灣接受日本統治時期較長，無論是閩南語或台灣國語，日常所用的日語借詞數量相對於中國大陸、香港等其他地區比例又明顯更高。如「便當（弁当）」、「歐巴桑（おばさん）」、「秀逗（ショート）」。

若考慮到臺灣話（臺灣閩南語），和製漢語詞彙數量又較標準漢語更多。在日治時期的漢文報紙中，夾雜和製漢語非常普遍。例如，改札係（剪票員）、驛（車站）等，其中不少在戰後已改用國語詞彙讀以閩音。但現今尚有「水道水 chui-to-chui（自來水）」、「注射（打針）」、「注文 chu-bun（訂購）」、「案內 an-nai（帶路）」、「看板（招牌）」，甚至外來語，如「o-to-bai（オートバイ，摩托車）」、「bih-lu（ビール，啤酒）」、「jiang-bah（ジャンパー，夾克）」、漢語如「a-sa-li（あっさり）」、「o-ba-sang（おばさん，阿姨）」、「sa-si-mi（刺身，生魚片）」，這些日語詞彙，都自然平常地使用在台灣閩南語當中。

許多早年曾在中國大陸曾用而目前已少用的和製漢語詞，如攝護腺、昆布等，[28]在台灣仍繼續使用。另外，在粵語裡亦有「防疫注射」，亦用「注射」這個和製漢語詞來構詞。

日本流行文化引進的和製漢語，20 世紀末起，由於日本電玩、漫畫、流行音樂等大量進入中文圈，也有許多詞開始使用在中文詞彙中。如「暴走（失控）」一詞，因新世紀福音戰士而進入 ACG 迷的生活圈，而「達人（專家）」一詞也開始經常出現在報章、雜誌上。一般來說這個時期進入

[28] 〈漢語中的新詞語〉，見新華網。

中文的和製漢語詞，由於時期尚短，社會仍持保留態度看待，只將他當作一種「流行用詞」，並沒有真正將他視爲「中文」的一部分。

但部份用來描述社會現象，無法準確翻譯成中文的和製漢語，如「暴走族」、「援交（援助交際）」、「少子化」、「人氣」等詞彙，已經經常被台灣新聞媒體直接採用了。

由上瞭解，在正式學習日語之前，在上述的介紹下，是否是曾相識而耳濡目染，對學習日文是否已產生同理心。皆下來循序漸進，首先需瞭解日語的基本特色。而語音、字彙、語法是構成語言實體的三大要素。語音是語言的物質外殼，字彙是語言的建築材料，語法是句形變化規則和用詞造句規範的總和。三者既有各自的內容，又相互聯繫。在語言交流中，使用的最小語言單位是句子。語音、語法、字彙的組合，構成句子的意義。按照上述字音、字意學習法，不難發現學習日語早期，也出現有速讀法。

2.3 字音及字意記憶法

黃遵憲（1848～1905），在其《日本國志》一書中，涉及日本的政治、經濟、文化、教育、語言、天文、地理、歷史、傳統、風俗、人情等，可以說是一部有關日本的「百科全書」。黃遵憲首先注意到，日本人在過去吸收中國先進文明時，創造一種「漢文和讀法」，用這種方法，可將所有的中文典籍讀通、讀懂。例如：

> 凡漢文書籍，概副以和訓，於實字則注和名，於虛字則填和語。說漢文助詞之在發聲，在轉音者，則強使就我，顛倒其句讀，以循環誦之。今刊行書籍，其行間假字多者，皆訓詁語。少者皆助語。其旁注一二三及上中下、甲乙丙諸字者、如樂之有節、曲之有譜、則倒讀逆讀之次序也。[29]

黃遵憲對於日語，同樣進行細緻的觀察。如：

> 日本之語言其音少，其語長而助詞多，其為語皆先物而後事，先

[29]鄭子瑜、實藤惠秀編校《黃遵憲與日本友人筆談遺稿》早稻田大學東洋文學研究會，1968 年。徐一平、〈中國大陸日本語教育與社會的結合度〉。《大學日文教學與社會結合度》國際研討會論文，大新出版社。2002，15-18頁。

實而後虛，此皆於漢文，不相比附。[30]

雖然，短短的幾行字，卻可以說中日語中，關鍵上的特性。

梁啓超（1873～1929），這位跟隨康有爲參加「戊戌變法」的政治家，在變法維新失敗後逃亡日本，在日本渡過了 14 年的流亡生活。剛到日本時，梁啓超不懂日語，只能和日本人進行筆談。但如果「見東人不能與談論，又身無篆墨」時，就十分不方便了。在這種情況下，他開始學習日語。

梁啓超學習日語，也許是受到了日本人「漢文和讀法」的啓示，梁啓超和他的同學羅普一起，創造一種「和文漢讀法」，即將日語「顛倒讀之」。如：

凡學日本文法，其最淺而最要之第一著，當知其文法與中國相顛倒，實字必在上，虛字必在下。……知其一定之排列法，即每句之中，副詞第一，名詞第二，動詞第三，助動詞第四。[31]

梁啓超以「顛倒讀之」爲要訣的方法，著述《和文漢讀法》出版發行。成爲當時在日本的中國人，學習日語的一個「速成教材」，並聲稱按照這套方法「學日文者數日小成，數月大成」，「慧者一旬，魯者兩月，無不可呼一卷而味津津矣」。[32]

所以按圖索驥，可回到最原始的中文，再重新瞭解日文。但是今天學習日語的同學，如果古文程度相對低落之時，當然無法瞭解「和文漢讀法」。從和製漢語的特徵來說，和製漢語，多半愛用兩字詞。而精通文言文的中國學者，翻譯時愛用單字單詞。在白話文運動後，由於溝通上的需要，兩字詞較爲穩定、口語上容易理解，或許是和製漢語借詞最後於中文紮根的主因。

[30]鄭子瑜、實藤惠秀編校《黃遵憲與日本友人筆談遺稿》早稻田大學東洋文學研究會，1968 年。徐一平、〈中國大陸日本語教育與社會的結合度〉。《大學日文教學與社會結合度》國際研討會論文，大新出版社。2002，15-18 頁。

[31]徐一平、〈中國大陸日本語教育與社會的結合度〉。《大學日文教學與社會結合度》國際研討會　論文，大新出版社。2002，15-18 頁。

[32]徐一平、〈中國大陸日本語教育與社會的結合度〉。《大學日文教學與社會結合度》國際研討會論文，大新出版社。2002，15-18 頁。

李家同亦言〈不會閱讀 怎麼會解試題？〉：

> 暨南大學教授李家同說，許多孩子學不好，是因缺乏閱讀使得數學、自然、社會等科別都產生學習障礙。「看不懂福爾摩斯探案的中學生，與看不懂英文課本的大學生大有人在。」
>
> 李家同認為，我國教育落差嚴重，有很多小學生到了四年級仍不會加法，五年級也不會減法。而學生產生學習障礙的癥結常因語文能力不足。
>
> 他說，做數學、化學題目時，連題目都看不懂，又怎麼會解題。尤其近年越來越強調「數學生活化」，結果卻適得其反，僅讓數學題目變得又臭又長，「學生一看就怕，又怎麼會解答？」
>
> 李家同強調，應該訓練學生在一定的時間之內看完一篇文章，快速穩抓重點，透過消化後清楚表達出文中意涵，而非照單全收。[33]

例如，「睡覺」，在中文只是單一名詞，但是在日文的漢字卻是，「睡」與「醒」兩件事，才是一完整的語彙，如此也將發人深省，提供本身中文語言智能的另一思考方向與研究主題之開發。在此有個基本的概念，爲：

1.中國古文→→中文白話文。例如：學校行。→→去學校。
2.日文古文→→日文白話文（假名）（現在所學日文）。例如：
 學校行く→→学校へ行く。
3.日文白話文（假名）（現在所學日文）→→中國古文。
 学校へ行く。→→學校行。
4.中國古文→→日文白話文（假名）（現在所學日文）
 學校行→→学校へ行く。

所以以中文古文，可以推出現在所學日文。「校行。→→学校へ行く」。而此助詞，也就是當時古文，在唐代時，白居易，新樂府詩及唐代小說《遊仙窟》等，大量投入白話文，所衍生之語言。而白居易對日本文學之影響，已有許多之記載，不在本論贅述。

當然，《和文漢讀法》，在短時間上，可瞭解日文及能達到閱讀的目的

[33] 2009/03/14【聯合報／記者曾懿晴／台北報導】

上，應說是有其積極意義的一面。據考證，在清末出版的許多書籍中，有不少紀錄都顯示出，認爲中日兩國都同文同種，日語屬於漢語的一部份，甚至看成是方言而不是外語。[34]

如解釋日語字彙時，往往一定要在漢語中，找到他的辭源，就是一種例證：(檀那：主人也。《涅盤經》種種佈施習檀那，亭主：夫也。《搜神記》來往戶外呼亭主，又店主亦稱此)。許多中國人，都把日語看做是一種「實詞前，虛辭後，顛倒讀之，數日而小成，數月而大成。」的漢文體系，也許是梁啓超等人，在這一時期，所提倡的「和文漢讀法」，多少有點關係。[35] 而日文文字上又可分爲：

1.平假名：原爲引用中文所形成之草書文字，現爲日本最常使用之文字。例如：「わたし」(私)、我。

2.片假名：原爲引用中文偏旁部首所形成之正楷文字，現爲日本便於區分平假名，而用於外來語中最常使用之文字。例如：「ホテル」(hotel)、旅館。

3.漢　字：一九八一年日本政府爲區分舊漢字（中國字），而公布「常用漢字表」一九四五字，作爲漢字使用上之基準。其新漢字又與現今之中國簡體字不同。　例如：仮（假）、桜（櫻）等字，在書寫上應予注意。而日本亦有自創之漢字，例如：辻（つじ）十字路口。畑（はたけ）田地等字。然日本在漢學研究上，迄今仍沿用舊漢字，保持其傳統固有文字文化。

4.羅馬字：便於發音，常用於流行之外來語。例如：kamera「カメラ」(相機)，簡單明瞭。

首先，日語的音素較之漢語要少得多。日語中有元音 5 個，輔音 13 個，半元音 2 個，由這些音素組成的發音構成日語的基本發音約 50 個（即所謂的 50 音圖），再加上濁音、半濁音、拗音等，總共也不超過 100 個。

而漢語的發音，可以有幾百個。漢語以字爲詞，單字詞很多，而日語

[34] 徐一平、〈中國大陸日本語教育與社會的結合度〉。《大學日文教學與社會結合度》國際研討會論文，大新出版社。2002，15-18 頁。

[35] 徐一平、〈中國大陸日本語教育與社會的結合度〉。《大學日文教學與社會結合度》國際研討會論文，大新出版社。2002，15-18 頁。

中單音節詞則極少。如漢語「心」，日語說「こころ」，而先物後事，即賓語在前，謂語在後，漢語說「吃飯了」，日語說 「ご飯を食べました。」先實後虛等語法現象，就顯而易見了。

近現代（清末以來）仍有若干漢語詞傳入日本，但此類詞與唐音類似，只限於特殊領域與特殊辭彙。這些現代漢語借詞，已經不被視爲「漢語」，而是與西洋詞一樣歸入「外來語」，使用片假名書寫。在一定程度上反映日本人觀念中的「漢」只限於近代以前。近現代傳入日本的漢語詞主要與中國的日常生活等有關，大體又可以分爲以下幾類：

1.中華料理(中國菜)相關的，如：古代日本已經受到中國式料理的影響，主要是鎌倉時代以來隨禪宗傳入的佛教精進料理(素食)。精進料理所帶來的調料、廚具、烹飪技法等一定程度上也爲日本料理所採用。近代以來，中國料理又繼續傳入日本並流行，形成與日本料理和西餐（洋食）三足鼎立的局面。相當多與中華料理相關的辭彙包括食物名、調料、烹飪術語也在日語中使用。如：餃子（ギョウザ）、雲呑/餛飩（ワンタン）、皮蛋（ピータン）、五香粉（ウーシャンフン）、 酸辣湯（スアンラータン）、炒（チャオ）、拼盤（ピンバン）等。有些詞與日本原有詞混用，如：天津飯（てんしんはん）、麻婆豆腐（マーボーどうふ）等。

2.麻將相關，麻將，日本稱麻雀（マージャン），一般認爲十九世紀中期起源於中國，明治末傳入日本，大正時期開始流行。之後發展出日本獨自的玩法，區別於後來又從中國傳入的「中國麻雀」(國標麻將)。日語中麻將的術語大多來自現代漢語的直接音譯，數量較多。如：和了（ホーラ）、聽牌（テンパイ）、緑一色（リューイーソー）、嶺上開花（リンシャンカイホー）等。若干麻將相關的詞語也進入了日常用語，如：立直が掛かる 、連荘（レンチャン）等。

3.中國茶相關的，包括烏龍茶（ウーロンちゃ）、工夫茶（クンフーちゃ）、花茶（ファーチャー）等茶名，茶壷（チャフー）、蓋碗（ガイワン）等茶具等。

4.中國原產或由中國傳入的植物動物名，如：馬銭/番木鼈（マチン）、香椿（チャンチン）、夜來香（イエライシャン）、獅子狗（シーズー）等。

5.其他種類

一般性辭彙：如：面子（メンツ）、功夫（カンフー）等。疑似來自漢語的辭彙。如：かばん（鞄，可能來自漢語「夾板(キャバン))；ぺてん（欺騙)，可能來自中國的「弓并子 bengzi」(左弓右并)；ぺけ（叉號，一說來自漢語「不可(プケー)」)。此數詞較爲常用。

新詞：近年來在中華圈產生的新詞，如哈日族（ハーリーズー），韓流（ハンリュウ）等。

另外，有一定數量的辭彙，雖收錄於辭典，但在日常情況下很少使用（有的可能是舊時流行的用法或特殊場合/領域的用法）。如：老頭児（ロートル）、慢慢的（マンマンデー）、沒法子（メーファーズ）、三板/舢板（サンパン）、秧歌（ヤンコ）、電脳（でんのう）等。

專有名詞：如地名。中國大陸、港澳、台灣等地的漢語地名，一般使用漢音，但有若干例外。南京（ナンキン）、北京（ペキン）屬於唐音，上海（シャンハイ）、香港（ホンコン）、台北（タイペイ）等，可以認爲是現代借音（有的經過英語等語轉譯）。[36]中華圈人物的人名、姓名，一般使用漢音。清末以前的歷史人物只使用漢音，清末以後的現代人物大多數情況下也使用漢音，但辭典也收錄其現代讀音。某些人物（娛樂圈等）常用英文名，則日語使用英語音譯。

另外，利用讀音規則及相關字的特點進行「集中」記憶。利用輔助記憶，以聯想法為輔，看到一個事物就聯想到其它相關聯字的「圖象」記憶方法，按單字在句中的對應關係及語法關係，進行聯想記憶。並可將日語文法（形容詞、形容動詞及動詞）用一簡單表格即可瞭解日語文法之時態。如：

「あう」

		現在式	過去式
肯定句	常體	あう 3	あ　った
	敬體	あい　ます 2	あい　ました
否定句	常體	あわ　ない 1	あわ　なかった
	敬體	あい　ません	あい　ませんでした

字母利用單字來逆向記憶字母，也能事半功倍。當然如果將字母以周

36（此例使用一種較新的轉寫方式，將ㄓ組聲母與ㄗ組合併，而不是與ㄐ組重合。）其他來自現代漢語的地名有：広東（カントン）、汕頭（スワトー）、厦門（アモイ）、寧波（ニンポー）、青島（チンタオ）、澳門（マカオ）、基隆（キールン）。

遭之日常生活用品、用語，歌曲、姓氏，廣告用詞及漢語相同之發音之輔助記憶，則事半功倍也。例如：

1.日常生活用品、日常生活用語：
あなた（你，親愛的）と（和）わたくし（我）。
あなたのやまは（やまは，山葉）
とわたくしのひたち（ひたち，日立）。
あなたのいぬ（犬）とわたくしのねこ（貓）。
2.反輸入之台語發音：
あなたのとまと（蕃茄，）とわたくしのさしみ（生魚片。）
3.與漢語接近之發音：
あなたのいす（椅子）とわたくしのぼうし（帽子）。
4.電視廣告用詞：
お元気ですか。あいしてる。
あたま、はま（ぐり）、あげ、ありがとう。
5.利用中國姓氏：
りんさん、ちんさん、おうさん、こうさん。
6.利用熟悉之歌曲：
ももたろうさん。（桃太郎桑）

例如，第 6，光是一句歌名，不僅可學習 6 個字母，又可學習一個單字。

由以上可知，如果按此方法，利用以熟習之單字發音，再來記憶單字之寫法，如此一來，將會的 50 音的部分，先行記憶、背誦好，不會的字母，則所剩無幾。而且所記的不僅是字母而已，而是有更多的單字。

在中國大陸也有按「功能意念」項目，按分門別類記憶單詞的方法。「功能意念法」在國外的語言實踐中廣泛使用。雖然「功能意念法」在中國日語教學中，起步較晚，但是，《高等院校日語專業基礎階段教學大綱》提出了 60 項「功能意念」項目。融入到教學中，並且嘗試著進行教學實驗。[37]

而且在單字教學中，如果條件允許，應結合某個環境的場景進行教學，

[37]盧麗〈淺談日語詞彙教學的教學方法〉。《日漢雙辭書編纂與日語教學文集》商務印書館出版，2001 年 6 月。第 121～125 頁。

是比較理想。如此再加以模擬實物情境，進階補充字彙量：

1.相關字：如「手」一字，可以推展到「左手」、「右手」、「兩手」、「片手」等。甚至推展到「足」、「頭」、「肩」、「目」、「鼻」、「頸」等等。

2.同類字：與「交通機關」相關的單字，則有「車、自動車、乗用車、救急車、電車、新幹線、バス、タクシー、パトカー、トロリーバス」等單字。如想到「本」一字，就可以聯想到「テキスト・ノート、練習帳、辞典、小説、ペン」等詞。

3.同音異字：如介紹「収(おさ)める」這個字時，可以再說明「収(おさ)める」、「修(おさ)める」、「納(おさ)める」等三個字。

4.同字異音：如「生」字，構成的動詞有「生む、生まれる、生きる、生える、生じる、生ける、生かす、生やす」。音讀的有「せい、しょう」，訓讀的有「なま、き」，相關詞有「生活、成長、生徒、生年月日、生物、生命、生涯、生協、生還、生計、生花、生気」等字。

5.相反詞：如「左←→右」、「前←→後」、「上←→下」。

6.同義字：如「良い」時，可介紹「うまい、すばらしい、すごい、よろしい。」如「観」字，只有一個讀音「かん」。其相關字有：「観光、観客、観察、観賞、観測、観点、感じる」等。如「出」，訓讀有「でる、だす」，音讀爲「しゅつ」的相關字有「出演、出勤、出現、出身、出世、出席、出発、出版」等單字。如「安」字，單讀爲「あん」，形容詞爲「やすい」相關字，有「安心、安全、安定、安易、安眠」等字。

7.句型：如出現「とる」一字，按其與不同單字的組合，可擴張不同的使用方法。如「本を取る」（拿書）、「写真を撮る」（照相），漢字分別是「取」、「撮」。

如果不是母語，畢竟人的記憶力是有限的，例如，中國兒童時代，學習漢字先以「千字文」作爲學習之目標，在中國十七歲以前，以九千字爲記憶之目標，如此才可參加科舉之考試。[38]

至今中國即將在二十一世紀稱強，雖然英語學習不可忽視，但引進當今世界最先進「加速學習」法，學習任何一種外語僅需三個月至六個月，自一九六○年以來，各國在加速學習上的成就更驚人的提出，一天可學一千個單字，自一九九九年起即進行加速學習實驗，可以確信只要設備與教學情境完備，一天的確可背一千個單字。

韓榮華表示，藉著千字文的學習，不僅可以學到加速學習法的技巧，有效改善學習行爲與習慣，更可以灌輸中國道統的聖賢智慧，使下一代重新體認中國歷史文化之優美與偉大，只要學習者透過千字文的學習，相信可以很快將其方法轉移至英文，或其他語文，如此一來，豈不一舉數得。[39]

大陸及香港的中文認讀，近年來改採「集中識字法」，將形、音類似的國字並列一起教，學生認字速度驚人，小一就可認得三千字。

九年一貫課程減少國文授課時數，讓學生的識字量及識字速度更少、更慢。尤其根據學者研究，台灣教學生認字採「分散識字法」，根據課文選用的生字作爲識讀字，耗時、不連貫、且沒系統，大陸及香港採用的「集中識字法」，效果比較好。[40]

效率日語學習的問題也是相同，但是，迄今仍沒有以日文效率學習法爲主的教材與教法，要有如何運用有效率之方法來學習呢？所以教材與教法，相對的就非常重要了。

三、結論

日本與台灣比鄰而居，文化交流，經貿往來，留學觀光可說是日益興盛。甚連今日也吹起一陣哈日風，引進大量日本生活訊息及其習慣。而日文更是與我們生活息息相關。爲了深入瞭解日本，能在戰敗後急速復甦，成爲經濟大國，科技重鎮及其精緻文化。日文可說是現今必備語言之一。

而同爲漢語圈國家，在學習上，遠較歐美係國家，更加親近。而且日

[38]《漢字與中國人》大島正二。岩波書店，2003年1月21日。第20、33頁。
[39]韓榮華〈加速學習法－英語千字文〉。《中央日報》92年1月28日。作者任教於興國管理學院。
[40]〈集中識字法 國字表兄弟 全部一起認識〉。《聯合報》2003年5月2日。

本近年來，亦大力推行學習中文，愈加縮短中日間關係，爲此亦提供學習日文更多之機會。

今日正處於世紀交替之際，多國語言之學習，正是符合二十一世紀，國際化地球村之願景。在此爲有效率的學習日語，本文也依據日本漢文學之研究方式，在此推出效率日語學習之方法，僅供比較研究。

本文另以上述之問題，對現行傳統之教材、教法，提出問題之所在，提出有效率的學習日語之方法，提升日語能力後，並配合社會之結合度與需求，作一展望。

參考文獻

大矢透（1911），《仮名源流考及証本写真》，国定教科書共同販売所。
大矢透（1914），《周代古音考及韻徵》，國語調查委員會編，国定教科書共同販売所。
「大辞林 第二版」與「デイリー 新語辞典+α」，三省堂。
伊藤智ゆき（2007），『朝鮮漢字音研究』，汲古書院。
李于麟唐詩選唐音，江戸書肆嵩山房。
沼本克明（1986），《日本漢字音の歴史》，東京堂。
金田一 春彥 (1988) 『日本語 新版』上・下 (岩波新書)。
松本淳，日本漢文へのいざない。(見松本淳相關網站） 。
馬淵和夫（1968），《上代のことば 日本文法新書》，至文堂。
陳彭年等撰，張氏重刊 『宋本廣韻』，周祖謨校本 。
張麟之，『韻鏡』，張麟之子儀慶元丁巳重刊 。
蔡明傑等，台灣話中的日語，東吳大學外國語文學院（2003）。取自"http://zh.wikipedia.org/w/index.php?title=%E6%BC%A2%E8%AA%9E%E4%B8%AD%E7%9A%84%E6%97%A5%E8%AA%9E%E5%80%9F%E8%A9%9E&variant=zh-tw"。

作者簡介

余金龍

前玄奘大學外文系教授兼研發室主任、

現任新生醫護管理專科學校學務主任

中日漢文化詞彙「氣」的比較

歐雪貞

一、前言

筆者在 2009 年台灣科技大學應用語言教學國際研討會中，發表《從漢文化觀點談華語教學》以「氣」字為例，進行「氣」字、詞彙、成語、造句、氣功教學，希望建構一套具體的教學課程，以供語言教學參考。經戴維揚教授指出，日本為漢文化圈的一環，常用的問候語有「お元気ですか？/o genki desuka‧お元気」，(「元気」就是「元氣」)，武術當中也有類似氣功的「合気道/aikidou」，因此「氣」(気) 這個詞彙，在中日漢文化中似乎可以做更深入的比較，以建構更完整的課程內容。筆者頗有同感，於是構思了這篇論文。

本文共分為五個單元。首先介紹日本語言與漢字源由。這部份主要說明日本人為何採用漢字，漢字與日本語言的調適背景。 第二單元，討論本文的理論架構：1) 每一種語言都有它獨特自主的系統， 漢語和日本語是完全不同的語言系統。2) 語言本身有生成及轉化的現象，隨著時空、歷史、人文風俗變遷，語言也跟著改變。3) 從社會語言學的觀點而言，在社會的某些機構當中，有些團體或社群的成員們，有他們獨特的語言詞彙，構成特殊的語體 (Registers)，表達他們心理情緒。 4) 語言本身會回流。從原生地吸收、借用某些詞彙，再造新的詞彙，然後再回流原生地被使用。 第三單元，說明本文的資料分析，以「氣」字為例。資料來源以《辭源》《辭海》《大漢和辭典》《広辞苑》《広辞林》等辭典為主。 第四單元，討論中日漢文化詞彙「氣」的異同。以「氣」或「気」的造字原則、詞彙的結構，和辭意做比較。 並從中日哲學的觀點做分析。最後的單元，強調無論是華人學習日語，或日本人學習漢語，必須把它當作和印歐語系相同的外國語學習，不要看到熟悉漢字，就望文生義，要用心比對，確認義涵，才能體會語言文化的真髓。

二、日本語言與漢字源由

本文探討中日漢文化詞彙「氣」的比較。 在還沒有切入正題之前，先討論日本語言與漢字關係及調適的背景。 日本人爲何採用漢字？ 爲了表達日本語的意思？標示日本語發音？或者是音義皆有？ 釐清日本語與漢字關係的有助於本文的理解。

日本在三世紀或四世紀左右，尚無文字，只有口語 [Spoken Language]，即所謂「大和言葉」(Yamato-kotoba)。因此文化的傳承，只靠口傳。日本人之所以能夠讀書寫字，是經由當時的朝鮮傳進中國的《論語》、《千字文》以後的事。當時日本人，爲了記錄事件敘述思想，就藉重漢字表達字義寫出人名、地名及日本獨特的和歌。但是漢字與日本語言之間的調適，並不是一蹴而就，而是經過一番的嘗試與轉化。這個轉化的過程，也是語言文化在不同時空成長現象的寫照。依據樺島忠夫（1997）及金田一春彥（1995）的說法，日本人接受漢字主要是爲了寫日本語。如何寫呢？第一種方法，猶如後來的「訓讀」 ─ 借用漢字書寫，表達日本語的意義，但是用日本語發音。 例如漢字的「雪」，有日本語「ゆき/u ki」的意思。又，「降」有日本語「ふる/huru」的意思。於是「ゆきふる」的日本語，就以漢字寫作「雪降」。又，「風」是「かぜ/kaze」，「吹」是「ふく/huku」的意思，因此「かぜふく」的日本語，寫作「風吹」。像這樣，將有與日本語相同意義的漢字排列在一起，就可以用漢字來寫日本語。這種寫法，意義雖然大致可以了解，怎麼讀卻不清楚。因爲「雪降」，可以讀作「ゆきふる」，也可以讀作「ゆきふり-ukihuri」、或「ゆきふれば/ukihureba」等等。

另外爲了清楚地表達讀音的問題，於是有第二種方法，借用漢字的音爲音標文字，標示日本語發音，而不表達日本語的意義。一個漢字標示一個日本語的讀音，例如「さくら/桜/sakura」寫作「佐久羅」，「はな/花/hana」寫作「波奈」，「みやこ/都/miyako」寫作「美夜故」，剛抽芽的綠色「わかくさ/若草/wakakusa」寫作「和可久佐」。像這樣，不考慮漢字固有的意義，只借用它的音來表達日本語的文字，稱爲「萬葉假名」 ─ 借用漢字標音。用這種方法，解決讀的問題，但是語義難以掌握，而且要將許多筆劃繁複的文字排列在一起，寫起來非常麻煩，於是又有第三種方法。

第三種方法，合併漢字意義的寫法和漢字讀音的寫法，例如將「なつくさの/natukusano」寫作「夏草之」，「のじまのさきに

/nozimanosakini」寫作「野島之崎爾」，這個寫法，與今天漢字假名混合寫作「夏草の」、「野島の崎に」的情形相同。於是在《萬葉集》的時代，也就是西元七六O年前後，日本人採用了漢字假名混合寫作的方法。

值得注意的是，日本人並不是一直使用漢字標音，僧侶和學者爲了學習佛經和漢文化經典，就用漢字的偏旁，造出「片假名」，寫出漢字片假名混合的文章。另一方面，爲了寫和歌及日常用語，使用「萬葉假名」，將草書的形體拆散，產生了「平假名」。平假名、片假名出現之後，日本人並沒有捨棄漢字，於是日本進入用漢字表義，同時用平假名、片假名來標音的階段。這時，漢字、平假名、片假名混合出現在一篇文章之中，並不稀奇。 隨著時代的演進，今天日本人受到西方文化的影響，接受很多外來語，也接受羅馬字。於是漢字、平假名、片假名、羅馬字混合的文章，成爲司空見慣的事。

三、漢文化詞彙在日本的生成轉化

在瞭解日本語言與漢字的背景之後，下個單元，即將討論本文的理論架構。 語言學者們認爲每一種語言都有它獨特自主的系統，無法讓其他語言系統取代（趙元任, 1987; 方師鐸, 1989; Schendl, 2001; Spolsky, 2008; Wierzbicka, 2003）。 如同 Wierzbicka (2003, p. 10.) argued：“Every language is a self-contained system and, in a sense, no words or constructions of one language can have absolute equivalents in another.” 雖然每一種語言有它自己的語言結構和詞彙，但是有部份語言的成份是相同的 (例如某些國家的語言有共同的詞彙)。As Wierzbicka indicated “ . . . although every language has its own unique structure and its own unique lexicon, nonetheless there are certain areas of languages which can be regarded as mutual isomorphic” (ibid.).

Wierzbicka 進一步說明語言學家，雖然必須檢驗出語言成份相同的地方，但是更應該留意它們不同的用法。舉例來說，漢語和日本語皆有 雲氣/気、空氣/気、大氣/気 等詞彙。這並不代表，漢語和日本語中所有詞彙「氣」的意義，或詞彙的搭配完全相同。漢語和日本語是完全不同的語言系統。語言教育學者不能不釐清這一點，應該留意它們同中有異，異中有同的地方。

語言除了有它獨立的系統之外，語言本身也會有生成及轉化的現象

(Spolsky, 2008; 方師鐸, 1989; 江舉謙，1983)。語言生成的方式，可經由先民依據造字原則而來，例如中國人以六書造字 (象形、指事、會意、 形聲、 轉注、 假借)。也可以借用外來語造字。漢語「麥克風」由英文字 Microphone 而來，「披薩」由英文字 Pizza 而來。至於語言轉化也因時空歷史文化變遷有所改變 (Schendl, 2001; Spolsky, 2008)。如同 Schendl (2001, p.3) 所言：“All physical aspects of the universe and all aspects of human life are subject to change, and languages are no exception.” 例如前文論及，日本人並非一直使用漢字標音，僧侶和學者爲了學習佛經和漢文化經典，用漢字的偏旁，造出「片假名」，寫出漢字片假名混合的文章。另一方面，爲了寫日常用語，使用「萬葉假名」，將草書的形體拆散，產生了「平假名」。 平假名、片假名出現之後，日本人並沒有捨棄漢字，於是日本進入用漢字表義，同時用平假名、片假名來標音。

語言轉化問題，也可由下面的例子看出。「靈」（霊），在中國是多義字，可用在「人是萬物之靈」、「他反應非常靈敏」、「他常祭拜亡靈」等不同地方。在日本雖然也是多義詞，但以「亡靈」爲主要的意思，尤其在「訓讀」的時候（讀作 tama），「靈」字往往聯想到死亡，這是語義的縮小。又如：「大丈夫」，中國人用在形容人格高尚的地方，如「富貴不能淫，貧賤不能移，威武不能屈，此之謂大丈夫。」而日本人說「大丈夫」（だいじようぶ/dai zyÔ bu），意指「沒關係！」「沒問題！」的意思，語義完全不同。 又如「娘」，中國人叫「娘」，是在叫「母親」。日本人的「娘」（むすめ/musume），指的卻是「女兒」。

語言生成與轉化問題，亦可由本文前言所提到的兩個詞彙「元氣」與「合氣道」加以說明。「元氣」與「合氣道」無疑都是漢文化詞彙。 前者，是日本自中國輸入的。「元氣」的義涵，根據《辭源》解說有二：一指「天地未分前混一之氣」，這是天地孕育萬物的氣；二指「人的精神，生命力的本原」。依據《大漢和辭典》的精簡版《新漢和辭典》（1984，96 頁）中的記述，「元氣」的義涵有四：

（1）万物を産み育てる気。天地の気。けん気。
（2）心身の活動の、根本の気力。
（3）盛んな意気。威勢。勇気。
（4）たしゃ。達者。健康。

亦即

（1）孕育萬物之氣。天地之氣。玄氣。

（2）身心活動的根本力氣。

（3）旺盛的意氣。威勢。勇氣。

（4）健壯。健康。

前兩項與原生地（中國）相同。值得注意的是（3）（4）兩項《新漢和辭典》上特別標明一個「国」字，表示這是日本人所創用的。 漢語「元氣」原本意謂天地孕育萬物的氣，或指人的精神，生命力的本原。如同聖經伊甸園所描述上帝用地上的塵土造人，把生命之氣吹進他 (亞當) 的鼻孔，他就成爲有生命的人。

日本人接受「元氣」這個詞彙，已經不是天地孕育萬物的氣，或生命力的本原。

日本語轉化成「精力旺盛、精神飽滿，身心健康，充滿幹勁勇氣」的意思。這也就是「お元気ですか」成爲問候語的原因。

再看後者「合氣道」(Aikido)。「合氣道」，是日本人植芝盛平所創設的一種武術，他所追求的理念是氣、心、體的統一，以達到瞬間制敵的效果，但是在心理上，這不是要與對手一較長短的競技運動。 練習的時候，必須避免爭強或打倒對手的「爭勝心」，尊重禮節、達成協調是它的基本精神。 「合氣道」一詞，是日本人運用漢字自行創造 －「合氣」 加上 「道」，而後輸入中國與台灣的詞彙。

語言除了上述生成轉化的理論外，還有一個重要的理論和詞彙有關。從社會語言學的觀點而言，在社會的某些機構當中，有些職業團體或社群的成員們，往往有他們獨特的語言詞彙，構成特殊的語體 (Registers)，表達他們工作的心理情緒 (Fairclough, 1995; Spolsky 2008)。舉例而言，日本各大小型企業，競爭劇烈，如松下電器公司，員工相當辛苦，壓力頗大。有許多表示內心感受或精神方面的詞彙：気を張りつめる/十分緊張 、気がもめる/焦慮不安、気に病む/煩惱焦慮，充斥於各種報章雜誌或言談當中。這些特殊語體，提供寶貴得資料給語言學者研究。

最後介紹一個相當有趣的理論和本文有關：語言本身會回流，從原生地吸收、借用某些詞彙，再造新的詞彙，然後再回流原生地被使用。舉例來說，在十九世紀明治維新以後，爲了順應西洋科學文明的需要，日本人運用漢語「氣」字，組構了不少新詞，例如 氣壓、氣溫、氣流、氣體、以及科學、哲學、社會、文化、經濟等西方學術名詞，這些詞彙還回過頭來輸入中國，滋潤了漢文化詞彙原生地的中國。前面所提到「合氣道」的詞彙，也是語言回流的現象，再被原生地使用。

四、資料分析

本文探討「中日漢文化詞彙『氣』的比較」。今以「氣」字爲例。資料來源依據的下列辭書：

中文方面： 遠流出版社大陸版《辭源》(1990)、林語堂《當代漢英辭典》(1972)香港中文大學詞典部，及中華書局出版的《辭海》(1968)。

日本語方面：諸橋轍次(Morohasi-tetuzi)《大漢和辭典》(1999)，及岩波書店《広辞苑》(1991)，三省堂《広辞林》(1986)，金田一京助《三省堂国語辞典》(1966)。

以下以辭書爲參照點，列舉有關之解說，以供印證。首先在中國方面，綜合林語堂《當代漢英辭典之研究》，及《辭源》、《辭海》的內容，列表分類如下：

(下列表 一，詞義排序，表示「氣」的詞彙在辭典出現先後次序)

表 一

詞義排序	當代漢英辭典	辭 海	辭 源
1	大氣、氣體、空氣	物體三態之空氣	雲氣
2	呼吸出入之息	呼吸出入之息	呼吸出入之氣
3	能量、元氣、力氣	/	/
4	精神、道德力量	質性	氣勢，氣質
5	聲調、氣氛、態度	精神發現於外者	/
6	氣味	/	氣味
7	/	嗅	嗅，聞
8	氣派	/	/
9	生氣、怒氣、氣人	憤懣、怒	/
10	/	節候	氣候，氣色

11	/	/	構成萬物的物質

其次在日本方面，綜合新村出編《広辞苑》，三省堂《広辞林》，及諸橋轍次《大漢和辭典》，整理歸類如下：

表 二

	大漢和辭典	広辞苑	広辞林
1	雲気、空氣。大氣。かすみ/霞。けむり/煙。搖曳する氣/搖曳之氣	天地間を満たし，宇宙を構成する基本と考えられるもの。また，その動き。風雨寒暑などの自然現象	雲、霧、霞、煙、香、けはいなどのようなもの（跡象之類的東西）。空氣、大氣
		空気、大気	
2	いき/息	呼吸、息使い	
3	身體の根元となる活動力/身體根元的活動力	生命の原動力となる勢い	
4	元氣/孕育萬物的根本力	万物が生ずる根元。	
5	ちから/力。いきほひ／勢力、威勢。	気力、心身の力。	気勢、士気。熱、勢い、元気、気力
6	きだて/性情、性格、脾氣	心の動き、状態、働きを包括的に表わす語。ただし、この語が用いられる個々の文脈において、心のどの面に重点を置くかは様々である。全般的に見て）精神ある事をしようとして、それに引かれる心。関心根気。あれこれと考える心	注意、心ずかい 根氣（耐性、毅力）
		感情	
7	こころもち/心情、心	こころもち。ここち/心	心の動き、精神、

	緒、情緒	地感覺心情。 事に触れて働く心の端々。ある事をしようとする心の動き	狀態、氣氛 意向、考え（想法）氣持ち（心情、情緒）、つもり（心意、打算心配（のたね）
8	うまれつき/もちまへ/天性、天生、稟性。	うまれつきもっているもの/もちまえ/ 持ち続ける精神の傾向。	氣質、
9	宇宙の萬有を生成する質料／構生宇宙萬有的質料		
10	にほひ／味道。 かをり／香氣	その物本来の性質を形作るような要素。特有の香や味。け。	特有の味、かおり（芳香）、成分など味、におい
11	かぐ／嗅		
12	ふく／吹氣		
13	いかる／憤怒、發脾氣、生氣		
14	おもむき/旨趣風格。やうす/様子、さま/様式	様子。けはい。	様子。けはい。
15	とき。せつ／時、節	一五日間を一期とする呼び方。三分して、その一つを候と呼ぶ	十五日間を一期とした称。三分して、その一つを候という
16	客に食料を給する/給人食物。或做餼		
17	古作炁		
18		はきっりとは見えなくても、その場を包み、その場に漂うとかんぜられるもの。	

		水蒸気などのように空中にたつもの。け。	
19		あたりにみなぎる感じ。雰囲気	雰囲気。空氣
20		病気	病気
21		〔接頭語〕、〔接尾語〕	〔接頭語〕、〔接尾語〕

綜合上面，表一、表二「氣」的基本詞義包括：

1. 表示物質性的氣體空氣和呼吸出入之的「氣」
2. 表示身體的能量力氣，亦即體內流動著富有營養的精微物質、與臟腑組織機能的「氣」
3. 表示精神、道德力量、氣質與氣勢的「氣」
4. 表示聲調、氣氛、態度，亦即精神發現於外的「氣」
5. 表現生氣憤怒的「氣」
6. 表示時間方面的節氣與氣候的「氣」
7. 表示能感知的氣味
8. 表示宇宙構成的陰陽二氣之類的「氣」

值得注意的是，日本「氣」的基本詞義，顯然有「偏重內心感受和精神狀態」之勢。茲將三省堂出版的另一部《国語辞典》（1966 年）與同一公司出版的《広辞林》（1986）做了比對。 結果，發現一個有趣的問題：基本詞義的排序，幾乎完全顛倒過來，也就是具象之氣 (物理現象) 的義涵，排序由前面變後面，反之抽象之氣 (內心狀態描述) ，由後面變前面了，詳見表三：

表 三

國語辭典		廣辭林	
詞義排序	基本詞義	基本詞義	詞義排序
1	空気。大気。氣體	空氣、大氣	9
2	雰囲気。空氣	雰囲気。空氣	7
3	そのものに獨特の、にお	特有の味、かおり（芳	10

	いや味（某種物品獨特的香臭或味道）	香）、成分など	
		雲、霧、霞、煙、香、けはいなどのようなもの（跡象之類的東西）	8
4	心の　はたらき（心的作用）	心の動き、精神、狀態、氣氛	1
5	気分。気持。（心情、情緒）	氣持ち（心情、情緒、給人的感覺）	2
6	つもり（心意、打算）	意向、考え（想法）、つもり（心意、打算）	
7	心配のたね（擔心掛念的原因）	心配のたね	3
		注意、心ずかい（關懷）	4
		氣質、根氣（耐性、毅力）	5
8	ようす。勢い	氣勢、士氣	6

依據上面三個表，漢語、日本語皆使用「氣」或「気」詞彙，也分享了表達物理現象之氣的詞彙。值得注意是，日本「氣」的基本詞義，顯然有「偏重內心感受和精神狀態」之勢。 換句話說表內心感受和精神狀態「氣」的詞彙，有明顯增加。茲列舉小學堂《日中辭典》有關氣方面的慣用語，以供參考，這些大都是表示內心感受或精神方面的詞彙〈見 附錄一〉。如：

…を気にする/把…放在心上、介意。
気がある/有意、打算。有心思、愛慕、愛戀。
気が多い/見異思遷、喜好不專一。
気が置けない/沒有隔閡、無需客套。
気が重い/心情沉重，心裡不輕快。
気が軽い/心情舒暢、輕鬆愉快。

有關「氣」方面的慣用語，共 78 組。下個單元，會詳加說明日本語，表內心感受和精神狀態詞彙「氣」的理由。

五、中日漢文化詞彙「氣」的異同

本單元探討中日漢文化詞彙「氣」的異同。首先從「氣」字的造字原則及其相關詞彙的構詞法，探討其相同及相異之處，以了解中日漢文化詞彙的共相與差別相。

5.1 中日漢文化詞彙「氣」的相同處

5.1.1「氣」或「気」的造字原則相同

在還沒有討論中日「氣」或「気」的造字原則，必須先了解漢字的造字原則。 漢文化地區的先民，在需要記錄事情的時候，將事物或概念用符號刻畫下來，成爲一個符號或一個文字。 一個文字代表一個事物或概念，所謂「象形」、「指事」的造字原則。而後需要的文字越來越多，又有「會意」、「形聲」的原則來造新字，或用「實字虛化」的「假借」、「形同義同」的「轉注」等方法來造字。「會意」，是由兩種「形符」組成一個新詞，只有「表義」、沒有「標音」作用，形符都是獨體的象形字，例如「武」，是由「止」與「戈」的合體，「止」與「戈」都是形符，也是義符，組成之後，這個新詞的義涵就由「止」與「戈」的相互關係來界定〈江舉謙，1983〉。 「形聲」字的結構是一形一聲，理論上說，取現成的兩個字體組合而成，其中一字表示新字的意義，叫做形符或義符，另一個表示新字的讀音，稱爲聲符。例如「江」、「河」兩字，就是形聲字。 形聲字是合體字，一半表形，一半表聲。這也是它跟「會意」字不同的地方。 形聲字的出現，是漢字由表義，走向標音的重大發展，使漢字的孳生更爲迅速，更加活潑。

以上所謂的「六書」，是漢文化體系，最重要的造字與用字的原則〈江舉謙，1983〉，日本也活用了這個原則。 從文字學上觀察，「氣」字，是依「形聲」的造字原則所構成，由「米」加上「气」所組成。「米」是「形符」也是「義符」，「气」是「聲符」。 「气」，古文作「川」，是「氣」的本字，原義是蒸煮米麥時所產生的水蒸氣，因此泛指雲氣，水蒸氣，上騰的氣體。 一說，「氣」的原義，乃是贈人以米的意思，與「餼」字相同，所以有餽贈之義。 自隸定之後，「氣」的字形一直是「氣」的樣子。直到二十世紀中葉，大陸與日本分別簡化漢字，才出現「気」、「气」的寫法。台灣現行繁體，寫作「氣」，中國簡體作「气」，日本略體則作「気」。 本文所指稱的「氣」，兼容並包，泛指「気」與「气」。

5.1.2「氣」或「気」字的義涵都是多元的

文字是有生命的，隨著時代與社會的變遷，其義涵也跟著轉化成長。因此「氣」或「気」的基本義涵，從東漢的《說文解字》到清初的《康熙字典》以至於現代的《辭海》、《辭源》、《大漢和辞典》、《広辞苑》所載者，由簡而繁，例如《說文解字》所收納的是以「气」爲形的「雲氣」，《康熙字典》「氣」「气」並收，其所詮釋的義涵主要是：1. 雲氣、天氣、節候、與呼吸的氣息 2. 生之元，亦即天地孕育萬物的力量 3. 大自然變化的陰陽寒熱晦明六氣、或寒熱風燥濕五氣，洪範有關宇宙構成的五行的五氣 4. 以鼻觸物 5. 與餼同義。 現代 的《辭海》《辭源》則涉及 1. 質性氣質 2. 精神發現於外，如勇氣暮氣 及 3. 生氣、忿怒。 至於：《大漢和辞典》、《広辞苑》所列舉的，除上面有關的義涵，主要以表示心的動作、狀態、功能的用語爲主：因而泛指精神、氣質、性格、心情、情緒、關心、牽掛、感情、耐心、毅力等。 (見 附錄一)

總而言之，「氣」字的義涵，由單一的雲氣，演變到泛指大氣節候，及一切外在內在，足以影響到人的身心狀態的力量，因此氣的義涵是隨著時間的演變日趨多元。而在空間上，中日雖用同一漢文化詞彙，但其重點各有所倚。

5.1.3「氣」或「気」字的構詞法大致相同

如前所述，漢文化世界爲了解決既有文字不足的難題，運用「形聲」造字，的確是個絕妙的法寶。但是「形聲」有時而窮，假如每件事情都造一個新字，文字的量會變得很多，若要表達複雜的概念，需要的字素就很多，所造出的新字的形體可能變得很臃腫。 因此，先民想出了一個便捷的構詞法，從既有的字或詞當中選擇一個作爲基礎，以字帶詞，然後將它和語義相關的字或詞組合起來，產生新的詞彙，以表達一個新的概念。這個構詞法，乃是漢文字迄今屹立不搖的原動力〈徐通鏘，2008〉。

以「氣」字來說，相關詞彙的生成，可以用「氣」字當核心字〈當詞根〉，加上其他的相關概念的字，構成新的詞彙。加上去的字，大部分是一個字，或兩個字以上。這個詞根的字的位置，可以在前，（例如氣功、氣勢、氣壓），可以在後（例如元氣、和氣、運氣、水蒸氣），也可以在中，如果字組三個字以上（例如小氣鬼、合氣道、打氣筒）。 如果這個核心字和所組配的字相同，那就是重疊，（例如「客客氣氣」、「和和氣氣」）。 茲將與氣有關的詞彙整理如下：

「氣」字在前

(1)與大氣、空氣、氣體有關

氣候、氣象、氣壓、氣溫、氣流、氣團、氣體、氣球。

(2)與能量、呼吸器官及其疾病有關

氣門、氣室、氣海、氣脈、氣色、氣囊、氣孔、氣根、氣胸、氣息、氣結、氣鬱、氣悶、氣逆、氣躁、氣暈、氣厥不順、氣塞、氣絕、氣管炎、 氣虛、氣實。

(3)與氣味有關　氣味

(4)與精神道德力量有關

氣量、氣宇、氣質、氣習、氣性、氣數、氣概、氣節、

(5)與精神外顯於外有關的

氣氛、氣韻生動、氣焰、氣勢

(6)與生氣、怒氣有關

氣急敗壞、氣憤、氣壞了、氣死我了

「氣」字在後

(1)與大氣空氣氣體天氣有關的

天氣、大氣、空氣、雲氣、溼氣、雨氣、霧氣、春寒之氣、涼氣、熱氣、暑氣、燥氣、秋氣、冷氣、寒氣、蒸氣、噴氣、磁氣、

(2)與能量、呼吸器官及其疾病有關

元氣、原氣、力氣、中氣、宗氣、衛氣、榮氣、心氣、肝氣、脾氣、腎氣、臟氣、血氣、穀氣、胃氣、口氣、換氣、腳氣、根氣、屏氣、吐氣、一氣、

(3)與氣味有關

毒氣、濁氣、穢氣、酒氣、香氣、臭氣、俠氣、

(4)與精神道德力量有關

正氣、浩然之氣、霸氣、志氣、骨氣、義氣、勇氣、豪氣、

(5)與精神外顯於外（聲調、氣氛、態度）有關的

邪氣、妖氣、鬼氣、陰陽怪氣、陰氣、短氣（灰心、沮喪）、殺氣、盛氣（盛氣凌人）、血氣、狂氣、俗氣、市儈之氣、暮

氣、無邪氣、稚氣、娘子氣、陽氣、士氣、和氣、景氣、貴氣、英氣、才氣、朝氣、活氣、語氣、外氣、內氣、銳氣、

(6)與生氣、怒氣有關

氣氣用事、生氣、怒氣、(怒氣沖沖)、火氣、平氣、使氣、生氣、

(7)其他

節氣、地氣、運氣、紫氣、瑞氣、理氣、習氣、風氣、客氣、負氣、人氣、買氣、作氣、噫氣、厭氣、

「氣」字在中

(1)表示具體的氣

肺氣腫、支氣管、打氣筒、抽氣機、

(2)表示抽象的氣

小氣鬼、合氣道、新氣象、新氣息、出氣桶、使氣兒、等等。

案:「肺氣腫」是「肺氣」「腫」起來,是一種病名。「小氣鬼」是「小氣」得像「鬼」那樣。「合氣道」是「合氣」的武術之「道」。「新氣象」是一種「新」的「氣象」;「新氣息」是「新」的「氣息」。所以基本上,這些都是由二字擴展出來的。也就是由核心詞,加上相關概念的字詞而成。這個「核心詞」,是由「核心字」加上相關概念的「字」而成。

一般說來,「氣」字詞彙的構成詞,與其他詞彙的組構相同,以二字爲主,然後擴展爲三字,或四字以上。但三字以上者,都是以二字的核心詞爲基礎擴充出來的。由於漢文語法的特色,四字以上者具備句子條件的很多,例如:「紫氣東來」這個成語,「紫氣」是主詞,「東」是副詞,「來」是動詞,這是「主副動式」的句子。「氣定神閑」這個成語,是個複合句,「氣定」,「氣」是主詞,「定」是動詞;「神閑」,「神」是主詞,「閑」是動詞。所以這是由兩個子句構成的複合句,彼此的關係是平等的。這類句子,習用一久,猶如成語,與詞彙並無兩樣。以下列舉四字及四字以上的詞彙:

四字及四字以上「氣」的詞彙

正氣凜然、氣象萬千、氣宇軒昂、怒氣衝天、平心靜氣、以意行氣、喜氣洋洋、臭氣熏天、氣急敗壞、氣急攻心、氣韻生動、氣貫雲霄、氣味

相投、氣壯山河、氣喘吁吁、氣流走廊、沆瀣一氣、烏煙瘴氣、垂頭喪氣、志氣消沈、意氣頹喪、運氣不濟、手氣不順、志氣遠大、朝氣蓬勃、暮氣沉沉、死氣沉沉、豪氣干雲、老氣橫秋、一鼓作氣、一氣呵成、中氣十足、海氣蜃樓、氣逆咳嗽、吹氣如蘭、殺氣騰騰、陰氣森森、傲氣凌人、趾高氣揚、互通聲氣、心浮氣躁、心高氣傲、忍氣吞聲、珠光寶氣、寶裡寶氣、怪裡怪氣、流裡流氣、土裡土氣、山野之氣、民氣可用、和氣生財、和氣致祥、同氣連枝、揚眉吐氣、口氣太重、藏風納氣、回腸蕩氣、氣不通暢、嗲聲嗲氣、氣喘如牛、令人生氣

氣死驗無傷、一鼻孔出氣、鬥志無鬥氣、口開神氣散、上氣不接下氣

以上是中國方面的成語。日本方面以氣爲主的四字成語，也有「意氣消沉」、「意氣阻喪」、「意氣衝天」、「意氣揚揚」。

綜上所述，「氣」字是依「形聲」原則造字，義涵多元，而且它可以當個核心字與相關的字或詞組合成爲新詞，這種造字原則和構詞法不僅在漢文化的原生地可以類推到其他的詞彙，在日本運用漢語的過程也是如此。日本用了許多漢文化的詞彙，這些詞彙的結構與義涵，與其原生地的漢文化詞彙，大致相同。因此，上述有關「氣」字的詞彙，在日本文獻與辭書中都可以找到，在日常對話中也有人使用。

值得注意的是，漢文化詞彙的生成，與英語等印歐語系詞彙生成的編碼方式不同。 印歐語系採用的是，派生構詞法擴大編碼的範圍，用語法化的前綴、後綴等，對詞根的意義進行限制，以產生新的詞彙。漢文化詞彙，雖有實字虛化的現象，但沒有採用語綴之類的形式，以解決詞彙生成的問題，而是從既有的字或詞當中選擇一個作爲基礎，然後將它和語義相關的字或詞組合起來，以產生一個具有新概念的詞彙（徐通鏘，2008; 方師鐸，1976）。

5.2 中日漢文化詞彙「氣」的相異處

語言文化的發展，與自然環境、歷史變遷、人文風俗等方面有密不可分的關係。下一節即將討論中日漢文化「氣」詞彙的相異處。首先從漢字形音義的內涵去觀察，察知中日之間的差異。 漢字的特色，是每字都具有獨特的形、音、義。但日本接受漢文化、漢字，並不是原封不動地接受，而是有所抉擇、轉化和刪減。

以「氣」字來說，在字形上，漢文化詞彙原生地的中國用簡體字「气」，台灣用繁體字「氣」，日本則用略體字「気」。 在語音上，中國標準國語，讀作「qi」，閩南話讀作「ki」，日本語則讀作「ki」或「ke」、「ge」。 就「氣」的語義而言，漢語「氣」重視天地孕育萬物之氣或人生命力的本原。 日本「氣」的基本詞義，偏重內心感受和精神狀態之勢。就「氣」的詞彙而言，中日分享某些詞彙 （雲氣、大氣），但是日本人也自行製作不少「氣」的詞彙。例如：気隨、気配、気付、雰圍気、內気、本気、惚気、若気、浮気、嵐気、湯気等，引用核心漢字加上相關概念的漢字（漢字＋漢字）所構成的辭彙，爲原生漢文化所沒有。 另外有核心字後面加上假名：「気」字後面加上「假名」，形成獨特的日本詞彙。如：気を落とす/灰心、沮喪、洩氣；気を変える/轉變心情、另打主意。

日本「氣」的辭彙，偏重內心感受和精神狀態之勢。 三省堂出版的《国語辞典》（1966 年）與同一公司出版的《広辞林》（1986）做了比對。發現描述具象之氣的義涵，排序由前面變後面，反之抽象之氣 (內心狀態描述) 由後面變前面了（見表三 及 附錄 一）。《広辞苑》中帶有氣字的慣用辞組，有七十八組，林信道（1987）在其《日語翻譯的技巧》中所整理的有一百零一組，扣掉重複的出現的九組，還有九十二組。日本人之用「氣」字，偏向個人內心感受與精神狀態方面，且與心意情緒幾乎可以畫上等號。

日本「氣」的基本詞義，偏重內心感受和精神狀態，這裡面是否隱藏著什麼意義？是否經過二十幾年之間，表示內心狀態的詞義，成爲社會主流，反映某種社會現象？從語言文化的觀點而言，了解中日漢文化詞彙的差異的原因，必須從文化現象去探索，進而從文化背後的深層結構去理解。

早期日本，地狹人多，社會封閉，物質匱乏，謀生不易。因此養成注重精神而不重視物質的日本精神。「頑張れ/がんばれ」不管做什麼，都要堅持已見，不落人後，甚至爭個「日本いち」。 日本或許是世界上最重視精神激勵的國家之一。無論是大小型企業，每個企業都有自己獨特的經營理念。 例如著名 Sony 公司提倡的 Sony 精神 —「Sony 公司是未知世界的探索者和開拓者，它從來不想跟在別人後面走路」(嚴文華，2002，頁數 238)。 日本各大小型企業，競爭劇烈，如松下電器公司，員工相當辛苦，壓力頗大。有許多表示內心感受或精神方面的詞彙：気を張りつめる/十分緊張 、気がもめる/焦慮不安、気に病む/煩惱焦慮，充斥於各種雜誌或言談當中。

另外，如前所言，日本地狹人多，離開了自己的家鄉，幾乎無法生存，因此必須融入社區生活，不僅要尊重社會的生活方式與價值理念，而且要避免特立獨行，與眾不同的行徑。因此日本人特別重視人際關係。爲了不要得罪他人，不僅造成日本人說話口氣的曖昧，而且揣摩對方的心理，也是人際不可忽視的技能。 「心」與「氣」有關的詞彙很多，應是這種求生心理現象的反應（小學堂《日中辭典》收的心字慣用語有一百组之多）。

此外，日本人喜愛自然，只要家屋四周有空地，就做個小庭園，將山川草木，引進生活作息的空間裡面。戰後日本集團式的公寓越建越多，但大多選在空氣清新景致美好的地方，而且每棟建築之間也會保持相當的距離，以保持自然寬裕的感覺。然而隨著經濟的發展，企業之間的競爭激烈，日本人只要投入工作行列，常常是不眠不休的狀態，因此與自然之間的疏離也越來越嚴重。從而其內心的苦悶也有與日俱增之勢。加上二次大戰戰敗的陰影，被盟軍佔領的屈辱，使得許多人信心頓失，更是需要精神上的調劑與慰藉。這或許是氣的辭彙〈著重心理感受與精神層面〉大增的原因之一。

日本著名的國語學者金田一春彥（1995），在其名著《日本語》一書中說：「日本語描述肉體關係的語彙不多，相對的，表現心理內容的感情關係的語彙實在豐富。曾任上智大學校長的康鐸神父說過：『日本語當中最難以理解的語詞，是使用氣的詞彙的表現。』的確，『氣にかける/』（放在心上、介意）、『氣に障る』（傷害感情、使人心裡不痛快）、『氣にやむ』（煩惱、焦慮）、『氣を配る』（注意、留神、警戒、照顧）、『氣がねをする』（顧慮、客氣、拘謹、拘束）、『氣がおけない』（沒有隔閡、無需客套）、『氣まずい』、（不融洽、有隔閡、不愉快、難爲情）、『氣がひける』（感覺羞愧、相形見絀、不好意思）等，表現微妙心理動作的語彙，在日本語當中也有若干，即使說這是法語或西班牙語所不能分辨的，也不爲過。」記得高橋義孝曾經說過：「我的工作是將德國文學作品翻譯成日本語。但是這是很輕鬆的工作。在日本語中表現心理變化的語彙，非常完備。因此德國人無論怎樣微妙的心理，都可以用日本語準確地翻譯出來。」（194 頁。）

至於漢語「氣」的詞義多元，重視天地孕育萬物之氣或人生命力的本原。這可從中日不同的哲學觀言起。漢文化自始是屬於「氣化觀型文化」，日本文化則屬於「神道觀型文化」。中國氣化觀型文化，認爲天地之間有一股孕育萬物的力量，這一股力量影響到人倫的和諧與社會的安定，因此人最重要的是「吾善養浩然之正氣」，以免私心私欲，導致家庭不和社會不安。在醫學思想上，《內經》著重精氣神。以氣來說，風寒濕燥熱，這些外在大自然的氣是否協調，會影響身體的健康。榮衛經絡、五臟六腑等有關的內在的氣，是否協調的氣，也會影響身體的健康。維持健康最重要的原則，就是致中和。因此湯藥針灸，導引吐納等祛病延年之道，都是從「氣化觀」產生出來的。 漢語「氣」的詞義，重視天地孕育萬物之氣或人生命力的本原也源於此。

日本「神道觀型文化」，認爲從國土到山川草木都是「神／かみ/kami」創造出來的。這個神來自上面的「高天原」，「高天原」與地下的「黃泉國」之間的國度就是「日本」。這是一種垂直縱向的宇宙觀。日本的遠祖就是從天而降的天孫，這個直系的後代就是天皇家，天皇是神道的大祭司，這是傳統日本人的觀念。類而推之，這種上下關係一直是日本傳統社會的寫照。神道的神是天皇的祖先，與所有的日本人都有血緣上的聯繫，因此神道信仰與日本人的生活息息相關，不僅一年到頭有定時的祭祀，而且「神／kami」是尊貴的象徵，聖潔的象徵，這個觀念也深入日本人的深層意識之中，根深蒂固。

六、結語

由上面分析可知，中日漢文文化辭彙有相同之處，也有相異之處。日本人使用漢文化詞彙，是站在實用的觀點，幾經抉擇，別具意匠的。無論是中國人學習日本語，或日本人學習漢語，必須把它當作和印歐語系相同的外國語學習，不要看到熟悉漢字，就望文生義，要用心比對，確認義涵，才能體會語言文化的真髓。 如以詞彙「氣」做主題，幫助日本人學華語爲例。首先是心理建設，要學員們認識到這是兩個不同的語言系統，雖然日語使用不少的漢字。其次在教學過程上，先以短句爲主，然後擴充到長句、短文、長文。由於句子由文字、詞彙所組成。因此在文字及詞彙要分別解說。 在文字方面，華語教學都是漢字，日本語則還有片假名、平假名等，因此學華語，比較單純，對每字的認識，可以借助於六書的原則，先辨明屬於六書中的哪一類（「象形」「指事」、「會意」「形聲」、或「轉注」與「假借」），以加強學習的興趣與效果。

至於日本語教學，要先學會「片假名」、「平假名」，這可以透過學習漢字的訓讀方式來學習。此外學日本語的華人，必須瞭解中日語相異之處。中國使用單一文字，日本使用多種文字。中文的字體雖然繁多，有甲骨文、金文，小篆、隸書，及行、草、楷書之不同，但自秦始皇以後，通用的文字只有一種。日本現在則使用多種文字，請看下列例句：

「T シャツに G パンの男が BIKE で時速 80 キロを出した（T shatu ni G pan no otoko ga BIKE de zisoku 80 kilo wo dasita/穿著 T 恤和牛仔褲的男子以時速８０公里的速度騎著摩托車。）」（和風語文雜誌社編《日本語知識百科》）

一個句子當中出現了漢字、片假名、平假名、及羅馬字等四種文字，甚至還有阿拉伯數字，使用這麼複雜的文字的，除了日本之外，沒有第二個國家。另外學日語的華人也必須釐清那些漢字是日本人獨創的。 例如「さかき/sakaki」（楊桐）是供在神前的樹木，日本人就製作了「榊」字。「しきみ/sikimi」是一種芥草，供佛用的，因此就寫作「木佛」。又如：

颪（おろし/orosi），是從高山上吹下來的風，秋冬之交的寒風。

俤（おもかげ/omokage），是影像、面貌。

這類日本人製作的漢字，依平安朝初期《新撰字鏡》的登載，已高達四百字（見附錄 二）。 最後教師可以特別強調語言文化生成與轉化問題。日本人有自己的語言文化，生活環境及要解決的問題，因此對於漢文化的接受，站在實用的立場，找出對日本最有利的部份。這種情形，在明治維新以後，接受西洋文化的狀況也是一樣。不是原封不動的接受，而是有所轉化和刪減。 這在「外來語」當中，也發揮得淋漓盡致。例如 air conditioner （冷氣機） 有五個音節，日本外來語寫作「エア・コン」只取「air-kon」 兩個音節。 Professional（專業），四個音節以上，日本外來語取 「pro」的音，寫作「プロ」，只剩兩個音節。

語言文化的發展，與自然環境、歷史變遷、人文風俗等方面有密不可分的關係，條件不同，表現就不同。 中國是漢文化的原生地及輸出地，日本是輸入地。但是日本並非原封不動的接受漢文化，而是有所抉擇及轉化。因此漢文化詞彙在日本也就隨著時空條件的變化，順應日本人的需要，不斷的轉化。而在中國方面隨著歷史的演變與社會的變遷，語言文化也跟著有所變化。

參考文獻

中文部分

中華書局編輯部 (1968)。*辭海*。台灣中華書局。
方師鐸(1989)。*國與結構語法初稿*。東海大學華語教學中心研究叢書。
方師鐸 (1976)。*國語詞彙學・構詞篇*。台北：益智書局。
江舉謙 (1983)。*六書原理*。東海大學出版。
李怡安主編 (1986)。*最新日華外來語辭典*。台北市：大新書局。
昌住 (2008)。*新撰字鏡*。大陸社會科學文獻出版社 (光碟版) 。
林信道 (1987)。*日語翻譯技巧*。台北：志良出版社。
林語堂 (1972)。*當代漢英詞典*。香港中文大學詞典部。
和風叢書 (1990)。*日本語知識百科*。台北：大新書局。
高明 (2008)。*中國古文字學通論*。中國北京市，北京大學出版社。
徐通鏘 (2008)。*漢語字本位語法導論*。山東教育出版社。
商務印書編輯部 (1990)。*辭源*。台北：遠流出版社。
趙元任 (1987)。*語言問題*。台灣商務印書館。
嚴文華，宋繼文，石文典 編著 (2002)。*跨文化企業管理心理學*。揚智文化事業股份有限公司。

日文部分

三省堂編修所 (1986)。*広辞林*。東京：三省堂。
中村元 (1997)。*日本人の思維方法*。東東：春秋社。
北京對外貿易大學，北京商務印書館，小學館共同編集，(1998) 。*日中辞典*。東京：小學館。
金田一京助等編 (1966)。*三省堂國語辭典*。東京：三省堂。
金田一春彥 (1995)。*日本語 上、下*。東京：岩波書店。
和風語文雜誌社編 (1990)。*日本語知識百科*。
渡部昇一 (1994)。*日本史から見た日本人・古代編*。東京：祥伝社。
新村出編 (1991)。*広辞苑*。東京都：岩波書店。
新井白石 (1994)。*日本史から見た日本人・古代篇*。祥傳社。
塚田義房、加藤道理等編 (1987)。*常用国語便覧*。名古屋：浜島書店。
諸橋轍次等 (1984)。*新漢和辞典*。東京：大修館。
諸橋轍次等 (1999)。*大漢和辞典*。東京：大修館。

樺島忠夫 (1997)。*国語1*。東京：光村圖書。

英文部分

Fairclough, N. (1995). *Critical Discourse Analysis*. Person Education Limited, England.

Kramsch, C. (1998). *Language and Culture*. NY: Oxford University Press.

Schendl, H. (2001). *Historical Linguistics*. Oxford University Press.

Spolsky, B. (2008). *Sociolinguistics*. Oxford University Press.

Wierzbicka, A. (2003). *Cross-Cultural Pragmatics: The Semantics of Human* Interaction. Mouton de Gruyter, Berlin, New York.

附錄 一

以下取自 小學堂《日中辭典》

01. を気にする/把...放在心上、介意。
02. 気がある/有意、打算。有心思、愛慕、愛戀。
03. 気が多い/見異思遷、喜好不專一。
04. 気が置けない/沒有隔閡、無需客套。
05. 気が重い/心情沉重，心裡不輕快。
06. 気が軽い/心情舒暢、輕鬆愉快。気が勝つ/剛強、勇敢。
07. 気がきく/機伶、乖巧、敏慧。
08. 気が気でない/著急、焦慮、坐立不安。
09. 気がくさる/沮喪、氣餒。
10. 気が狂う/發瘋、瘋癲。
11. 気がさす/內疚於心、過意不去。
12. 気が沈む/心情鬱悶、情緒消沉。
13. 気が進む/有意、感興趣。
14. 気がすむ/滿意，心安理得。
15. 気がする/有心思、有意思。好像、覺得，彷彿。
16. 気がせく/著急。
17. 気が立つ/激昂、興奮。
18. 気が小さい/心眼小、氣量小。
19. 気がちがう/發瘋。

20. 気が散る/精神渙散。
21. 気がつく/注意到、察覺到。
22. 気がつまる/呼吸困難、憋得發慌。
23. 気が遠くなる/神志昏迷、失去知覺。
24. 気が抜ける/洩氣、無精打采、枯燥無味。
25. 気が乗る/起勁、感興趣。
26. 気が張る/緊張、興奮、精神集中。
27. 気が晴れる/心情舒暢。
28. 気が引き立つ/有精神、振作起來。
29. 気が引ける/感到羞愧、不好意思。
30. 気がふさぐ/心情鬱悶。
31. 気がふれる/發瘋。
32. 気がまぎれる/消愁、解悶。
33. 気が回る/胡亂猜疑、多心。用心、周到。
34. 気が向く/心血來潮、高興。
35. 気がめいる/消沉、愁悶。
36. 気がもめる/焦慮不安。
37. 気で気を病む/庸人自擾。
38. 気で持つ/有毅力。
39. 気に入る/稱心、如意。
40. 気にかかる/擔心、掛念。
41. 気にかける/放在心上、介意。
42. 気にくわない/不稱心、不中意。
43. 気にさわる/傷害感情、使心裡痛快。
44. 気にする/關心、留心、在乎。
45. 気にとめる/理會、留心、注意。
46. 気になる/擔心、掛念，有心、有意、想要。
47. 気に病む/煩惱、焦慮。
48. 気のせい/心情關係、心理作用。
49. 気のない/無精打采。
50. 気の長い話/漫長、久遠、遙遙無期。
51. 気は心/略表寸心、禮輕情意重。
52. 気は世を追おう/氣蓋世。
53. 気もそぞろ/飄飄然、心情不平靜。

54. 気を入れる/加把勁、鼓起幹勁。
55. 気を失う/失神、昏迷。
56. 気を落とす/灰心、沮喪、洩氣。
57. 気を変える/轉變心情。另打主意。
58. 気をきかせる/靈機一動、機警起來。
59. 気をくさらす/沮喪、懊惱。
60. 気を配る//注意、留神、警戒、照顧。
61. 気を使う/用心、留神、照顧。
62. 気をつける/注意、留神、警惕。
63. 気をつめる/全神貫注。
64. 気を取られる/被別的事情分去注意力。
65. 気を取り直す/轉換心情、恢復情緒。
66. 気をのまれる/被對手的氣勢壓倒。
67. 気を吐く/揚眉吐氣。
68. 気を晴らす/心情舒暢。
69. 気を張りつめる/十分緊張。
70. 気を引く/引誘。
71. 気を回す/猜疑、多心。
72. 気を持たせる/使抱有希望。勾引。
73. 気をもむ/焦慮不安。
74. 気を許す/疏忽大意。
75. 気をゆるめる/放鬆警惕、麻痺大意。
76. 気をよくする/高高興興的。
77. 気を楽にする/放輕鬆、放開朗、隨便。
78. 気を悪くする/傷害感情、不痛快。

附錄 二

以下取自 《新撰字鏡》

颪（おろし/orosi），是從高山上吹下來的風，秋冬之交的寒風。
峠（とうげ/tÔge），是山路的最高處、嶺。
俤（おもかげ/omokage），是影像、面貌。
丼（どんぶり/donburi），是深底厚碗、大碗。
躾（しつけ/situke），是教育、教養。

樫（かし/kasi），是橡樹、槲樹。

凩（虫應爲木，木枯し/こがらし/kokarasi），是秋末冬初颳起的寒風。

凪（なぎ/nagi），是風平浪靜。

裃（かみしも/kamisimo），是江戶時代武士的禮服。

椿（つばき/tubaki），山茶花。

込（こめ/kome），指裝填，包含，集中精力，貫注精神。

辻（つじ/tuzi），十字路口、路旁。

鰯（いわし/iwasi），魚鰮魚，沙丁魚。

鰹（かつお/katuo），鰹魚。

鴫（しぎ/sigi），鷸。是一種候鳥，喙長，翼足亦長，多棲於水邊。

籾（もみ/momi），是稻穀。

渋（しぶ/sibu），是澀的意思。

感謝辭

中日漢文化詞彙「氣」的比較，是戴維揚教授給的題目，感謝戴教授的邀稿，給我再次思考語言文化研究的議題。另外，也一併感謝簡曉花及神田富美子教授提供我研究方向，及日文辭典的書目。也謝謝林宏梅助理幫忙日文打字。最後非常感謝我的國學及日文啓蒙老師蔡正松校長，一位資深教育家，博覽群書、精通中日文的學者。蔡校長非但提供我有關本文的資料，並且詳細爲我解說及翻譯日文資料。沒有恩師的幫忙，這篇文章是無法完成的。

作者簡介

歐雪貞 玄奘大學應用外語學系教授

日語漢文訓讀的重要性

王 廸

摘 要

日語漢文訓讀在日本不屬於外國語學，而列於國語學的範疇。日語漢文訓讀可分為訓讀文體與書下文體。‘漢文訓讀’與‘書下文’之文體異於漢文，屬於日語，雖然不同於現代日語，但自古以來即為日本書記文體之一。所以漢文訓讀為日語文語文體，屬於日本國語學。

漢文訓讀的歷史可追溯到平安時代，或許可認為萌芽於奈良時代。日本的古籍幾乎是漢文體、漢文訓讀文體、漢字假名混合體等以漢字、漢文所書寫的，並且之後也創出「片假名」與「平假名」，這些都可說是為了吸收中國的文明與知識的產物。

因此、欲研究日本的相關學問，包括歷史、文學乃至言語等整個日本文化時，如忽視漢字、漢文等相關文體也就無法論及。並且漢文訓讀在幕府末明治初期，接觸歐美新文明的期間，發揮了非常大的作用。如「心配」「改札」「完走」「皆勤」「直行」等日語的語彙，其創意均出自漢文訓讀。可見漢文訓讀在現代日語裡也具有相當重要的地位。

關鍵字：日語、漢文訓讀、漢文學、音讀、訓讀

日本語における漢文訓読の重要性

王迪

要旨

日本語における漢文訓読は、日本では外国語学に属していないで、国語学の範疇に置かれている。漢文訓読は「漢文訓読文」と「書下し文」に分けられ、「漢文」ではなく、日本語である。現代日本語と異なるが、日本古来の書記文体の一つである。故に漢文訓読は日本語の文語文体であり、日本の国語学に属している。

漢文訓読の歴史は平安時代に遡ることができ、もしくは奈良時代に既に芽生えて来たとも言える。日本の古典は殆ど漢文体、漢文訓読体、漢字仮名混じり文などの漢字や漢文などで綴られている。その後「片仮名」と「平仮名」が創出された。これらのすべては中国の文明及び知識などを摂取した所産であると言える。

だから、日本関係の学問、歴史・文学ないし言語などを含む日本文化全体を研究するなら、漢字・漢文などの関係文体を無視することができない。なお、幕末明治初期、欧米の新文明に接触した際、漢文訓読は大きな役割を果たした。例えば、「心配」「改札」「完走」「皆勤」「直行」などが造り出されたのも漢文訓読からの発想である。だから、漢文訓読は現代日本語においても動かざる地位を占めている。

キーワード：日本語、漢文訓読、漢文学、音読み、訓読み

一、前言

日語文除了現代口語文與文語文之外，還有漢文訓讀文。漢文訓讀文又可分為訓讀文與書下文。此項在拙搞〈日本における漢文訓読の基礎論〉已有詳細論述[1]。臺灣或其他漢字文化圈的學者，將漢文訓讀誤認為漢文或中國古文者不少。事實上，漢文為中國古文，但漢文訓讀不同於漢文而是日語。日本不將漢文訓讀列入外國語文學，而將其列入日本國語學的範疇裡。一般都認為語言是研究學問的手段或工具，但是僅以現代日語口語是極有限，有時不能以第一手資料文獻研究日本的相關學問。日本從古代，經中世、近世到近代乃至現代，如無漢字、漢文、日本漢文、漢文訓讀就不能問及日本的文學、文化、思想甚至語言。因此、在對日研究的相關學問領域裡，日語漢文訓讀的重要性是不容忽視的。

二、日語假名與漢文訓讀的關係

關於借用漢字來表示日語的情況，《古事記》的序文有如下的記載：

> 上古之時、語意並朴、敷文構句、於字即難、已因訓述者、詞不逮心、全以音連者、事趣更更長。是以今、或一句之中、交用音訓、或一事之內、全以訓錄。即辭理叵見、以注明、意況易解、更非注。[2]

此文之意即：古時言語與心思均非常樸實，因此文章的書寫非常困難，以漢字來敘述，則詞不達意，於是僅借漢字之字音表示時，文章又非常冗長。在此借用表意的漢字的音書寫，對於事態亦兼用表意的漢字書寫。有的在一句之中音訓雜用，有的一件事態的敘述全以表意之字訓來記錄。若文詞難解時則加注說明，文意容易理解時，不加注。

---

[1] 王 廸〈日本語における漢文訓読の基礎論〉《南台應用日語學報》第 8 号(台南：南台科技大學應用日語系，2008 年 12 月)，p.75。

[2] 神田秀夫・太田善麿校注《古事記》(日本古典全書)(東京：朝日新聞社，1962 年 5 月)p.172。

對於借用中國的漢字書寫日語的史實，山口仲美在《日本語の歷史》有如下的表示：

日本語の書き言葉の歴史は、奈良時代に他国の文字である漢字とめぐりあい、日本語を必死になって漢字で書き表そうとしたところから始まります。[3]

並且、山口仲美亦舉上述《古事記》之序文，說明當時借用漢字，不能很順暢地表達日語的無奈與辛勞的情況。

漢字を借りて、日本語を書き表せば良い。けれども、そんなにうまく行くわけがありません。もともと、中国語と日本語とは異なる体系の言語なのです。例えば、日本語の語順は述語が最後に来る。ところが、中国語では、英語と同じく主語の後に直ちに述語が来る。

また、日本語には多くの助詞・助動詞があり、それが実質的な意味を持つ単語に膠で接着したようにくっついて、文法的な役割を示しています。「膠着語」と呼ばれる言語の一つです。一方、中国語には、日本語の助詞・助動詞に該当するようなものがとても少ない。文法的な役割は、実質的な意味を持つ単語の語順で表します。「孤立語」と呼ばれる言語の一つです。こんなふうに、異なる系統の言語の「文字」を借りてしまったために、日本人は日本語を書き表すのに、相当な苦労を払わなければならなくなった。[4]

也就是說，當初日語的表達方式是以漢字書寫，但中文和日語是不同體系的言語，日語是「膠著語」而中文是「孤立語」，如此借用完全不同體系言語的「文字」，當時的日人必須相當辛勞才能表達出日語。

借用漢字的當時，在同一文章之中，有時借用漢字的音，有時借用漢字的訓(表意)，文意難懂時必須加注，如此不但對書寫者來說是極爲費事，對閱讀者來說也是一件費時的苦差事。誠如山口仲美所言“おそらく

[3] 山口仲美《日本語の歴史》(東京：岩波書店，2006年5月1刷　2009年2月9刷)，p.ⅰc。p.7。

[4] 同註3山口仲美《日本語の歴史》，p.18-19。

効率の悪い表記法です。でも、こうした表記法が次の平安時代には、日本固有の文字「ひらがな」「カタカナ」を生み出す源流になっていくのですから、まことに価値ある一歩です”[5]。雖然對當時的日人來說將當時的和語(日語)以漢字表記，是一件相當辛苦的事，但因此而創造出「片假名」與「平假名」，可說是邁出非常有價值的一步。

以上可知日本古代是借用漢字表示大和言語，此即所謂的‘萬葉假名’，《萬葉集》爲其代表作品。漢字標示的萬葉假名，幾乎都是訓讀的大和言語(當時的日語)，因此屬於日本的國語學。

大和言語以漢字標示，但當初日本的遣隋使、前唐使攜回大量的中國典籍，並非僅爲了採中國的漢字，作爲當時日本的表音或表意文字，而是欲求得當時具有高度文明之中國的知識，包括政治、經濟、制度等中國的文化。對於這些高知識水準的文化，日本是如何地消化吸收呢？由上所述，可以判斷在漢字、漢文傳入之前，就已經有大和言語的存在，而對於漢文典籍，傳入當初就如日人現在的誦經方式直接音讀，稱之爲「棒讀」，不過「棒讀」並不能理解漢文所言爲何，於是日人將漢文更換語序，加入記號以大和言語讀之，先是有「ヲコト點」的出現，之後片假名也因而產生。關於此事毛利正守在〈漢字から仮名へ〉有如下的解說。

> 片仮名は、漢文訓読という場から生まれた。外国語である漢文を日本語に直訳するのが漢文訓読であるが、片仮名は僧侶や官僚たちによって漢籍や仏典を訓読する際に、その訓みを覚え書き風に万葉仮名を略化して用いたことに始まる。訓みを本文の狭い行間に書き込むために、画数の少ない万葉仮名の、更にその偏旁の一部（多く初画または終画）を切り取って用いた結果生まれたのである。[6]

毛利正守認爲片假名的創出，是日本僧侶或官僚，爲了訓讀佛典或漢籍便於記憶，將萬葉假名寫入漢文的字裡行間，逐漸簡化而產生。但林史典認爲是「ヲコト點」的出現，促使萬葉假名的簡化：

---

[5] 同註 3 山口仲美《日本語の歴史》，p.22。

[6] 毛利正守〈漢字から仮名へ〉《月刊しにか 特集漢字と日本語》(東京：大修館書店，1998 年 6 月)， p.27。

> 訓点はまた、漢文の狭隘な行間に記入する必要からヲコト点のような記号を生み、万葉仮名字母の略体化を促して片仮名を完成させた。[7]

並且對於「ヲコト點」的歷史意義，林史典有如下的表示：

> 結局、ヲコト点の発生と衰亡は片仮名の成立過程におけるいわば過度的な出来事であり、歴史的に両者はきわめて密接な関係を有したということができる。[8]

「ヲコト點」是日人閱讀漢文時的一種創意，在漢文中必須加入大和言語的助詞、助動詞、活用語尾之處，以「・」的記號標示，此記號標示的位置不同，其表示的意思也不同。關於此項山口仲美《日本語の歴史》的〈ヲコト点という面白い発明〉有詳細的解說[9]。「ヲコト點」有其歷史意義，但僅以「・」的記號標示終究有限，不盡理想，於是到了平安時代中期以後，逐漸為片假名所取代。漢文訓讀是在漢文的字裡行間，加入標示語序的記號，及片假名的助詞、助動詞、語尾等的解讀漢文的一種文體，雖是漢文但已經異於原來的漢文。

關於漢文訓讀的成立，子安宣邦在〈他者受容と内部の形成——漢文訓読のイデオロギー〉有如下的解說：

> この読法の成立初期には、すでに触れたように訓読は音読という漢文直読法と併用されていた。そこで訓読とは漢文直読を助ける理解のための便法的読法であった。漢文理解のための便法的である訓読が、漢文を和文脈に移し替えてなされる解釈的な読み、訳読であることは両読法の併用時には十分意識されていたであろう。

---

[7] 林史典〈漢文訓読の歴史〉《月刊しにか 特集漢字と日本語》（東京：大修館書店，1998年6月），p.30。

[8] 同註7〈漢文訓読の歴史〉p.31。

[9] 同註3山口仲美《日本語の歴史》，pp58-60。

やがて訓読はひとり歩きしていく。即ち音読から離れ、あるいは音読を仏教経典の読誦にのみ留めて訓読はただ和訓への道を進んでいった。……初期の意訳体的訓読は訓点にしたがって書き直せばそのまま当時の口語文になったのである。私は仮名交じり文という日本語文の成立は、この漢文テクストの訓読化（和訓化）と不可分だと考えている。漢文の訓読（和訓）から和文が生まれてくるのである。[10]

由上文可知漢文訓讀成立之初，訓讀與音讀即漢文直讀法並用，亦即所謂的兩讀法。訓讀即爲了理解漢文的方便之法，是將漢文轉譯爲和文，是一種解釋性的讀法，在譯讀時兩讀法並用，漸漸地音讀只用於讀誦佛經，而訓讀則爲漢文的和訓。子安宣邦認爲日語文「假名混合文(仮名交じり文)」的成立與漢文的訓讀有不可分的關係，也就是說和文是由漢文訓讀產生的。雖說如此，如前所述在漢文傳入日本之前即有大和言語的存在，或許可說是和文是由漢文訓讀產生的記載大和言語的文體。

將漢文訓讀文體中的片假名，改寫成平假名書寫成的文章，稱爲‘書下文’。‘漢文訓讀’與‘書下文’均屬文語文體，而現代日語則爲口語文體，關於此事拙搞〈日本における漢文訓読の基礎論〉已有詳細論述[11]，於此不再多言。

因‘漢文訓讀’與‘書下文’異於漢文，是日語，自古以來爲日本二大書記文體之一，所以不列入外國語學，而屬於日本國語學。日本在中學或高中就已將漢文列入國語課程裡。關於此事佐藤利行在〈漢文訓読の歴史及び翻訳の意義〉有詳細的說明[12]，同時他還敘述道：

この他にも日本漢文（日本人が作った漢文作品）として、夏目漱

---

[10] 子安宣邦〈他者受容と内部の形成──漢文訓読のイデオロギー──〉《思想》927(東京：岩波書店，2001年8月)，p・5−6。

[11] 同註1〈日本語における漢文訓読の基礎論〉，p.75。

[12] 佐藤利行〈漢文訓読の歴史及び翻訳の意義〉《漢文教育》27号　中国中世文学会（廣島：広島漢文教育研究会，2002年11月)，p.82。

石の漢詩や森鴎外の漢文で書かれた日記なども教材として用いられています。
これを見ても、いかに漢文が日本の言語活動のなかに溶け込んでいるかということが理解できると思います。[13]

也就是說，國語課程除了中國的漢文教材之外，也使用日本文學家的作品，可見漢文也融入了日本的言語活動之中。換言之，要問及日本的言語活動，就不能忽視漢文及日本的漢文。

與片假名及平假名的創出有極密切關係的漢字、漢文的傳入，對日本來說，有了標記大和言語的文字，不但使其言語得以延續，並且使得其各方面的文化得以傳承，這在日語史上、如本文化史上具有極重大意義，此事也是眾所皆知的史實，而促使「片假名」與「平假名」產生的最大契機，應說是爲解讀漢文，而發明的漢文訓讀使然。

三、漢文訓讀的變化及其重要性

日本自古將漢文或日本漢文置於國語學之屬，亦即日本自古以來就認爲漢文是自己本國的言語文體之一。實際上如排除漢字或漢文，那麼也就不能論及日語。日語學者林史典在〈漢文訓読の歴史〉有如下的敘述：

日本では漢文が訓読され、したがって中国の古典は、昔から訓読文によって広く親しまれてきた。無駄を排し、情緒を抑えた、簡潔で緊張のある訓読体は、そのまま日本古典の重要な文体であると同時に、現在の日本語にも後述のような大きな影響を与えている。[14]

日本自古就以漢文訓讀頻繁地接觸中國的古籍。也可以說訓讀體就如此成爲日本自古以來的重要文體，同時也影響了現代日語。林史典並說

---

[13] 同註 12〈漢文訓読の歴史及び翻訳の意義〉，p・82。

[14] 同註 7〈漢文訓読の歴史〉， p.28。

“漢字を借用した言語にあって訓読みや訓読という方法を生み出したのは日本語だけである”[15]。林史典認爲借用漢字而產生訓(字)或訓讀(文章)的方法的語言，僅日語而已。雖然古代朝鮮傳入中國的古籍時也以朝鮮本國語訓讀漢文，稱爲「釋讀口訣」，但到了李氏朝鮮時代此種漢文訓讀法消失後，不再變更漢文的語序，僅以朝鮮的漢字音讀法直讀，稱爲「順讀口訣」。到今日還留有漢文訓讀文體的只有日本。日本在平安時代，已有將漢文訓讀語納入和文中的趨勢，甚至有學者認爲漢文訓讀語是當時的日常用語，如上節子安宣邦的〈他者受容と内部の形成——漢文訓読のイデオロギー〉所敘述的“初期の意訳体的訓読は訓点にしたがって書き直せばそのまま当時の口語文になったのである。”即是[16]，此項關一雄在〈漢文訓読語と和文語〉也有詳細的論述，於此不再多言[17]。

日本的古籍如奈良時代的《古事記》《播磨風土記》《日本書記》《懷風藻》，平安時代的《凌雲集》《文華秀麗集》《經國集》《日本後紀》《文德實錄》《三代實錄》等，均以漢字(萬葉假名)、漢文或漢字假名混合文書寫。佐藤武義在〈漢文訓読語の国語の文章に対する影響—「クシテ」と「クテ」との比較を中心に—〉裡，對平安時代的漢文、假名文的使用情形有如下的解說。

> 平安時代の文芸作品は、漢詩文や説話の類を除き、他の多くは仮名文で書かれているが、当時の公式の場で専ら漢文が使用されているために、漢文訓読に特有な用語が仮名文の中に紛れ込んでいる場合がある。[18]

佐藤武義認爲當時的正式場合均使用漢文，不過假名文中也有漢文訓

---

[15] 同註 7〈漢文訓読の歴史〉，p.29。

[16] 同註 10 子安宣邦〈他者受容と内部の形成——漢文訓読のイデオロギー——〉，p・5－6。

[17] 關一雄〈漢文訓読語と和文語〉《日本語学》24 巻(東京：明治書院，2005 年 1 月)，pp12-19。

[18] 佐藤武義〈漢文訓読語の国語の文章に対する影響—「クシテ」と「クテ」との比較を中心に—〉《国語学》通号 68 号(東京：，1967 年 3 月)，p・59。

讀的用語，可見假名文也受到漢文訓讀的影響。同時佐藤武義認爲漢文訓讀可以有如此的強勢，這是理所當然的[19]。此事不僅是佐藤武義的想法，亦可說是日本言語學者的常識。當時使用漢文是知識份子的素養，也是一種權威。

奈良時代閱讀漢文書籍爲契機，平安時代發展的日語漢文訓讀或漢文文化，到了中世經由鎌倉時代，至室町時代更而發展成爲五山文學，形成五山文化的特色之一。當時的五山禪僧，如名僧義堂周信的《空華集》、絕海中津的《蕉堅稿》、瑞溪周鳳的《臥雲藁》、江西龍派的《翠詩集》或《續翠詩集》、惟忠通恕的《雲壑猿吟》等，皆是漢詩或漢文的作品[20]。

中世與以往的意譯式訓讀法不同，興直譯式漢文訓讀法。到了近世繼承此種訓讀法的是江戶時代的林羅山，林羅山的訓點稱爲「道春點」。藉著林家當時的社會地位，「道春點」就成爲江戶時代漢文訓讀的基本。之後、又因江戶時代漢學的發展，漢文訓讀法也逐漸分歧成爲幾個派別，現就其較有名者，分爲江戶前期與後期，列表於後以供參考。

「江戶時代漢文訓讀學派」

江戶	漢學者	生歿年	漢文訓讀名稱
前期	(1) 文之玄昌	1555-1620	文之點
	(2) 藤原惺窩	1561-1619	惺窩點
	(3) 林　羅山	1583-1657	道春點
	(4) 山崎闇齋	1618-1686	闇齋點(一名嘉點)
後	(5) 後藤芝山	1721-1782	後藤點
	(6) 片山兼山	1730-1782	山子點
	(7) 佐藤一齋	1772-1859	一齋點

[19] 同註 18。

[20] 五山禪僧的相關作品請參閱拙稿〈《東海璚華集》における老莊的特色〉及〈五山僧の禅詩に見る老莊的表現〉。

王　廸〈《東海璚華集》における老莊的特色〉《お茶の水女子大学中国文学会報》18 号(東京：お茶の水女子大学中国文学会，1999 年 4 月)。

王　廸〈五山僧の禅詩に見る老莊的表現〉《国士舘大学教養論集》52 号(東京：国士舘大学，2002 年 3 月)。

期	(8) 吉村秋陽	1797-1866	秋陽點

江戶後期除了上表所示的 4 名漢學者之外，另有復古派日尾荊山(1789-1859)的「日尾點」，所謂復古派顧名思義即主張恢復中世以前的訓讀法。江戶前期大都繼承中世博士家的訓讀法，後期較爲簡化。據齋藤文俊的〈近世・近代の漢文訓読〉的分析，江戶後期的漢文訓讀有如下 3 項的簡化。

○補読語（読み添え語）の減少
○音読が多く用いられる
○なるべくすべての漢字を読むようになる[21]

齋藤文俊並且將補讀語減少的情形以圖表示之，如下：

前期　〈連体形＋コト＋ヲ動詞〉　〈連体形＋コト＋ナシ／ナカレ／能ハズ〉
↓　↓
後期　〈連体形＋ヲ動詞〉　〈連体形＋コト＋ナシ／ナカレ／能ハズ〉
↓　↓
一齋点〈連体形＋ヲ動詞〉　〈連体形＋ナシ／ナカレ／能ハズ〉[22]

近世前期仍保有中世訓讀法，到了近世後期漢文訓讀法更趨簡化易讀。江戶時代，漢文素養更受重視。漢學者競相研究訓點的結果，使漢文訓讀更爲簡潔、緊湊，訓讀的技法更臻完備，並延續至今。正如加藤徹所言"私たちが見慣れているスタイルの漢文訓読が普及したのは、江戸時代からである"[23]

總之、漢文自古以來是日本正式場合的文體，是日本知識份子的涵養與權威的象徵。漢字的字訓或漢文的訓讀被認爲是日本的古典，是自古以

---

[21] 齋藤文俊〈近世・近代の漢文訓読〉《日本語学》17 巻(東京：明治書院，1998 年 6 月)，p.57。

[22] 同註 20 齋藤文俊〈近世・近代の漢文訓読〉，p.58。

[23] 加藤徹〈明治維新を可能にした日本独自の漢文訓読文化〉《特集　知的生活への誘い中国古典の叡智に学ぶ》123（6）通号 1490(東京：中央公論社，2008 年 6 月)，p・203。

來作爲日本人的文化素養的重要文體，在日語的言語形成上有著不可忽視的要素。回顧日本的古籍，即可知其文體與漢字、漢文的關係。加藤徹在〈明治維新を可能にした日本独自の漢文訓読文化〉作了如下的批判。

> そもそも「漢文」とは何か、という根本的な視座をおさえておかないと、日本文化の本質についても見誤ることになる。[24]

加藤徹認爲如果不將根本的觀點置於何謂「漢文」的問題上，則會誤認日本文化的本質。並且他又說近代由日本漢文訓讀文化，所產生的新漢語輸出到中國或朝鮮，而成爲東亞的共通語彙[25]。關於新漢語的創出，在石塚晴通的〈日本語表現の原動力としての漢文訓読〉有更詳細的敘述。

> 漢文訓読に基いて新しい表現を幕末明治期の欧米新文明の受容に当たっても例えば、「心配」は「ココロヲクバル」に基いて、「改札」は「フタヲアラタム」に基いて造り出され、「完走」「皆勤」「直行」の如く中文として語になり難いものも一語として造り出す原動力は「訓読」であった。[26]

如此、幕府末明治初期爲攝取歐美的文明，日人將歐美的新概念翻譯成漢語，如上述列舉的「心配」「改札」「完走」「皆勤」「直行」等日語的語彙，這些語彙的創意均出自漢文訓讀。近代日本雖然崇尚歐美文明，但當時文學家的漢學造詣也非常地深厚，如夏目漱石、芥川龍之介等均是[27]。確實、要談日本文學、文化，就不能排除漢文文化，要問及近現代日

---

[24]同註 23 加藤徹〈明治維新を可能にした日本独自の漢文訓読文化〉，p．199。

[25]同註 23 加藤徹〈明治維新を可能にした日本独自の漢文訓読文化〉，p．207。

[26]石塚晴通〈公開講演　日本語表現の原動力としての漢文訓読（第6回国際日本語学シンポジュウム「比較日本学の試み」（報告））〉《比較日本学研究センター研究年報》創刊号（東京：お茶の水女子大学，2005 年 3 月），p．79。

[27] 同註 1 王　廸〈日本語における漢文訓読の基礎論〉，p．75。
到了近代知名的文學者大都具有高度漢學素養，例如眾所周知的夏目漱石、芥川龍之介等人皆是。

語更不能忽視日語漢文訓讀。

如上所述，漢文訓讀是日本自古以來，爲解讀「漢文」的產物，而成爲日語文體的一種，並爲後世所延用直到今日。漢文訓讀雖說是在日本的歷史上，爲了攝取中國的文明、知識或文化而產生的，但它不僅長期地影響了日本的文字、文體、文化，甚而影響了近現代日語的言語形成。

四、結論

日語漢文訓讀是日本自古以來，爲解讀「漢文」的一種文體。漢文訓讀書寫成文章時，則稱爲「書下文」，屬於文語文體，是書記文體之一。漢文訓讀在日本的歷史上，雖說是爲了攝取中國的文明、知識或文化而產生的文體，但它不僅長期地影響了日本的文字、文體、文化，並且也促使和文的產生，甚而影響現代日語的言語形成。

日語漢文訓讀在日本不屬於外國語學，而屬於國語學。日本的國語課程中，除了中國的漢文教材之外，也使用日本文學家的漢文作品，可見漢文在日本國語學的地位。漢文的傳入，對日本來說，有了標記大和言語的文字，不但使其言語得以延續，並且使得其各方面的文化得以傳承，這在日語史上具有極重大意義。並且由於閱讀漢文而發明的漢文訓讀法，繼而促使「片假名」與「平假名」的產生，此亦使日語的表記更邁前一步。諸如此類的種種可歸功於漢字、漢文傳入日本使然。

日語訓讀法以中世爲分界點，中世以前爲意譯式訓讀法，中世到近世興直譯式訓讀法。江戶時代，漢文素養更受到重視。漢學者競相研究訓點，其結果促使漢文訓讀更爲簡潔、緊湊，訓讀的技法更臻完備。

日本在幕府末明治初期積極地追求歐美文明，但漢文學及漢文訓讀並不因此而被冷落。有名的文學家如夏目漱石、芥川龍之介等，其漢學造詣都非常深厚。並且由於日人長期使用漢文訓讀，其熟稔的漢文訓讀發揮作用而產生創意，將當時歐美文明的新概念翻譯成漢語，再輸出到中國、朝鮮等而成爲東亞的共通語彙。這與其說是漢文訓讀影響了現代日語，毋寧說是漢文訓讀賦予日語生命，使其不斷生長，給予負起近現代日語必須之新使命，創造表達文明所需之語彙，解決了現代文明不易表達的概念。因此、漢文訓讀自古代日人發明以來，歷經日本中世、近世、近代、現代，

由上所述可知，如忽視漢學，則日本文學、文化、思想乃至日語就不能研究得更深入，更徹底。

不因時代的邁進銷聲匿跡，反而更發揮其效用，使之參與新時代、新文明所需之日語活動，其所創出之新漢語不但造福中國、朝鮮、臺灣等東亞地區，無可置疑地更而擴展到世界各地的漢語文化圈諸地域。

參考文獻

子安宣邦 (2001)。他者受容と内部の形成──漢文訓読のイデオロギー──。**思想，927**，東京：岩波書店

山口仲美(2006) 。**日本語の歴史**。岩波書店。

王廸 (2008)。日本語における漢文訓読の基礎論。**南台應用日語學報，8**。南台科技大學應用日語系。

毛利正守(1998)。漢字から仮名へ。**月刊しにか 特集漢字と日本語**。大修館書店 。

加藤徹(2008) 。明治維新を可能にした日本独自の漢文訓読文化。**特集知的生活への誘い中国古典の叡智に学ぶ**。中央公論社 123（6）通号 1490。

石塚晴通(2005) 。公開講演　日本語表現の原動力としての漢文訓読。第６回国際日本語学シンポジュウム，比較日本学の試み（報告）。**比較日本学研究センター研究年報(創刊号)**。東京：お茶の水女子大学。

佐藤利行 (2002)。漢文訓読の歴史及び翻訳の意義。**漢文教育，27**。中国中世文学会 / 広島漢文教育研究会。

佐藤武義 (1967)。漢文訓読語の国語の文章に対する影響─「クシテ」と「クテ」との比較を中心に─。**國語学**。日本語学会。

林史典 (1998)。漢文訓読の歴史。**月刊しにか 特集漢字と日本語**。大修館書店。

神田秀夫・太田善麿校注 (1962)。**古事記（日本古典全書）**。日本東京：朝日新聞社。177-178。

齋藤文俊 (1998)〈近世・近代の漢文訓読〉。**日本語学**。17 巻。明治書院。

作者簡介

王廸 開南大學應用日語學系助理教授

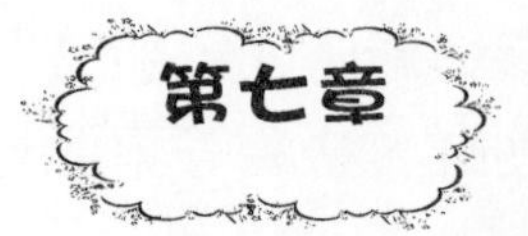

華語固定語式中數詞的概念結構與意義

于嗣宜

摘要

數詞在華語固定語式中出現的頻率極高，又以『一、二、三、十、百、千、萬』最常見。但人們往往以理所當然的態度去理解數詞在固定語式中的意義。且辭典中也只交代固定語式的整體語意，對於數詞未作明確的解釋。因此本文將對帶有數詞的華語固定語式做進一步的探討。

首先是數詞在華語固定語式中的表意功能。有些數詞表示的是確切的數目、有些表全數、有些表虛數(多數)，也就是所謂的模糊性，另外有的表示程度的多寡：如深淺、時間長短、空間距離的遠近等。特別的是固定語式中的數詞往往失去具體的意義，產生虛化後的引申語意：表示多數、少量、反覆、變動、雜亂、一切(沒有例外)、一統、同一、專一等。簡言之，數字能表示：量 (quanta)、頻率(frequency)、程度 (degree)、時間(time)、與距離 (distance)的語意。

由於固定語式是種緊縮的語言形式，在群眾認同的基礎之下『言在此而意在彼』，其結構前後的語意關係，常見有：並列、承接、轉折、假設、遞進、選擇、因果、條件與目的。文中也將對整體結構所反映出的形式意義進行討論。

另外，固定語式中最豐富的是『象徵詞 (symbols)』的運用，而且，象徵詞也是固定語式概念結構的主要關鍵，特別是『比喻與說明』的功能。對於比喻，尤其是暗喻 (或隱喻)，有時不需要『喻詞』便能直接以『本體』與『喻體』的組合表示，而不論是否使用喻詞，大都呈現由抽象到具體的概念，使人容易接受理解。除了比喻之外，固定語式中的象徵詞還有：擬人、借代、誇張、對偶、對比、列錦、映襯等修辭手法，使固定語式的形象生動，語意豐富，並且富有表現力，也因為與日常生活結合而容易被人們記憶，進而代代流傳。

中外生活知識與經驗的傳承大同小異，多半可以找到華語與外文相對應的固定語式，較大的差別在於象徵詞的選擇，以及對同一數詞產生不同的心理反應。因此，對於華語與英語固定語式不同的表現也併入討論。(文中所舉固定語式取材於各書籍，為方便閱讀，書目僅列於文章最後)。

關鍵詞：固定語式、數詞、象徵詞、概念結構

一、華語固定語式與其特性

『固定語式(fixed expression / frozen expression)』是指，凝結生活智慧，經由時間累積，以文字或口語方式傳承，形式上則有內部的統一性，並且大致固定，語意也是約定俗成的，有高度的概括性和完整性，且具有不可分割的獨立單位。『固定語式』亦稱之爲『習語』或『熟語』，成語、歇後語、諺語等皆屬之，從二字格到十四字格都有，是書面語中所習用的定型的語言材料。

作爲『固定語式』，是不可拆解的，它具有語意的完整性(semantic integrity)，一般用來比擬或是諷喻，言在此而意在彼，真正的含意不在於字面上，而是在比喻的意義，甚至從比喻意義延伸出更多的引申語意，再加上有著精簡的形式，以及特殊語意，因此，『固定語式』的可視爲完整的詞(word)。在語言的應用過程中，由簡單到繁複是語言發展的趨勢，但無論語句再怎麼冗長，有許多語意需要精簡的詞彙來傳達，『固定語式』便發揮了作用，在語句中承擔了如同一般複合詞或是詞組的任務，當作一個意義完整的語言單位來使用。本文所討論的固定語式因爲以數詞爲討論主軸，因此包含了固定語式的所有類別，不特別區分成語或是諺語。

二、數詞在固定語式中的表意功能

2.1 表示人和事物的數量

在華語中，數詞後面除了類別詞或是量詞，多半接著的是名詞性的詞素，詞或是詞組，用來表示固定語式中指涉對象的數量(quanta)，這是固定語式中數詞出現最常見與意思之一。但是，數詞即使表示的是數量，仍具有不同的語義作用，不單純只是數量而已。以下簡單分三部分說明：『確實數量』、『總數或全數』、『虛數』。

2.1.1 數詞表示確實數量 (Quanta)

數詞表示確切數目的用法相對較少見，華語如『一心二用、十指連心』等，大致可以歸爲此類。

2.1.2 數詞表示總數或全數 (Totality)

數詞表示總數或是全體數量的情形較爲常見，用實際的數量表示一切，也就是全部，例如華語的『百無禁忌、一了百了、萬象更新、千方百計』等，大致可歸爲此類，固定語式中的『百、一、萬』等，表示全體。

2.1.3 數詞表示虛數，代表模糊性 (Indefinite quanta)

數詞表示虛數時，也就是以數目字表現誇大或是眾多，並且虛數與實際的數量之間的關係不大。原始時代人們對數字的認識最多到『三』，因而以『三』表示多數，中國人也有『三多』的概念；接著當發現雙手是最方便的計數工具後，自然而然以『五』或『十』表示多數；再來，當『百、千、萬』被創造並使用之後，更是表示多數的代表數詞。

因此我們知道，某些特殊的情形下，對於『十、百、千、萬』的理解，不能只拘泥於字面上的意義，它們既不用來表示一個實際的數量，也不表示大約的數量，如『幾千幾百』，應該將之理解爲『多、很多、許多』的意思。華語的例子如『五光十色、千頭萬緒、千叮萬囑』等，並非只有五種光芒與十種顏色，也不是剛剛好一千個叮嚀，就如同閩語的固定語式『三色人講五色話』是形容七嘴八舌的情形、『一人三子，六代千丁』則是形容人口快速增加，人滿爲患的情形，並不是指每個家庭都是以這樣的人口數量在傳承的。

2.2 表示動作的次數 (Frequency)

當數詞在成固定語式中修飾某個動作的次數時，往往呈現的是頻率(frequency)的概念，一般而言，數詞著重強調『多次』的概念，例如華語的『百鍊成鋼、千呼萬喚、千慮一得』等，表示某個行爲經過多次的實踐，總會有所得，多少都含有頻率的意義；閩語固定語式也有，如『三時風，二時雨』是形容反覆無常、而『三腳步，一坎店』則表示，每三步的距離就有一家店，密集的程度表現出競爭十分激烈的意思。

由以上的例子不難發現，表示『次數多』的數詞也多少具有表示『虛數』的功能，如『三叮嚀，四吩咐』與『千叮萬囑』便有異曲同工之妙，數詞『三、四、千、萬』都不表示實際的數量，都是表示虛數與模糊性功能的數詞，因此，顯示『次數(frequency)』與『虛數(indefinite quanta)』的語意似乎較難區分。

2.3 程度的深淺 (Degree)

數詞另外能夠表示程度深淺，如華語固定語式中的『十全十美、百依百順、千嬌百媚』中的『十、百、千』，雖然不表示『實際的數量』(因爲與數量無關)，但也無法理解爲『虛數』或是『高頻率』；尤其是當數詞修飾形容詞時，數詞便具有表示程度(degree)的功能，一般而言，多強調『深、大、高』的意義，並伴隨著強調的語氣，表示『非常』的意思，有時是一種誇飾的修辭手法，如『一落千丈』與『一日千里』的『千』，或是『一毛不拔』的『一』。

2.4 時間延續 (Time duration)

特別是一些能夠表示『多數』的數詞，如『百、千、萬』，當其在時間詞『年、歲、載、世』等的前面時，常有表示時間延續(time duration)的語意，強調『久』的意義。如華語『百年好合、萬古流芳、千秋萬世、萬世之業』，都是希望能夠長長久久的祝福之語。

2.5 空間的計量 (Distance)

數詞表示對空間的計量，這類用法相對地較爲少見，因爲主要表示空間與距離(distance)的語意，數詞後面必須緊接著一個表示距離的單位詞，才能產生這樣的語意；如華語的『十里長亭、千里迢迢、萬里長征、鵬程萬里』等等，『十、千、萬』都在空間單位詞『里』之前，便能表示距離。閩語這樣例子也不多，如『一丈差九尺』形容天壤之別，相差甚遠，是比較恰當的例子。

三、數詞固定語式的特殊結構

固定語式最明顯的特點在於結構的精簡，以及易於記憶與口耳相傳的特殊結構格式，而含有數詞的固定語式，則更有自成一格的結構。本節將針對含有數詞的華語固定語式最常見的結構進行討論。

3.1並列式：

『並列式』也能視爲一種『重疊式』，也就是由兩個以數詞開頭的詞組重疊而成，即『數詞+$X^{(>0)}$，數詞+$X^{(>0)}$』，例如：『一枝草，一點露』、『一個半斤，一個八兩』。這類形式上大多不具有述語，但是述語是隱性地(covert)存在於語意上的，在解讀的時候，都能將述語還原，例如還原『一枝草，一點露』成爲『一枝草有一點露』或『每一枝草上都有一點露』、還原『一個半斤，一個八兩』成爲『一個有半斤，一個有八兩』或『一個是半斤，一個是八兩』。

固定語式是緊縮的語言形式，以簡潔爲要，形式上雖然看不出述語，但其實這些固定語式都是『小句(small clause)』，述語的語意仍完整地被保留，並且由於社會群體對語言有共同知識(shared knowledge)，因而隱性述語的語意仍能得到合理的解釋，並不會因爲不將述語說出來而阻礙了語言交流。

數詞在並列結構中也可充當『基底(base)』，相當於『模版(template)』的概念；就是在非數詞的位置加入其它詞組，如名詞組。比如在前後小句中數詞皆爲『一』的情形下，可產生『一枝草，一點露』與『一腳門裡，一腳門外(態度模稜兩可)』、『一會兒風，一會兒雨(變化不定)』、『一分耕耘，一分收穫』、『一個願打，一個願挨』等不同的成語。其他例子如下，隱去的述語以斜體字加框還原，(以下述語皆爲一時之選，說法可能不只一種)，括號內是語意：

例：一個門口*有*一個天 (各家有各家不同的情況)

一個蘿蔔*有*一個坑 (沒有空缺或空位 / 各人有各人的任務)

一場官司*像*一把火 (指打一場官司需大量金錢打通上下關節，往往傾家蕩產，像被火燒過一般)

一步*有*一個腳印 (比喻做事每個環節都紮紮實實)

一步*踏*一個台階 (比喻逐級向上，沒有取巧)

另一種並列結構的固定語式，每個小句都有述語。因華語的詞類不表現於字面上，因此有些詞需要經過『轉類』才能以述語解釋，比方『一會兒風，一會兒雨』形容反覆無常，將『風、雨』當作述語，解讀爲：無常得像天氣，剛剛刮風，現在又下雨。再如『一個蠟燭兩頭燒 (比喻相當忙碌)』或是『一個蘿蔔兩頭切(比喻兩方都受損失)』則將述語放在固定語式的最後，形成[數詞 + 名詞 + 數詞 + 名詞 + 述語]的形式。

3.2 數詞開頭式的固定語式

這類固定語式都含有述語，且述語後所帶的名詞性詞組都有數詞，通常表示結果，結構大致分爲五類：

(1) [數詞 + 名詞] + 述語 + [數詞 + 名詞]

例：一句是一句(形容說話算數)

一口吃一個胖子(急於求成、想一步登天)

一頭牛剝兩層皮(兩種經濟負擔；兩種金錢剝削)

一把鑰匙開一個鎖(比喻特殊的問題只能用特殊的方法解決)

一牆能擋八面風(比喻一個人能單獨應付許多事情)

三魂掉了兩魂(形容十分恐懼慌亂)

五十步笑百步(半斤八兩)

(2) [數詞 + 名詞組] + 述語 + [數詞 + 名詞組]

例：三個臭皮匠勝過一個諸葛亮 (一個人的智慧不如眾人的力量)

一山還比一山高 (比喻人外有人)

二一添作五(兩人平分)

(3) [數詞 + 名詞] + 述語 + [名詞組]

例：一身都是膽(形容膽量特大)

一個鼻孔出氣(比喻互相配合，有相同的態度)

(4) [數詞 + 名詞] + 述語 + [補語/ϕ]

例：一塊石頭落地(比喻卸下了沉重的心理負擔)

一棍子打死(比喻全盤否定)

一頭栽到陰溝裡(比喻失敗得很慘)

十年九不遇(指很難遇到)

一棵樹上吊死(比喻長期讓自己困在某個處境)

(5) [數詞 + 述語] + [數詞 + 述語]

例：一了百了(主要的問題一解決，其他問題也就跟著解決了)

一問三不知(對事情一點也不了解，或是裝糊塗)

一不做二不休(既然已經動手，就乾脆做到底)

一波未平一波又起(形容事情一個接著一個發生)

三天打漁兩天曬網(比喻做事不能堅持)

四、數詞固定語式結構的前後關係

固定語式是緊縮的語言形式，便於記憶和流傳，在代代相傳的群眾認同的基礎之下，言在此而意在彼，結構的前後語意關係也值得探討，常見的語意關係有：並列、承接、轉折、假設、因果、條件與目的。以下針對以數詞爲首的固定語式結構的形式意義進行討論。

4.1 並列關係

此指語意的並列關係。這類固定語式包含兩個小句，兩個小句在語意上分工，單獨一個小句都不能表示完整語意，只有前後相偕才能表情達意，可以加上表示並列關係的關聯詞『一下子…，一下子…』或『既…又…』來解釋。如：

『一會兒風，一會兒雨』：無常得像天氣，一下子刮風，一下子下雨。

『三十年河西，三十年河東』：風水輪流轉。

『三分吃藥，七分養』：治病養病過程的心得。既要吃藥，也要休養。

4.2 承接關係

表示承接關係的固定語式也包含兩個小句，其後半截的語意是承接著前半截的語意而來的，加入『先、後』解釋，能使語意的承接關係更爲清楚。如：

『一分耕耘，一分收穫』：先有努力耕耘，才有收穫。

『你敬我一尺，我敬你一丈』：形容處世的態度。對方對我好，我就對對方加倍的好，反之，對方對我不好，我也會對對方加倍的不好。

4.3 轉折關係

所謂的轉折關係即：固定語式前後兩個小句的語意相對，後半截的語意與前半截的語意恰恰相反，解釋時常加入『雖然…但是…』來表示。如：

『躲得了初一，躲不過十五』：遲早要面對的。

『三年清知府，十萬雪花銀』：對清官的諷刺。就連號稱清廉的單位，也都是人人貪污的。

『富家一席酒，窮漢半年糧』：形容貧富生活的極大差距。

4.4 條件/因果關係

表示條件/因果關係的固定語式，其前半截的語意是促成後半截的結果所需的條件或是原因。解釋時可加上『如果…就…』來表示，或『因爲…所以…』。如：

『有一好，沒兩好』：沒有十全十美的。有一個優點，就不會有第二個優點。

『三人同心，其利斷金』：先要同心協力，才能發揮很大的力量。

『不經一事，不長一智』：沒經過歷練，不會有更高的智慧。

五、數詞固定語式中象徵詞的內涵

華語固定語式中最豐富的是象徵詞(symbols)的運用，特別是『比喻與說明』的功能。對於比喻，有時不需要喻詞『像、如』便能直接以本體與喻體的組合表示，例如『好心成了驢肝肺』暗喻好心被惡意曲解了。不論是否使用喻詞，固定語式的語意大都呈現由抽象到具體的概念，使人容易接受與理解。除了『比喻』還有：『擬人、借代、誇張、對偶、對比、列錦、映襯』等修辭法，使語意的形象生動，富有表現力。其中結構『對偶』與語意『對比』在前述中已經討論，又『映襯』也是以固定語式前後兩小句語意相對的手法表現，如『口蜜腹劍』，與『轉折關係』類似，故以下僅針對『比喻、借代、誇張、列錦』做說明。

5.1 比喻

許多固定語式是以表示事物的詞組成的，這些事物具有具體又實在的生動形象，一目了然的特徵，人們也較熟悉，常用來象徵某種意義。(1)結構中含有『喻詞』(像、如、似、若)的稱爲『明喻』，例如『守口如瓶、口若懸河』；(2)有些只有『喻詞』與『喻體』，如『如數家珍、如釋重負』；(3)再有些只有『本體』與『喻體』，沒有『喻詞』，例如『一寸光陰一寸金』，即『暗喻』。

固定語式運用比喻把深奧或抽象的事物與概念，變得具體，使人容易明白，固定語式顯得通俗生動，也利於流傳。含有比喻意義的華語數詞固定語式舉例如下：

『一個朋友一條路，一個冤家一堵牆』：隱去了喻詞。

『四海一家』：隱去了喻詞。

『五內如焚』

『一日三秋』：一日不見如隔三秋。

5.2 借代

有些固定語式不直接說出要表達的人事物，以借代的方式，用與其密切相關的人事物來代替，最常見的是『擬人』的情形，例如以工具代替本身『大動干戈』，以局部代替本身『大興土木』，以特徵表示本身『書香門第、梨園弟子』，以數量代表本身『二八佳人』，達到形象突出的效果。其他例子有：

『一眨眼』：具體的眨眼動作比喻抽象的時間。表示極快極短的時間。

『一碗水端平』：比喻待人處事公平合理。用端水的實際行爲暗喻行事不偏不倚的作風。

『有一手』：『手』表示『專長』，整個固定語式表示具有某種特長。

『一言堂』：表示作風不民主，造成只有他一個人說了算，別人不敢說不想說的局面。用『一言』表示『只有一個人的發言』。

『一是一，二是二』：用數字表示實事求是，或是界限分明。

『一錘子買賣』：用過去秤斤論兩的工具表示買賣的行爲，整個固定語式表示『不考慮以後，只做一次的買賣』。

『彈不到一根弦上』：『彈』表示『談』，意指思想不同，談不到一塊。

5.3 誇張

不少固定語式選用誇張的修辭方式，對客觀的人事物進行擴大或是縮小的描述，可能是形象、性質、特徵、程度、或是數量，從而引起人們豐富的想像力，更藉由誇張的表現方式刻劃突出事物的本質與特徵，且誇張的意味是十分明顯的。如『怒髮衝冠、氣吞山河、天翻地覆、呼風喚雨』等等。其他例子如：

『一尺水，十丈波』：形容說話誇大不真實。
『飯後百步走，活到九十九』：活到九十九歲是誇張的手法。
『良言一句三冬暖，惡語傷人六月寒』
『一日三笑，不用吃藥』
『十個梅子九個酸，十個官兒九個貪』
『一腳踢倒泰山，一步邁過黃河』

5.4 列錦

像是對人事物的白描，實質上是對描寫對象的價值做判斷，因此在描述的背後呈現的是一種價值觀或是道德上的批判，例如『風花雪月、聲色犬馬』等，不難看出這些成語的價值判斷是較低的。數詞固定語式例子如：『三言兩語』、『半斤八兩』、『三番五次』、『朝三暮四』、『七零八落』、『千刀萬剮』、『三里不同鄉，五里不同俗』、『樹老焦梢，人老彎腰』、『樹老根多，人老識多』等。

六、 華語與英語數詞固定語式的比較

由於中外民眾生活對於一些生活知識與經驗的傳承大同小異，因此多半可以找到中外相對應的固定語式，以下討論華語和英語固定語式的不同表現，比較的部分包括：英語固定語式中的數詞(一般來說英語固定語式少用

數詞)、及結構特色等。

6.1 英語固定語式中的數詞

英語固定語式中出現數詞的情形遠比華語少，可能原因是由於華語名詞的單複數並不表現於名詞上，因此華語表達複數時，需要數詞的參與，傳達特殊的語意。而英語因爲能直接表現名詞單複數於形式上，例如在名詞上加上 s，所以數詞出現比率較低，不過，出現數詞的英語固定語式，該數詞也附有較多的語意功能，比如說『強調』或是『描述』。例如下列英語帶有數詞的固定語式，都強調『量』的重要性：

『無貳心(忠心耿耿)』---『Masters two will not do.』
『一箭雙鵰』---『Kill two birds with one stone.』
『一個巴掌不響』---『It takes two to make a quarrel.』
『三個臭皮匠勝過一個諸葛亮』---『Four eyes see more than two.』
『一人智不如兩人議』---『Two heads are better than one.』
『二一添作五(兩人平分)』---『Go fifty-fifty.』

以名詞的單複數形表現的英語固定語式有以下的例子，這些名詞以複數出現，同樣也有如同其對應的華語固定語式一般，表示『對比』或是『誇張』的語意：

『一隻牛剝兩重皮(雙重剝削)』---『Grind the faces of the poor.』
『一丈差九尺』---『As far apart as the Poles.』
『七手八腳(手續繁雜做不了事情)』---『There are wheels within wheels.』
『食人半斤，還人八兩(投桃報李)』---『Presents keep friendship warm.』
『一年省一把，十年買匹馬(積少成多)』---『Light gains make a heavy

purse.』

『腳踏兩條船』---『have a foot in both camps.』

6.2 英語固定語式的結構特色

英語固定語式的結構，大致來說，沒有如文中對華語固定語式所提及的結構有明顯的規則，英語固定語式大部分都是完整的句子，例如：

『Chance governs all. (萬事憑運)』

『Rumour is a great traveller. (三人成虎，意指：流言傳撤)』

『The eye is bigger than the belly.(四兩人講半斤話，意指：不自量力)』

『The pot calls the kettle black. (五十步笑百步)』

『It takes two to make a quarrel. (一個巴掌不響)』

『The child is father of the man. (三歲看到老，意指：小孩子是成人的原型)』

『Two hands are better than one. (三個臭皮匠勝過一個諸葛亮)』

『There are wheels within wheels. (七手八腳)』

『Business is business. (一是一，二是二)』

有些英語固定語式是以『詞組』形式表現，例如：

名詞組：

『Silver tongued. (三寸不爛之舌)』

『A drop in the ocean. (九牛一毛)』

『A nine day's wonder. (九天的奇觀，意指：流行一陣子就消聲匿跡的人事物)』

『Light at the end of the tunnel. (一線生機)』

形容詞組：

『Short and sweet. (一言中，千言無用，意指：中肯的話一句就夠)』

『as broad as it is long. (半斤八兩)』

『As tight as a drum. (一毛不拔，意指：極吝嗇之人)』

『As far apart as the Poles. (一丈差九尺，意指：天壤之別)』

介詞組：

『In a class of its own. (獨一無二)』

『Like a bat out of hell. (一眨眼，意指：形容非常快速的)』

『Once in a blue moon. (千載難逢)』

『In a minority of one. (單槍匹馬)』

動詞組：

『Hold a candle to the sun. (多此一舉)』

『Go fifty-fifty.(二一添作五，意指：二人平分)』

『Burn a candle at both ends. (一個蘿蔔兩頭切)』

『Blow hot and cold. (一會兒風，一會兒雨，意指：反覆無常)』

『Call a spade a spade. (一是一，二是二，意指：不可混爲一談)』

『Make one boot serve for either leg. (模稜兩可)』

另外，英語固定語式也有不少『對偶』結構，如：

『In for a penny; in for a pound. (一不做，二不休)』

『Least talk; most work. (一言中，千言無用)』

『A place for everything; everything in its place. (一個蘿蔔一個坑)』

『United we stand, divided we fall. (三人同心，其利斷金)』

『Over shoes, over boots. (一不做，二不休)』

七、結語

固定語式形象生動，富有表現力，能爲文章或言談添加生命力，原因在於成語象徵詞的選擇，不同的修辭方式，以及結構所反映出來的語意十分豐富所致。而數詞更是除了有表示實際數量的功能之外，更能夠表現虛數或是約數，突顯強調該固定語式的意義。一般人們在使用上不會特別注意數詞的意義，對固定語式中數詞的認識也較模糊；其實在不同的固定語式中，同一個數詞所擔負起的語意也有所不同，除了具體的意義，抽象的使用方式也不如想像的簡單，而且，『數詞』與『結構』的相輔相成，更表現出在固定語式字面背後的背景語意，這都是值得注意的地方，仍有許多細節值得進一步深入研究。

參考書目：

朱劍芒 (1955)。成語的基本形式及其組織規律的特點。**中國語文**，**2**，32-34。

羊武威 (1998)。“十、百、千、萬”在成語中的表義作用。**語文知識**，**6**，17-20。

李行健 (2001)。**現代漢語慣用語規範辭典**。長春：長春出版社。

李永旺 (1997)。成語中的幾種常見修辭格。**語文知識**，**3**，40-41。

周祖謨 (1955)。談成語。**語文學習**，**1**，33-38。

周希文 (1998)。成語中詞義異化。**語文知識**，**8:** 24-26。

周希文 (2001)。對偶成語。**語文知識**，**1**。

周希文、周麗 (2001)。成語中的數詞。**語文知識**，**3**，55-57。

林本元 (1958)。臺語絲。**台北文物，7**。

昌宣、全基 (1958)。論成語。**中國語文，10**，471-474。

欣向 (1958)。成語的特性。**中國語文，10**，474-476。

馬國凡 (1958)。成語的定型和規範化。**中國語文，10**，477-478。

徐宗才 (2000)。**俗語**。北京：商務印書館出版。

黃再春 (1958)。成語做謂語的句法功能。**中國語文，10**，478-480。

彭新杰 (1996)。成語修辭類辨。**語文知識，12**，38-39。

溫端政 (2000)。**諺語**。北京：商務印書館出版。

趙瑞林 (2000)。成語中的緊縮結構。**語文知識，11**，30-32。

劉潔修 (1985)。**成語**。北京：商務印書館出版。

作者簡介

于嗣宜 玄奘大學 外國語文學系助理教授

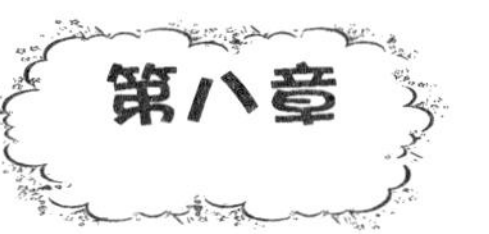

淺析漢字表記在外來語表記中的作用

李　偉

一、引言

漢字表記在日語外來語表記中曾發揮過積極的作用，由于漢字本身具有較強的造詞功能和在翻釋外來語時對語意具有提醒、提示的功能。因此在引進西方文化時，它不僅對啓發和理解外國語的語意及簡化說明過程發揮過積極的作用，同時由漢字表記所派生出來的新漢語詞匯也豐富和發展了漢字文化。那麼日本人在吸收外來語時在表記方面曾做過怎樣的嘗試？漢字表記又在外來語表記中曾發揮過怎樣的作用等問題，本發表試圖在先行研究的基礎上做一點新的探討和思考。並以“毛布”爲例具體考察外來語向漢語交替的過程以求揭示漢字表記在外來語表記中所發揮的作用。

日語外來語主要是指十六世紀以後傳入日本的從漢語以外的其它外語中吸收到日語中的詞匯，它的表記體係是在一個漫長的曆史進程中形成的，因此，也是一個相當龐雜混亂的體係。現在外來語表記一般使用片假名。但我們在閱讀各個曆史時期出版的書籍和著作時，可以看到各種不同形式的表記法。在室町末期和江戶初期這個時期，外國語或外來語的表記既有平假名，片假名也有漢字，其格式並不固定。而到了明治開化時期，外來語表記卻以漢字表記居多。

眾所周知從 16 世紀江戶時代起,日本便開始吸收主要是來自西方國家的語言,我們一般稱之爲外來語。到了明治維新以後，隨着門戶開放政策的實施，西洋文化更是源源不斷涌入日本，而表現西洋文化的新概念、新事物的外國語亦隨之大量出現。面對這些西方文化，特別是代表這些文化的外國語，日本人在對其輸入和吸受時曾做過各種嘗試，其中漢字表記就是其中的一種。

二、日語外來語中的漢字表記舉例

漢字表記大致可以分爲以下三種：一 語意表記，例如：隧道（トンネル）、洋琴（ピアノ）、硝子（ガラス）等；二 語音表記，例如：瓦斯（ガス）、珈琲（コーヒー）等。三也有像倶樂部（クラブ）、型錄（カタログ）、浪漫（ロマン）等音意兼備的表記。由于外國語和外來語意思迥異，所以在考察漢字表記時應從外國語和外來語兩個階段來考慮。在這里首先以明治期間的文獻作爲主要資料來考察一下外國語和漢字表記的關係。

據對明治期間的一些書籍和資料的調查顯示：西方文化和概念傳入日本時，最初大多是以原句原文的形式直接輸入的，當時爲了解釋這些外國語的語意，洋學者們曾做了各種嘗試，其中主要采用了以下几種方法：

1 在外國語(片假名形式)下面標注與其意思相近的漢語

2 在說明其語意的漢語詞下面標注外國語(片假名形式)

3 在說明其意思的漢語詞下面標注其外國語的音讀假名

這從福澤諭吉的《西航記》和《西洋事情》以及當時的文藝作品中可以得到

驗證。由于使用頻度的增加,這些表記在使用過程中主要產生了以下兩種結果：

一 是外國語和漢字表記之間的依存關係消失，其漢字表記作爲翻譯詞(漢字詞形式)被固定下來。二 是其外國語的語意被普遍理解後作爲外來語(片假名形式)被固定下來。

那麼外來語和漢字表記之間又存在著怎樣的關係呢？在這里我們依然以明治期間的文獻作爲考察對象。在當時的文藝作品中和字典類的書籍中我們可以發現，外來語表記主要有以下兩種方式：一 直接用片假名表記，二 是在漢字旁邊標記外來語假名。由于使用頻度的增加和表記內容熟知度的提高，由此產生兩種結果：一 是其外來語以片假名的形式被固定下來。二 是其外來語的片假名和漢字表記同時被固定。爲了方便起見我們暫且稱一爲片假名外來語，稱二爲漢字外來語。而一部分片假名外來語在崇尚漢語的時代，隨之被漢語所取代的情況也隋處可見。

新村出氏曾在《外來語是非論》(昭和九年)一文中指出：外來語被漢語所取代的原因是由于表意的漢字表記音讀所產生的結果。筆者認爲這固然是一個不可忽視的原因，除此之外明治期以統治者爲中心的主流社會崇尚漢語的風潮以及使用漢字表記這種形式本身起了推動的作用。以下我們以“毛布”這個詞匯爲例詳細考察一下外來語向漢字表記的交替過程，以求揭示漢字表記在外來語表記中所發揮的作用。

“毛布”一詞是在漢文書籍里出現的詞匯、作爲日語使用是從明治初期開始的。而與“毛布”對應的外來語“フランケット”一詞，最初是在德川幕府末期以“フランケット” “ブランケット”這種語音文字形式被介紹到日本的。當時在文獻記載中僅附有對其語意的解釋。而在明治初期的文藝作品及辭書中對其語意的解釋可謂多種多樣。其中辭書類有“Blanket　毛織ノ夜着”(《英和對譯袖珍辭書》文久二年／1862 年)這類記述的，在文藝作品中有直接使用“フランケット”這個詞不加任何解釋的(參照《西洋道中膝栗毛》明治三年)，也有在表意漢字的旁邊標注“フランケット”(參照《西國立志編》明治四年)的。由此可見在明治初期“フランケット”一詞尙停留在外國語的階段上。而到了明治五年、從再版的辭書《和英語林集成》和明治十九年第三版的辭書《和英語林集成》的記載上我們可以斷定“フランケット”已經由外國語轉化爲外來語。(見影印件一)但此時“フランケット”與“毛布”並無任何關聯。

到了明治二十一年在詞典《漢英對照いろは詞典》里、除了“ブランケット”以外，“毛布”也同時被作爲詞條收錄在字典里。但兩者之間依然沒有直接的連係。(見影印件二)。但在這之後的明治二十四年的《言海》和明治二十六年的《日本大辭書》里，“毛布”已作爲“ブランケット”的說明語出現在字典里，而“毛布”本身也只是作爲“けおりもの”的語意表記被使用。(見影印件三)兩者之間的關係僅限與此。

由于“ブランケット”是多音節詞匯，所以它的省略形“ケット”此後也開始被使用。

初　版	再　版	3　版
BUN-ZAI, ブンザイ, 分際, *n.* Condition, place, or social position, kind, used only of inferiors. *Chū-nin no bun-zai to sh'te furachina yatsz da.* Syn. BUNGEN.	BUN-ZAI, ブンザイ, 分際 *n.* Condition, place, or social position, kind, used only of inferiors. *Chū-nin no bun-zai to shite furachi na yatsu da.* Syn. BUNGEN, MIBUN.	BUNZAI ブンザイ 分際 n. Condition, place, or social position; kind; (used only of inferiors): *chō-nin no bun-zai to shite furachi na yatsu da.* Syn. BUNGEN, MIBUN.
		BUPPIN ブッピン 物品 (*shina-mono*) n. Articles; merchandize; commodity.
BUPPŌ, ブッパウ, 佛法, *n.* The rites and ordinances of Buddhism. — *ni iru*, to become a Buddhist.	BUPPO, ブッパウ, 佛法, *n.* Buddhism. — *ni iru*, to become a Buddhist.	BUPPŌ ベッパフ 佛法 n. Buddhism: — *ni iru*, to become a Buddhist.
BURA-BURA-TO, ブラブラ, *adv.* In a swinging, or dangling way, idly, without object — *sh'te aruku*, to roam about idly, without any particular business. *Bura-bura yamai*, a chronic state of ill health, neither sick nor well.	BURA-BURA-TO, ブラブラ, *adv.* In a swinging, or dangling way, idly, without object, vacantly. — *shite aruku*, to roam about idly, without any particular business. *Bura-bura yamai*, a chronic state of ill health, neither sick nor well.	BURA-BURA ブラブラ adv. (coll.) In a swinging, or dangling way; idly; without object; vacantly; loungingly: — *shite aruku*, to roam about idly, without any particular business; *bura-bura yamai*, a chronic state of ill health, neither sick nor well.
BU-RAI, ブライ, 無頼, (*tanomoshige nashi.*) Useless, good for nothing, profligate, abandoned to vice	BU-RAI, ブライ, 無頼, (*tanomoshige nashi.*) Useless, good for nothing, not to be depended on, unreliable.	BURAI ブライ 無頼 (*yorukoto naki*) Useless; good for nothing: — *mono*, a vagrant, a loafer; — *na*, vagrant, loafing.
		BURAKU ブラク 部落 n. Province or section of country (used of savage tribes).
	BURANKET, ブランケット, *n.* A blanket, (derived from the Eng. word).	BURANKET ブランケット n. (derived from Eng. word) A blanket: *ket* is now commonly used.
BURANKO, ブランコ, *n.* A swing. Syn. YUSAWARI,	BURANKO, ブランコ, *n.* A swing. Syn. YUSAWARI.	BURANKO ブランコ n. A swing.

『和英語林集成』初・再・三版

(影印件一)

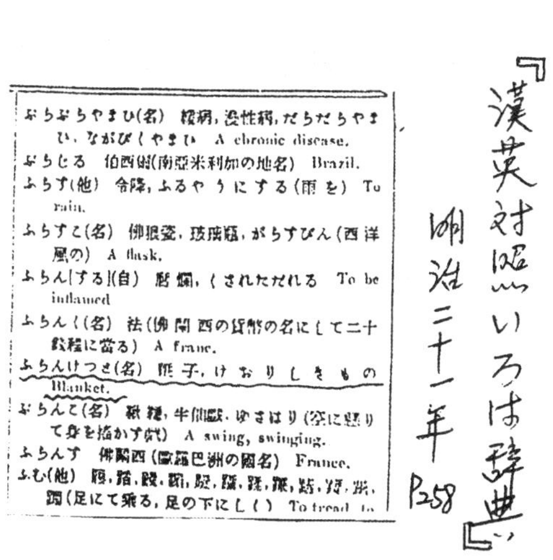
ぶらぶらやまひ(名) 慢病，没性病，だらだらやまい，ながびくやまい A chronic disease.
ぶらじる 伯西爾(南亞米利加の地名) Brazil.
ふらす(他) 令降，ふるやうにする(雨を) To rain.
ふらすこ(名) 佛狼瓷，玻璃瓶，がらすびん(西洋風の) A flask.
ふらん[する](自) 腐爛，くされただれる To be inflamed
ふらんく(名) 法(佛蘭西の貨幣の名にして二十錢程に當る) A franc.
ふらんけつと(名) 氈子，けおりしきもの Blanket.
ぶらんこ(名) 秋韆，半仙戲，ゆさはり(空に懸りて身を搖かす戲) A swing, swinging.
ふらんす 佛蘭西(歐羅巴洲の國名) France.
ふむ(他) 履，踏，踐，蹈，[illegible]，[illegible]，[illegible]，[illegible]，[illegible]，[illegible]，[illegible]，[illegible](足にて乘る，足の下にしく) To tread, to

『漢英対照いろは辞典』明治二十一年 P258

fern.
もうけう(名) 毛竅，けあな(身體中の) The pores of the skin.
もうけのきみ(名) 儲君，儲宮，ひつぎのみこ，太子(王位をつぐべき君)，東宮，春宮，儲式 The heir-apparent to the throne.
[もうけん](名) 毛見(けみ)；けんみ(米[illegible]の[illegible]凶[illegible]を[illegible]する事) See Kemi.
もうげん(名) 妄言，いつはりごと，うろ；みだりなること False words; rude language.
もうふ(名) 毛布，けおりぬの，けぬの A woollen cloth.
もうぶ[する](他) 罔誣，しふる(人を[illegible]りて訴ふる) To accuse falsely.
もうふう 猛風，つよきかぜ，はげしきかぜ，暴風 Violent wind.
もうふせき 望夫石，をつとおもひのいし(佐用姫が化したる石) The name of a famous stone.
もうこ(名) 網戶，あみど A door of net work.
もうこ(名) 網罟，あみ，さあみ A net.

『漢英対照いろは辞典』明治二十一年 P260

(影印件二)

『日本大辭書』P258

明治二十六年八月廿八日印
同 年九月三日發

暮ラサレモセズ」。
ぷらつし（（第三通））（第二上）名。〔英語、Plush〕天鵞絨ノ一種。普通ノ天鵞絨ヨリ毛ガ長ク、丈夫デ、上品デ、應ガツカヌ。下ゲ袴蝦蟇口、布團ナドニスル。＝レル。
ぶらん（全平）名。（蹈韝）漢語。蹈レ、メダル。
ぶらん（全平）名。ぶらんでいノ略。
ぶらんく（第二上）名。〔法〕（佛語、Franc ノ訛リ）佛蘭西ノ銀貨、我ガ二十一錢五厘。
ぶらんけ（全平）名。ツギノ略ノ訛リ。
ぶらんけつと（（第五通））（第四上）名。〔英語、Blanket〕西洋風ノ毛布。＝ケツト。
ぶらんこ（第二上）名。綱ヲ釣リ、身ヲ懸ケテ搖レル戲ムレ。＝ユサハリ。
▲ぶらんさらん（全平）形。漂泊スル貌。
ぶらんでい（…）名〔英語、Brandy ノ訛〕

『言海』

明治二十四年四月十日印刷同月二十二日出版

ぷらち（名）不埒 法ニ遵ハヌ。不法。
プラチナ（名）白金（Platina）金類中ノ最モ重キモノ。水ヨリ重キコト、二十二倍、色白クシテ、光澤ハ銀ニ若カズ、甚ダ銷ケ難シ、種種精微ナル器械ナドニ作ル。
ぶらぶら（副）振ラレテ落チツカヌ狀ニイフ語。ブラブラ。
ぶらぶら（副）前條ノ語ニ同ジ。
ぶらん（名）腐爛 クサレタダレル。
フランク（名）法〔Franc〕佛蘭西ノ銀貨ノ名、百「サンチイム」、凡ソ我ガ廿一錢五厘。
ブランケット（名）〔英語、Blanket〕西洋舶來ノ、密ニ厚ク織リタル毛布ノ名、臥被ノ用トス。毛氈
ぶらんこ（名）鞦韆 古ク、ユサハリ。綱ヲ梁ニ釣リ垂レ、身ヲ載セカケテ搖リ動ク戲。

(影印件三)

『ことばの泉』明治三十一年 P260

(影印件四)

到了明治三二年“毛布”、“ケット”、“ブランケット”同時被作爲字條收錄在辭書《ことばの泉》里。“ブランケット”、“ケット”對應的語意解釋是“毛布”(見影印件四)。而“毛布”對應的語意解釋則是“ブランケット”。由此可見，此時在語意的解釋上“毛布”和“ブランケット”、“ケット的對應關係也趨于穩定。

隋著漢字表記“毛布”使用頻度的增加和孰知度的提高、“毛布” 逐漸從“ケット”的慣用表記關係中脫離、隨後又取代了“ケット”而成爲一個獨立的漢語詞匯被使用。通過以上的考察不難看出：外來語在向漢語交替的過程中漢字表記這個形式本身發揮了積極的作用。由漢字表記所創造發展的新漢語詞匯極大的豐富和發展了漢字文化及明治期的特有文化。

三、現代漢語詞彙中的日語漢字表記舉例

以上我們通過考察“毛布”從外來語向漢語交替的過程，檢証了漢字表記在外來語表記過程中所發揮的作用。由于漢字本身在解釋外來語語意時具有較強的語意提醒、提示功能，因此在引進吸收西方文化和新概念時，漢字表記常常被作爲譯詞廣泛使用，此外還由于漢字具有較強的造詞功能，因此在翻譯外來語時也出現了許多新創造的和制漢語，這也是明治期間新漢語詞匯大量湧現的一個重要原因。這一時期產生的漢語詞匯涉及到日本的政治、經濟、教育、法律、天文、地理、科學、藝術、醫學等方方面面，其中的大多數如今已成爲日語中的基本詞匯。例如：“文學”這個詞彙是明治初期作爲英語 literature 的翻譯詞，在參考了孔子的《論語 先進》的基礎上創造的和制

漢語。日語詞匯中像這樣的和制漢語隋處可見。這些和制漢語不僅豐富和發展了日本文化，同時由于包讃中國、韓國、越南等在內的東南亞國家也引進和吸收了大量的和制漢語，因此和制漢語也豐富了這些漢字文化圈國的語言和文化。我們平時生活中經常使用的一些詞匯比如：哲學、電話、精神、革命、經濟、建築、交通、文化、交響樂、圖書館、物理、講師、講座等都是從日本引進的和制漢語。這些和制漢語中即有像哲學、電話等純粹的和制漢語、也有像文學、革命等從中國古典里即存的詞匯中借用並賦予了新的涵義的和制漢語。但無論哪一種都體現了兩種語言和兩種文化接觸後對自己語言上所產生的影響，而這種影響無疑對促進語言和文化的發展起到了一個推動的作用。

四、結語

語言是文化的載體，它本身可以折射出一個國家，一個民族的曆史的和現在的文化色彩。同時由于每一種語言都不可能是孤立存在的，它在同另一種語言接觸、碰撞時總會在自己的語言上沈澱下一層豐厚的文化遺產。從這個意義上來說日語更是如此。在與外來文化、外來語言接觸時，日語外來語的漢字表記在不斷吸收新的養分的同時，不斷創新、發展新詞匯，這不但豐富和發展了本國語言文化，同時也對他國的語言文化作出了貢獻。

現在日語外來語表記雖然普遍使用片假名，但近年日本國立國語研究所爲了使不斷增加的外來語詞匯，能更簡捷易懂，被民眾普遍理解和接受，正在嘗試使用改換外來語說法的提案。這個提案是將外來語片假名用表意的漢字組合來代替。如下所示僅是其中的幾例。

外來語	改換說法
アクセス	(1)接続　(2)交通手段　(3)参入
アナリスト	分析家
アウトソーシング	外部委託
アカウンタビリティー	説明責任
インキュベーション	起業支援
インターンシップ	就業体験
カスタムメード	受注生産
ソフトランディング	軟着陸
インパクト	衝擊

漢字表記在外來語表記中曾發揮過積極的作用,我們相信它將會繼續發揮這個作用。

參考文獻

新村出 (1934)。**外來語是非論 新村出全集第二卷**。東京：筑摩書房。

興膳宏 (2007)。**平成漢字語往來**。東京：日本經濟新聞出版。

詞典 (1872・1886)。**和英語林集成**。

詞典 (1893)。**日語大詞典**。

詞典 (1899)。ことばの泉。

詞典 (1891)。言海。

國立國語研究所 (2003)。『外来語』言い換え提案。

作者簡介

李偉東京外語專門學校講師

中國古代哲學在現代企業遠景創見中的指導作用

申光龍

要旨

現代的な企業の競争パラダイムはもう過去の情態的な競争からダイナミック的な競争に変化されて、企業ビジョンは国内外有名な企業競争の中に勝ち抜ける重要な要素の一つになった。前人の研究を基礎に、 本文は企業ビジョンの定義を統べて、企業ビジョンの特性と要素を分析した後で企業ビジョンの效用を探求したし、企業危機、利害関係者への調和、個人のビジョンを統合、組織内部関係の強化、企業の努力累積及び知識競争力の昇格などの 6 方面を含む。最後に企業ビジョンの創立過程を設計した。

关键词：企業ビジョン；　共同ビジョン；　创建流程

Management Philosophy：As the Corporate Vision

申光龍

Abstract

The competitive paradigm of modern enterprises has changed from static competition to dynamic competition. Corporate vision is one of the factors that lead famous enterprises both national and foreign to successes. Based of the fore studies, this article concludes the definition of corporate vision and analyzes its characteristics and key factors. Then, this study discusses its functions which concludes dealing enterprise crisis, harmonizing stokeholds, integrating personal vision, strengthening inside relationships, cumulating enterprise's endeavors and improving knowledge competences. Lastly, we try to give the visioning procedure that gap so a vision can be any organization's key to success.

Keywords: Corporate Vision； Shared Vision； Visioning Procedure

一、はじめに

企業ビジョンの本質は窮極的に企業の存在価値を向上させることである。企業の存在価値は本来、幸福な人類社会を実現するための手段として、企業が社会全体の幸福や社会富の増進・物質的に豊かな社会作りなどに寄与してから創出できるものである。最近にはもっと包括的な観点で自然環境との共生、国際社会への貢献等の項目が新しく追加されている傾向である。さらに、価値観の変化が要求されている時代には企業ビジョンもその概念及び範囲が拡張される必要がある。

企業ビジョンが重要視される理由は、企業構成員が自らの仕事に対した熱意と姿勢は規定と指針に限らずに、共有している企業ビジョンに基づいているからある。いくら優秀な経営者及び専門家だちが積み上げられている組織でも、組織の未来に対したビジョンが不明瞭であったり、形式だけが組織構成員に共有されたり、徹底に認識されていないと、その組織は将来性を無くした存在に変わってしまうのである。この観点から見ると企業がビジョンを失ったら、自分自身の存在目的と生存手段の区別も無意味になるため、企業経営に対する「企業のビジョン(Corporate Vision)」の重要性問題が台頭する。

二、企業のビジョンの領域性と階層性

スポーツゲームで勝つためには選手個人の器量とチームの戦術がよくコンビネーションするべきだが、もっとも重要なのは選手各個人の精神力である。精神力は選手の力を一つに集中させて、チームの各メンバが持っている器量を100%以上に発揮させる要因である。

企業にとって構成員の精神力を集中させる要因は何であるか？多方面で説明できるが、そのなかで一番重要な要因は企業構成員の企業ビジョン共有(Share of Corporate Vision)の程度だとあけられる。優れたサービスで有名なNordstrom社の例を上げると、「洋服を明日まで仕上げて差し上げます。」と言った約束を守らなかったため、200ドルの洋服を90ドルの特送料を支払って、顧客の旅行目的地まで配達する社員を保有しているNordstrom社のサービスは最高水準とも言える。社員のこの様なサービス精神は顧客に深い印象を伝えて、Nordstrom社の指名度を高める要因になった。[1]

企業ビジョンを重要視する理由が正にここにある。即ち、企業構成員が自らの仕事に対した熱意と姿勢は規定と指針に限らずに、共有している企業ビジョンに基づいているのである。Nordstrom社の場合は顧客中心の企業ビジョンを企業の全構成員が共有しているため、顧客に対する献身的な努力と態度がサービス危機を良い宣伝の機会に転換したのである。[2] いくら優秀な経営者や専門家だちが積み上げられている組織でも、組織の未来に対したビジョンが不明瞭であったり、組織構成員が形式だけを共有していたり、ビジョンが徹底的に認識されていないと、その組織は将来性を無くしてしまうのである。この観点から言うと企業がビジョンを失ったら、自分の存在目的と得意の生存手段も無意味になっていまうため、企業経営に対する「企業のビジョン(Corporate Vision)」の重要性問題が台頭する。

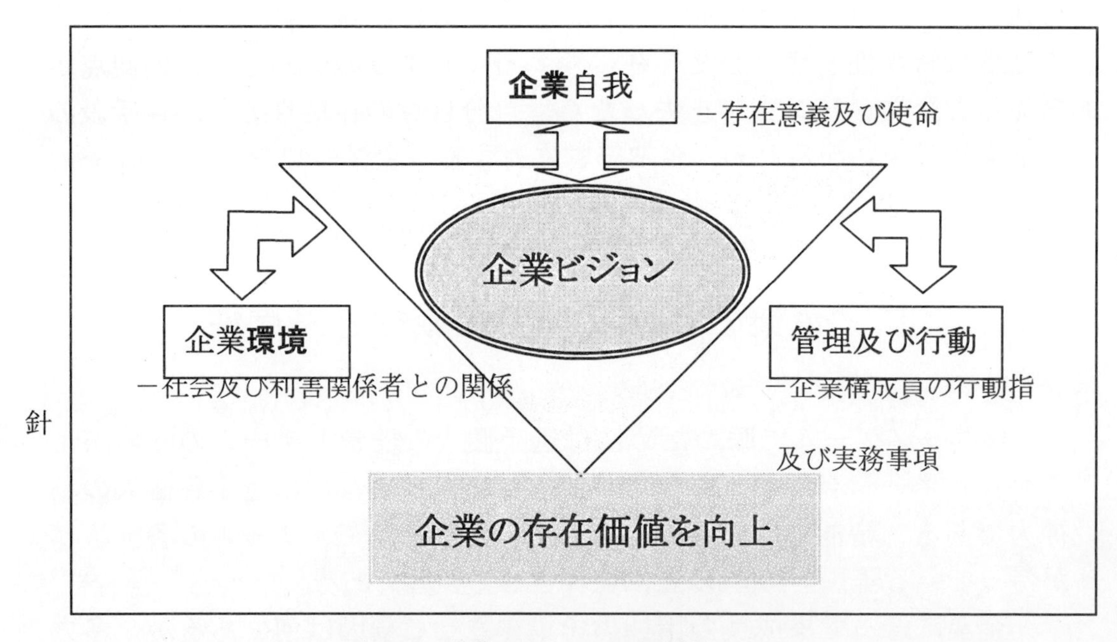

〔図 1〕企業ビジョンの領域性

今までは企業ビジョンとその内容を意味する用語としては企業理念(Corporate Idea)、企業哲学(Corporate Philosophy)、社是・社訓(Corporate

---

1 李維安、申光龍，“亞洲金融危機中企業生存戰略”，《南開管理評論》ISSN 1008-3448，1998年第1期，第9～15頁。(Chinese)

2 この場合には漢字言葉である「危機」は「危険」と「機会」が共存している意味である。

Guide Line)、企業原則(Corporate Principle)、企業精神(Corporate Sprit)、企業使命(Corporate Mission)、企業座右銘(Corporate Motto)、行動指針(Guiding Principle)等の概念と混用されて来た。しかし、このような用語は企業ビジョンの一部分にすぎないし、その下位概念に帰属するのが大部分である。企業ビジョンは基本的には企業の内外に公表されているすべての価値体系であり、領域性と階層性をもっている。

領域性には〔図1〕で現すように企業自我(Corporate Ego)・企業環境・管理及び行動等の三つがある。ゆえに、企業ビジョンが公表される方式は企業自我の存在意義及び使命に対すること、企業を廻っている社会及び利害関係者との関係、企業構成員の行動指針及び実務事項に関すること等に具現される。

企業ビジョンは階層性側面では〔図2〕で現すように上位概念として社会及び世界を向けた企業の表明であるし、中間概念としては事業領域及び目的の表明できるし、下位概念としては従業員の行動指針と実践訓の表明等に分けられる。

企業ビジョンの本質は窮極的に企業の存在価値を向上させることである。企業の存在価値は原来、幸福な人類社会を実現するための手段として、企業が社会全体の幸福及び富の増進に寄与してから創出できるものである。最近にはもっと包括的な観点で自然環境との共生、国際社会への貢献等の項目が新しく追加されている傾向である。さらに、価値観の変化が要求されている時代には企業ビジョンもその概念及び範囲が拡張される必要がある。

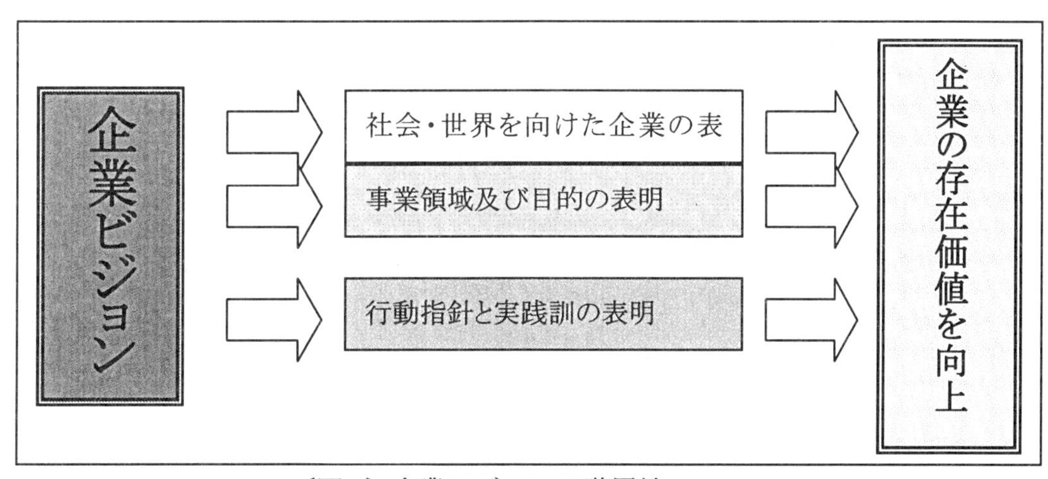

〔図2〕企業ビジョンの階層性

素晴らしい企業ビジョンの事例は世界的な企業から普通に発見できる。実積と価値を重要視するGEのビジョン・人類の健康に対する信條を強調するJ&Jのビジョン・革新と創意を尊重する3Mのビジョン・持続的な革新と改善を強調するモトローラのビジョン等がその代表的な例である。

企業ビジョンは組織の全体を一つの目標に志向させるし、これが達成されるように動機を附与する役割を担当する。または構成員が日常の仕事をする時の価値判断の基準として作用する。このために企業ビジョンを定立する時には企業の提供価値と存在目的を明確にする必要がある。

企業の提供価値は企業の本質的な存在理由であって、信念でもある。これは財務諸表上の利益や近視眼的な期待値とは違う。ワルマート社の「顧客第一主義」、P&G社の「品質第一主義及び正直な企業」等は企業の提供価値をよく現している代表的な例である。

企業ビジョンを構成する要因である企業の存在目的は企業構成員に未来の発展方向を提示して、動機を附与する基本的なフレームである。Merck社の「疾病と戦う人々を助ける」・GE社の「技術と革新を通して生活に豊かさを伝える」などは企業の存在目的を表現する代表的な例である。

以上で世界的な優良企業の事例を分析したように、内容よりもどのように実行するかが重要である。一般的には企業を設立する時から確固な企業ビジョンを定立して来たのではない。そのためにどれが良いとは言えないだろう。これは企業ビジョンがその内容よりも理念の確実可能性とその理念に附合する整合性ある経営活動に基づいて定立・強化するべきであることを意味する。例えば、多くの電子関連企業が「尖端科学を利用した電子製品を生産して社会に貢献するし、人類福祉に寄与する。」と言った同一な企業ビジョンを持つことも可能である。しかし、問題はこれらのビジョンをどのように深度と一貫性を維持して続けられるかにある。

三、企業ビジョンの必修要件

企業が深度と一貫性を維持した企業ビジョンが持つための必修要件は次のようである。

3.1 関係性強化

企業が社会や消費者などの経営環境との関係性を強化するためには企業ビジョンが必要である。最近経営学やマーケティングの領域では関係性(Relationship)概念が注目されている。これは企業が「大量生産ｖｓ大量販売」システムの下で個体としての人間関係が衰退しているトレンドに対した反省から生み出した概念である。ある面では今まで生産者優位(Seller's Advantage)を固執してきた企業には必ず必要な概念だと主張する学者も多い。[3]

関係性概念は企業と顧客の取引だけではなく企業内部の社員間関係にも作用する。経営者と従業員の間の関係は単純な労働契約的取引ではなく、信頼と連帯に基礎した関係を意味する。さらに、機械的な取引関係でなく同伴者的な関係を意味する。[4]

このためには色々な社内コミュニケーション・チャンネルを通じて「お互いに共同の価値を創造する。」と言った「共同創造」の概念が必要になる。また、その基礎を構築するのには企業内構成員が共有できる共同の企業ビジョンが要求される。共同の企業ビジョンが構築したら迅速正確なコミュニケーション・チャンネルの構築が容易になるためである。企業ビジョンはこのような共同の目標を共有するための基盤である。企業内構成員が同じ企業ビジョンを持って共同の目標を達成するような関係作りができたら、構成員相互間のコミュニケーションや行動が共同の価値を創出するようになるだろう。

つまり、企業ビジョンを構築するために必要な関系の概念は企業と消費者・株主などの直接利害関系者との関係と政府や社会団体などの間接利害関系者との交流も含めた企業内・外部に存在する利害関系者(Stakeholders & Interest Groups)との関系を考えるべきである。[5]

3.2知識競争力

---

[3] Christopher, Martin., Adrian Payne & David Ballantyne, *Relationship Marketing: Bring Quality, Customer Service and Marketing Together*, Butterworth-Heinemann Ltd., 1991.; McKenna, Regis, *Real Time: Preparing for the Age of the Never Satisfied Customer*, Havard Business Press, 1997.

[4] Hsiau, Michael, *Internal Marketing*, Commonwealth Publishing Co.,Ltd., Taipei, 1997.(Tradition Chinese Edition)

[5] 申光龍、袁斌，“企業遠景的效用及其創建流程”，《預測》，2004年第3期，第1-6頁。(Chinese)

企業ビジョンを強調するもう一つの理由は企業競争力の要素で「知識競争力(Knowledge Competency)」が注目されているからである。従来、企業の競争力は製品及びサービスの生産力・販売力・資本の調達と運用能力等のように企業の利益活動に直接に関係がある要素によって左右されると認識されて来た。しかし、今は企業活動の領域と範囲が変わっているために企業競争力その自体がどこから起因するかを再検討するべきである。企業競争力は複合的な要素を持っている。価格競争力や製品競争力も明らかに競争力の重要な要素であることは間違いないが、最近には次の要素が注目されている。

一つは組織的な知識(Organizational Knowledge)である。最近、多くの経営学者は企業組織を知識主体として把握して、企業が持っている知識創造の能力を競争の源泉として論じている。[6] 要すると、組織の競争力として組織的な学習を通じて蓄積された知識が追求されている。

次は変化管理（Change Management）である。今の企業が囲まれている環境の変化は爆発的な水準であり、創造的な態度で軟らかな対応ができないと企業の存続自体が危険になってしまう。組織は戦略に付き従うと言う見解もあるが、戦略が環境変化に対応して変更されたら組織も環境に附合して変わって行く必要がある。この時に重要なのは企業戦略が企業ビジョンに根據することである。即ち、企業戦略は企業ビジョンを達成するための手段である。[7]

3.3 価値創造力

企業が提供する商品及びサービスはどこ当たりまでも価値創造の可能性を持った「企業価値の創造物」であって、価値その自体ではない。すべての商品とサービスは人間生活のある特定な時期・場所・特殊な状況下で互いに違う情報と結合してから初めて独特な使用価値を生み出す。

---

[6] Nonaka, Ikujiro, "The Knowledge Creating Company," *Harvard business Review*, Nov.-Dec., 1995.; Svi-okla, John, "Knowledge Workers and Radically New Technology," *Sloan Management Review*, Summer 1996.; Mullin, Rick, "Knowledge Management: A Cultural Evolution," *The Journal of Business Strategy*, Sep.-Oct. 1996.; Miles, Raymong E., Charles C. Show, John A. Matherws, Grant Miles, and Henry H. Coleman, Jr., "Organizing in the Knowledge Age: Anticipating the Cellular Form," *Academy of Management Executive*, Vol.11 No.4 1997.

[7] Andrews, Dorine C., "Can Organizational Culture Be Reengineered?" *Enterprise Reengineering*, Oct./Nov., 1995.;Flanagan, Patrick, "The ABCs of Changing Corporate Culture," *Management Review*, July 1995.;Martin, Roger, "Changing the Mind of the Corporation," *Harvard Business Review*, Nov-Dec, 1993.

それから生活者への感動や満足を得るようになる。

企業競争力の新しい原則として、組織的な知識・変化適応力・価値創造力などを上げられるが、この全部は知識資源としての企業ビジョンが確立された時にやっと諸力量を発揮する事実に有意しなければならない。

3.4 整合された企業ビジョン

企業の従業員を自律的に企業経営活動へ同参させるためには企業のすべての理念が整合された企業ビジョンが要求される。欧米の優良企業に比べてアジアの企業は銘文化された企業ビジョン及び行動指針が従業員に厳しく拡散されて、実践段階にまで反映される場合が多くない。[8]

勿論、企業ビジョンを重視する企業もいるが、少数に過ぎない状況である。それはアジア企業の企業ビジョンには社是・社訓・企業精神・信條等のように抽象的なことを表現したのが多いし、企業の使命及び存在意義・経営方針・事業領域・行動指針等を明確に定立した事例が少ないためである。それより伝統的に「人和」、「誠実」のように含蓄的なことばを通して非銘文化された「暗默知」の力を重視してきたのである。[9] 欧米の企業は人種・文化等の異質的要素を混合して共通の目的を向けて活動するために具体的で、明確化された企業ビジョンがなにより重要である。

いまの企業にはリストラやリエンジニアリング等の経営技法が導入され、終身雇傭制的慣行が崩壊している代わりに個人の倫理的自律性を強調する雰囲気である。自律性に立脚して企業組織の構成員が企業共同の目標と共同のビジョンを達成するためには、個人的能力を最大限に発揮させて、組織目標の達成と自我実現と言った結果を果たす。それには銘文化された企業ビジョンが必ず必要でなる。個人と企業の関係をただ経済的代価と交換関係だけで説明することでは不充分である。

自分が所屬している企業の企業ビジョンに対する理解と参与があってから始めて、個人は組織に沒入(Involvement)するようになる。銘文化され

---

[8] Fukuyama, Francis, *Trust : The Social Virtues and the Creation of Prosperity*, Free Press, June 1996.(Chinese Edition), pp. 272-277.

[9] Ikujiro Nonaka, Redundant, "Overlapping Organization: A Japanese Approach to Managing the Innovation Process," *California Management Review*, Spring 1990. ; 野中郁次郎,「俊敏な知識創造経営」,東京, ダイヤモンド社,1997。

た企業ビジョンも抽象的で、概念的な短い文句とか文章ではいけないし、具体的で明確な指針を内包するべきである。明確なビジョンを提示して、それを拡散させて、従業員の自発的な参与を刺戟させられる企業ビジョンを持っていると、その企業は発展できる。[10]

3.5 企業ビジョンの再定立

急変する企業環境の変化に中に生存の危機に処した企業がこの乱局を脱け出すためには企業ビジョンの再定立がもっとも切実である。特に東南アジアの大部分国家は豫告もせずに到来した金融危機の影響で企業経営だけでなく、国家経営に対しても深刻な危機状況である。万一、不景気を託けとして企業ビジョンを明確に確認しなくて現実状況に連動して企業ビジョンとは相反した行動をすると、たとえ高い利益が得られるとしても社会から認定される企業には決してなれない。危機に逢着しても企業は経済倫理及び社会的道徳に忠実した企業ビジョンを守りながら、それを日常の企業活動に適用するべきである。仮に企業が行動選択の基準になる企業ビジョンに根據した行動をしないと危機の管理と対応は難しくなるはずである。この意味で企業活動の正しい問題解決や革新活動のためには明確な企業ビジョンは一番必須的な條件である。

四、企業ビジョンの新しい展開

4.1 知識ビジョンとしての企業ビジョン

企業競争力になる知識資產を完璧に活用するためには先に知識ビジョンを提示するべきである。知識ビジョンが企業ビジョンの中に概念化されて蓄積すると、社内の共感と参与意識を喚起して組織員皆へ拡散されると強力な力を発揮する。

例えば、CollinsとPorrasは論文「ビジョンある企業作り」(Building a Visionary Company)で企業を2種類に区分している。[11] 一種類は企業ビジ

[10] Ghoshal, S. & Bartlett, C.A. "Rebuilding Behavioral Context: A Blueprint for Corporate Renewal," *Sloan Management Review*, Winter 1996, pp. 23-36.

[11] Collins, James C., Jerry I. Porras, "Building a Visionary Company," *California Management Review*, Winter 1995.(http://www.dtic.dla.mil/c3i/bprcd/5230.htm) ;

ョンを明確に定立して、それを従業員に深く浸透させることに成功した企業で、大概業界1位で尊敬されている企業がここに入る。もう一種類はいわゆる「売出額さえ上がれば何でも良い」グループの企業で経営理念及び企業ビジョンを明確に持っていないし、組織員に企業ビジョンが拡散されていない企業である。こうした企業は決して業界首位には上れない。状況によってはM&Aされる場合もある。全社員が企業ビジョンを共有していると、その企業は優良企業への跳躍板を掛けたことに違いない。

4.2 企業倫理と企業ビジョン

企業ビジョンとしての社会性と倫理性はその企業が所属している社会の文化・宗教・道徳によって差があるし、一部には社会性と道徳性も持っていると主張するが、一般的な企業の場合、企業ビジョンの表現が度を過ごすほど抽象的な傾向である。または理念が形式的で、単純な形態に止まって実際に経営と行動に反映されなくて、規範化されない例も少なくない。法律に抵觸しないとある程度便法を強行しても良いと思う企業もあるはずだが、社会的・道義的な問題を起こしたら、それは許されない。このために企業ビジョンには必ず社会的・道義的な基準を含むべきである。要すると、企業ビジョンを通じて企業の行動規範を企業が自らコントロールするべきである。アメリカ企業らも企業の社会性と倫理性を日常的な経営管理活動に反映させることに長い時間がかかった。70年代から公害問題・知識所有権・消費者保護等と関聯して企業の社会的倫理の必要性が主張し始めた。それから企業倫理に対する社会的な認識が高まって、企業は大きいな試錬に出会うことになった。例えば、法律訴訟による高額の賠償金支給、消費者不買運動による事業機会の喪失等の現象が招来された。こうした試錬を通じて今の企業は企業倫理の重要性を自覚して企業ビジョンに具体的に反映するようになってきた。

企業経営の世界化が進めて、今日の企業は過去の慣行に安住せずに、いつも国際的な常識に似合う企業ビジョンを銘文化して行くことが必要である。

4.3 企業ビジョンの拡散が企業活性化の原動力

Collins, James C., Jerry I. Porras, *Built to Last : Successful Habits of Visionary Companies*, Harper Business, January 1997, chapter 1.

優れた企業とそうでは無い企業との差異点は思ったより簡単である。CollinsとPorrasの調査によると、優れた企業の企業ビジョンは利益追求だけではなく企業の役割に対した価値観及び目的も相当な比重を占めている。[12] しかし、これよりもっと決定的なのは企業ビジョンを全体の従業員が信仰に思うほどに深く信頼と尊重をしていることである。韓国や日本企業のなかでも模範的な企業ビジョン及び素晴らしい指針書を作成して社員に配付する企業は少なくない。しかし、これら企業までも日常の業務と現場でこれを体系化して活用するのは珍しいし、単純な昇格試験のための教科書に転落する場合が大部分である。企業ビジョンは日常の業務活動の中で判断基準と行動基盤になれないとその意味がない。

松下グループの創業者松下幸之助の逸話は良い例である。1982年1月10日定例経営方針発表会が大坂で開かれた。通常的には社長、会長順に壇上に登壇したが、その日は松下幸之助が一番目に壇上に上がった。1981年度の業績が前年対比売出額16%、経常利益25%増加と言った良い成績を収めたために幹部らは当然に称賛されると期待した。しかし、松下幸之助は「業績が良いとして、基本精神を忘れたら行けない。原点に戻って一生懸命やってほしい」と叱責した。企業ビジョンに根據しない業績は意味がないと言う叱責性発言であった。これは松下幸之助が基本理念をよく守った経営者であると共に短期的な実積より従業員に企業ビジョンを拡散するのがもっと重要なことであるのを認識していたのである。

企業ビジョンを従業員にどのような方法で拡散させるか？王道はない。企業ビジョンに対した持続的な学習とコミュニケーションを通じるのが最上の道である。企業ビジョンの具体的な実践事例を集めて従業員に学習させることで従業員は企業ビジョンに共感して、信念を持つようになる。また社内コミュニケーションを活性化するのも重要である。電子メディアを含めた社内コミュニケーション機器と社報のような道具を有用に活用すべきである。同時に経営計画や経営方針に対した管理をするために次のような企業ビジョン監督体制(Corporate Vision Checking System)を揃える必要がある。

第一、経営倫理綱領・企業行動憲章、其他倫理條項を企業ビジョンに包含させて、単純に理念の抽象的な表現に止まらずに行動基準及び手段と方法までも具体的に明示する。

第二、現場の倫理行動指針書である業務指針書を作成して全社員に

[12] Collins, James C., Jerry I. Porras, op. cit.

配付して徹底に教育をさせる。

第三、企業ビジョンと業務指針書に基礎した行動を実際に全社員が実行しているかの与否を監督する倫理擔当専任任員と部署を設置する。また、最高経営者は企業活動が企業ビジョンと業務指針書に基礎して実施されているかに関心を持って持続的に管理・監督する。

4.4 顧客指向的企業ビジョン

「顧客中心企業だけが生き残れる」と言うの言い方は今では誰でも分かる組織運営の基本的な命題になった。多くの企業の場合、顧客満足と顧客感動を企業の至上目標と認識して、これを組織運営の基本に活用する等顧客志向的な活動は企業運営のもっとも基本的な活動として定着されている。

アメリカの戦略企画研究所が450個企業の3千余りの事業部を分析した研究結果によると、利益は市場占有率のような要因でなく顧客が認識する品質ともっと密接な関係を持っていることを強調している。これは向後企業間の競争で利益を創出するのがもっと難しくなるなることを勘案すると、顧客を満足させられない企業は存在自体が危なくなることを示唆している。

持続的に顧客を満足させる企業だけが長期的な生存と利益を守れられる。顧客と隔離された企業運営は不可能である。顧客志向的活動は企業運営の基本假定でもありながら、唯一な基本目標である。

しかし、企業運営に当たって基本的に顧客志向的な活動を実行し難いのである。長い間アメリカ企業の顧客関聯活動を調査したナンマン(E. Namann)は「残念ながらアメリカにいる1,500万の企業のなかで、大部分は過去と同じく現実安住的に組織を運営しているし、本当に顧客志向的な活動をしている企業は少ない。」と断定する。彼によるとIBM・GM・Sears等のような企業の場合、現実安住的な性向のために顧客志向的な企業への変身ができなかった代表的な例であって、その他の多くの企業も同じ状況に処していると診断した。

一般的な企業の場合、今まで外形的な側面では顧客志向的な活動を活発に推進してきた。しかし、今までの顧客関聯活動がただのスローガンにすぎないではないかを点検する必要がある。なぜなら、企業経営が難しい時には基本に充実な経営がもっとも要請されているからである。

このために現在の組織運営方式に対する自己診断と共に他の企業の失敗・成功要因に関する理解と改善方案に対して再検討する必要がある。先ず自身の企業は顧客志向的活動にどの問題があるかを点検する必要がある。

4.4.1 顧客志向的な企業

顧客志向的な企業になるためにはどうするべきか？このために卓越な顧客志向活動で有名な企業の事例を見てみよう。

レンタカーで有名なHertz社の場合、顧客が豫約した時間に合わせて駐車場に到着すると顧客の名前あ大きな電光板に表示されているし、始動は勿論暑いとエアコンまでも作動しておくほど細かい部分まで顧客の立場から配慮している。

大型サービス企業の中に最初にアメリカ最高の品質賞であるMalcolm Baldrige賞を受けたFederal Express社も類似な事例をもっている。休日にある兒童病院に血液の配達を注文されて、鍵を閉めた倉庫の壁を越して不可能に見えた注文応じることができた。このように顧客との約束を徹底的に守ろうとする組織構成員各自の努力が蓄積してFederal Express社の名聲は維持できている。

こうした事例は最近非営利企業でもよく見られる。アメリカヒューストンの監理教病院はホテル・スタイルの独特な医療サービスで有名である。各病室の照明・室内温度・ベッド等に完璧な品質保証システムを導入しているし、患者と家族のために駐車代行サービスと患者家族が夜に泊まる場合は寝具を無料で提供する。他の病院のサービスを経験した顧客には分明に差別的な満足を提供する。

4.4.2 顧客志向的な企業への障碍要因

顧客志向的な企業への変身するために超すべきの障壁は何であるか?企業の特性によって色々な要因が存在するが、代表的な障碍要因として現実安住的な経営が上げられる。顧客は持続的に変わっているが組織内部に現状維持的な雰囲気が強い場合に顧客志向的な企業への変身が難しくなる。

現実安住的な経営のため、経営危機に処してからまた克服した代表的な事例がXerox社である。80年代以前のXerox社は複写機業界を支配した難攻不落の企業であった。しかし、こうした過去の成功は顧客を等閑視して、製品品質を変化させずに、革新の速度も遅くなってしまう要因になってきた。即ち、Xerox社内部では売出及び利益側面では成功的であったために現実安住が最上の政策として思うようになった。既存の製品自体は相当な利益性をもっている状況で企業の主関心はただ現金だけをどのように回収するかに精一杯だった。

反面、日本の競争企業は技術開発を通じた低利潤政策で市場を継続的に蚕食していた。しかし、Xerox社の場合高利潤の製品販売を通じて相当な水準の利益は持続できたために、こうした現実安住的な政策はもっと強化された。日本企業が蓄積された技術を基にして高品質の製品を市場に出市すると状況は完全に変わったのである。Xerox社はおおよそ50%の利益が減少してからやっと顧客を等閑視した現状安住的な経営に問題があることを認定して、これを改善するための革新活動を展開した。顧客満足活動と関聯したプログラムの実行を主導するためにチームを構成することを初めに、品質改善のためには10万従業員を対象にした教育、経営陣の顧客志向的な活動への役割変身、現場従業員に対するダウンサイジング、すべての階層間のコミュニケーション活性化のための環境作り、顧客志向的な活動を強化する評価・報償・褒賞システム等を導入・実行した。現実安住的な経営を全社的な革新活動を通じて克服したXerox社はもう一度複写機市場での先頭位置を回復したし、全世界220万顧客の90%満足と言った敬意的な成果を創出することができたのである。

このように顧客志向的な企業になるのは簡単なことではない。顧客志向的な企業へ成功的に変身した企業の事例を分析して見ると幾つかの共通的な特徴が発見できる。それは顧客中心の明確な企業ビジョンの定立と企業ビジョンを中心にした整合性ある経営活動の展開、または組織構成員の参与と熱意をリードする企業ビジョンの存在等である。

4.4.3 顧客中心の企業ビジョン定立

顧客志向的な企業になるためには先ず顧客中心の基本原則を定立するべきである。企業ビジョンは顧客をどのように満足させるかを明確にすることで、全体組織構成員が共感と共有をしていることであるべきだ。例えば、ワルマート社のEDLP(Every Day Low Price)は企業ビジョンの良い例である。基本原則が重要視されるのは顧客指向的な企業が実現している卓越なサービスが文書化された規定及び指針によることではなく組織構成員が共有している企業ビジョンにによるためである。

もう一つの例で、Nordstrom社に入社する新入社員はサービス志向の販売と言う価値観を植える教育を受けるのである。この価値観がもっとも明確に表現されたのはNordstrom社の規則でる。それは「どのような状況に会っても自ら判断して、顧客に良いと思うことを実践しろ、他の要求はない」と言った原則である。こうした価値観が全組織構成員に強力に共有されていたためにNordstrom社の卓越な顧客サービスが可能になったのである。

このように組織内のビジョンは構成員を動機附与するし、組織の全部分を一つの目標に向けて邁進させる。又は基本原則は構成員の日常的な仕事をするときにも価値判断の基準として作用するのである。

4.4.4 整合性ある経営活動

顧客志向的な企業になるためにはこうした企業ビジョンと整合性・一貫性を揃えた制度の構築と実行活動が必要である。例えば、投資会社であるVanguard社は顧客が負擔する費用を最小化して顧客満足を追求するとした戦略的方向を持っていた。これに従って会社のすべての経営活動は厳しい費用統制と效率的な投資管理に焦点を置いた。高い給料を払うべきの資金管理者等の雇傭を最小化したり、仲介人に支払う手数料を節約するために自身の資金を直接投資するし、広告を制限する代わりに宣伝とPR活動による推薦活動を主要販促活動として活用した。甚だしくは構成員の評価及び補償制度も費用節減と直結する程度であった。このように企業ビジョンと整合性を持つ経営活動のためには顧客自身よりもっと顧客をよく把握する活動が必要である。また、顧客欲求に基づいた企業が追求する目標は企業が自体的に決めた基準ではまく顧客が決めた基準に根據するべきである。今日の顧客は商品とサービスの質だけで満足しない。単純に良い程度ではなく自分だけのためのなにかを期待しているためである。多くの顧客が自分だけのものを要求するマスカストマイゼーションの時代である。トヨタ社が自動車を作ってから数多くの顧客選択事項(Customer Option)を提示して顧客が自身の好みに合わせた注文生産の自動車とか、Dell Computer社が顧客好みの応じてパソコンのハードウエアとソフトウエアを組み立てて販売することなどが例である。

そのためには、先ず目標市場を明確に決定するべきである。企業ビジョンと最高経営者の観点に基づいた顧客集団を設定して、各顧客別に組織内で対応すべきの内部顧客を決めて、その活動を支援することで組織全体が外部顧客のために活動を展開する。顧客自身より企業の内部で顧客をもっと理解するために顧客の期待がなにであり、どのように充足させるか、そのために必要なこと等を測定して、持続的な一連の活動としてシステム化する必要がある。

4.4.5 組織構成員の参与と熱意を引っ張り出す活動

顧客志向的な企業になるためには企業組織一部分の参与ではなく組織全体の参与による整合的な活動が必要である。最高経営者一人の意向だけで顧客志向的な企業は作れられない。組織全体構成員が参与と同調をしてから成功できる。又は構成員の熱意と意慾が確保されてから企業ビジョンと整合性を具備した制度が構築できる。前に紹介したNordstrom社とFederal Express社の顧客志向的な活動は組織構成員各自の仕事に対する熱情と熱意がないと考えられない事例である。

このためには最高経営者の熱情は勿論、擔当している仕事に対する権限及び責任の明確化と目標設定過程での参与、または業務遂行結果を正しく評価と報償するための制度等企業内のすべて経営活動が再編されるべきである。

こうした成功的な例がスカンジナビア・エア・サービス(SAS)である。勿論この航空社にはJan Carlzonと言った顧客志向的な活動に熱情的なCEOがいたが、構成員の参与がないとヨーロッパ最高のサービスを提供する航空社への発展はできなかっただろう。この会社は構成員を顧客志向的活動に参与させるために真実の瞬間(Moments of Truth: MOT)と言った企業ビジョンとこれを支援する業務プロセスを開発したことで有名である。毎日50,000回を超す顧客との接觸がある豫約擔当業務から操縦業務や接客業務に至るまで全構成員のサービス水準を顧客の立場から定立して、これを実行するための綜合的な教育訓練システムを開発・実行した。その上に顧客志向的な活動に基づいた成果評価と報償体系を導入した。このような全構成員の参与を誘導する顧客志向的な活動を通じてSASはヨーロッパ最高の航空社に飛躍的な発展をすることができた。[13]

4.4.6 実践課題

以上のような経営活動は企業の運営に当って最も基本的な価値であ

---

[13] Carlzon, Jan, *Moments of Truth*, 1989, 김영한 譯, 顧客を 瞬間에 滿足시켜라, 서울, 圖書出版 성림, 1992.

る顧客志向的な企業になるために必須的なことである。しかし、基本的な事項を確り整えて実行することは簡単でない。ベンチマーキング研究を通じて海外優秀企業の事例を企業の関係者に紹介すると、誰も「それは当たり前ではないか、もっとスペシャルなものはないか？」と言われることが多い。海外優秀企業の力量は正に基本的なことを有りのままに実行することであるし、これが企業の真正な能力であることを看過しているのである。

多くの企業の場合、多様な革新活動を通じて海外優秀企業が実行している制度やプロセスを導入している。しかし、これらの制度やプロセスを同じように導入するが、企業の成果として良い効果を出す場合は多くない。優秀企業では効果がある制度やプロセスがなぜこれを導入した企業では効果が出て来ないか?その差異は正に基本的なことをどのぐらいよく実践できるかで決定される。誰でも当然だと思うもの、常識的なこと、基本的なことを有りのまま遂行できる企業が本当な力量を持っている企業である。[14]

五、企業ビジョンの実行段階

企業ビジョンを樹立して、それを実行するまでの全過程は〔図3〕のような段階を通す。

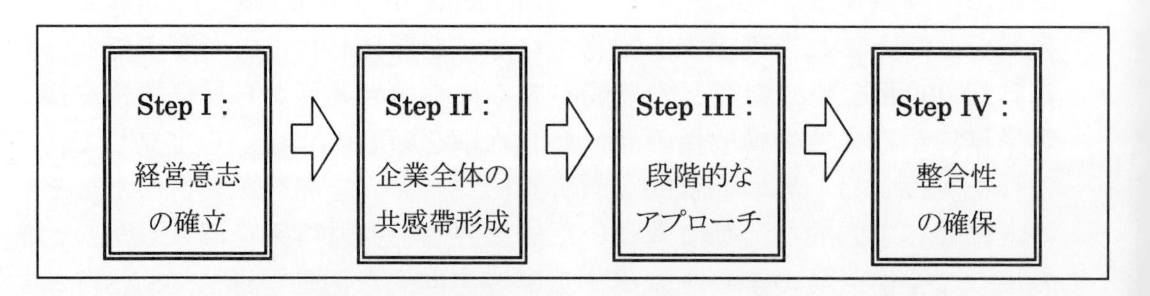

〔図3〕企業ビジョンの実行段階

5.1 第1段階：経営意志の確立

[14] 李維安、申光龍:『亜洲金融危机中企業生存戦略』,『南開管理評論』, 1999 年第 1 期創刊号。(Chinese)

企業ビジョンを樹立する時には先ず企業の寛厚な意志と正しい分析の調和が必要である。これには二種類のビジョン樹立方式がある。一つは既存の接近方式で企業の能力及び資源と環境の分析から始める方式である。結局、現在の企業環境に附合した生存領域を設定して企業の能力範囲内で企業ビジョンを構築する方式である。もう一つは未来に向けた企業の所望と意志から始める方式で、企業が追求する核心理念を根據にして戦略的意志を先に導出する方式である。これは企業の戦略的な意図を先ず明確化してから諸般与件等に対する分析を実施することである。こうした二つの方式のなかで後者の場合が比較的に有利であって、企業全体の熱望を集結することができる。[15]

今日の企業経営環境は全体企業組織員の不断な努力と創意性を引き起こすことができる企業ビジョンを要求している。HamelとPrahaladが指摘したように正しいビジョン樹立は企業の意志から出発して、意図的に確実させる範囲を過ぎた目標を設定する方式であるべきだ。[16]

5.2 第2段階：企業全体の共感帯形成

GE・IBM・Sony等の超一流企業は自分のビジョンを徹底的に実現している。しかし、多くの企業がビジョンは只のビジョンであるくらいの態度である。即ち、元々に実現されないのがビジョンの屬性であると思っている。このように実行力の差が出る理由は何か?それはビジョンに対する共感程度の差から出てくる構成員の献身程度に差異がある。ビジョンがただのスローガンにすぎるではなく実現に繋がるためには樹立段階から構成員の間に広範囲な共感帯が形成されるべきである。意見調査や社内論文募集等を通じてビジョン樹立作業が進行する期間には皆が首肯できる共感帯を形成するべきである。この時に最高経営者はビジョン樹立に対する後援だけして、間接的な姿勢を堅持した方が良い。特にビジョンを樹立する時に中間管理者と若い社員らを多く包含した方が良い。NEC社を例とすると、90年代に入って、21世紀に向けた「スーパー21C運動」と言った経営革新を展開した。その過程でNEC社の新しいビジョン

[15] Snyder, W., "Communities of Practice: Combining Organization Learning and Strategy Insights to Create a Bridge to the 21st Century, " Presented at the *Academy of Management*, 1997 (contact wsnyder@socialcapital.com).

[16] Hamel, Gary and Prahalad, C.K., "Competing for the Future, " *Harvard Business Review*, July-August 1994, p.122.

は論文審査を通じて選抜された100名の若い社員で構成された「100人委員会」を中心に樹立された。このように自分が参加して樹立されたビジョンに向けた献身程度は充分に豫想できる。[17]

5.3 第3段階：段階的なアプローチ

組織構成員は10年後の目標だけに基づいて今日の仕事に臨するのはできない。競争は目前瞬間的に変わる環境の中で進行中の「ing」状態である。山に登る場合を例と上げよう。目的の山を知っているだけでは目の前にある溪谷を渡って、断崖に登ることに余りにも助からない。溪谷を渡って、断崖に登るには段階的にその状況に合わせて、力量を集中するべきである。企業ビジョンの実現も同じ原理である。キャノン社を例とすると。過去複写機市場の支配者であったXerox社に挑戦した当時、キャノンのビジョンは「Xeroxに勝つ」であった。そのため、キャノンは先ずXerox社が保有していた特許を把握した。それから初期市場進入のために必要な技術を導入した。その後、初期市場経験を蓄積したキャノン社はR&Dに力量を集結した。次の段階でもっと拡大したR&D費用の調達のために蓄積された技術を他の企業に技術使用権を提供した。結局、蓄積された技術力のベースでキャノン社はXerox社の影響力が弱かったヨーロッパ市場を攻略する段階を踏んだ。キャノン社の事例で注意することは企業ビジョンを実行するうちに段階的に接近することである。高い山に登る時には息なりには登れないように企業ビジョンもそうである。もしかして、一発でできるビジョンであると、長期的な目標にはなれないわけで逆に問題がある。

結して、企業はビジョンと言う高い山に登るために品質競争の溪谷を渡って、技術開発速度競争の断崖に登るべきである。山登りとビジョンを実現する過程と差があるとしたら、前者は過ぎて行くことであり、後者は階段的に積もって行くことである。溪谷と断崖を過ごしたら山頂にのぼれる、しかし、一企業が技術開発速度競争に集中したとしても、既存の品質水準を維持できないと競争には勝てないことは自明なことである。

[17] Kim Hyun Sik, "Visionary Management: Leading to Success," LGERI, *Weekly Economics* 371, 18 July. 1997. (in Korean)

5.4 第4段階：整合性確保

各レベル別戦略、組織構造、人事システム、業務システム等の企業の全活動を企業ビジョンに附合させるべきである。80年代日本の自動車メーカの挑戦が起こした危機を成功的に克服したFord社の危機打開過程を参考しよう。Ford社は「利益より人間と製品を重視して、品質改善・従業員参与・顧客満足を追求する。」と言ったビジョンを樹立した。それから徹底にビジョンに附合する次のような実行体制を強化した。[18]

第一、創業以来最初に全社的な統計的品質管理制度を実施した。品質にエラーが多い生産ラインは閉鎖することを擔当者に主旨させた。

第二、「Q1」と言うプログラムを通じて、これを部品供給業者だでに拡大した。各当会社を品質等級評価と統計的品質管理実施与否によって選別した同時に部品供給業者に対する品質教育講演会及び技術支援を提供した。それにあわせて、要求品質水準を持続的にアップグレードさせた。

第三、従業員参与プログラムを開発して、現場の担当者を品質改善の核心成員化させた。

第四、管理者が現場の担当者の参与プログラムを支援させて、その成果を昇進評価に反映した。

第五、人工衛星TV放送システムを導入して'社内ニュースを全体社員にTVと新聞より先に伝達して共同体意識強化を図謀した。

第六、従業員の成果を企業の成果に反映するために業界では最初に利益分配制度を導入した。

第七、顧客が願っていることを把握して顧客の満足度を高めるために最高経営層を顧客との直接対話に参与した。

第八、販売商のサービス・クオリティに対する顧客の評価を聚合するプログラムを導入して、その結果に基づいて選ばれた最高販売商に会長名義の表彰をする制度を定着させた。

このような多様な努力の共通点は何であろうか?それはFord社がビジョンに徹底に附合したことである。結局、ビジョンの実現によって最も重要なことはビジョンを達成するための日常の活動でビジョンとの整合性を確保することである。

---

[18] Kim Hyun Sik, "Visionary Management: Leading to Success," LGERI, *Weekly Economics* 371, 18 July. 1997. (in Korean)

六、優秀な企業ビジョンの條件

6.1 合目的性・具体性・挑戦性

合目的性の意味は諸般経営計画が企業ビジョンに基づいて顧客に価値を提供できる核心力量を確保して活用する方向に設定することを意味する。具体性は計画内容が現実を正確に反映するのは勿論、6何原則に立脚して追後実行の指針するべきであることを意味する。挑戦性の意味は企業ビジョンが組織内構成員の熱望を含めていて、相当な努力があって、達成可能な挑戦的水準であるべきにことを意味する。

例えばワルマート社の場合にはすべての計画が企業ビジョンである顧客第一主義に基盤を置いていて、「5年以内にアカンサソ洲で收益性あ一番高い企業になる。」(1945年)、「4年以内に10億ドルの価値がある企業になる。」(1977年)、「2000年まで店鋪の数を2倍に伸ばして平方ピット当売出額を60%増やす。」(1990年)のような具体的で挑戦的な計画を通じて構成員の熱情を触発して流通業界の超一流企業に成長した。[19]

6.2 効果性・効率性

効果性は樹立された企業ビジョンの方向にすべての企業業務が集中・推進されるべきであることを意味する。効率性は実行過程で必要資源の動員及び組合が浪費せずに最適の方法で行うことを意味する。特に、実行時には原則未遵守を当然視する構成員の考え方が問題になる場合が多い。業務の指針書と体系では企業ビジョンが完璧に整理されていてもこれを遵守するべきの構成員らがこれに従わないと業務計画と運営体系は無用之物になってしまう。大部分企業の場合に顧客滿足のために品質経営体系等を構築したが売出と品質の中から一つを選択する状況で経営層と構成員は売出を優先視して、既存の業務計画と運営体系等を無力化させる場合が多い。しかし、先進企業の場合にはこれとは違うのである。例えばGEの場合にはすべての経営計画と事業計画等が正直性と道徳性に

---

[19] Kim Hyun Sik, "Visionary Management: Leading to Success," LGERI, *Weekly Economics* 371, 18 July. 1997. (in Korean)

基づいて樹立したために実行時価格の談合、不適切な費用配分、政府契約時不適切な反対給付支給等正直性と道徳性を委叛する関聯行為に対しては禁止事項を行動綱領として制定して、遵守・実行している。

6.3 妥当性・信頼性・厳正性

妥当性は企業ビジョンにとって重要な項目を正確に評価することを意味する。信頼性は客観的で一貫した基準による評価でその評価結果に対してすべての社員に共感させれることである。厳正性と言うのは評価結果によって措置と信賞必罰が確実に適用することを意味する。

例えばGEの場合にはすべての事業を「No.1 or No.2」観点でキャッシュフロー・顧客満足度・社員満足度を経営評価項目として厳正に評価する。即ち、No.1になる可能性が高い事業は無理をしても買収するか資源を集中して、成長展望が見えないとか設定された目標を数年内に達成しなかった事業に対しては思い切って売却する。または、研究開発次元でもプロジェクト別収益寄与度評価を通じて失敗の原因を把握して、これに対する解決策等を次期計画に反映している。

6.4 整合性

整合性は経営活動の基本要素が有機的な関聯性の中で企業ビジョン達成のために一つの方向に向けるように結束させる重要な條件である。模範的な経営活動実行の綜合的な例としてモトローラ社の6シグマ運動が上げられる。[20]

モトローラ社は世界最大の通信器機製造業体で有名な超優良企業である。同社は携帯用通信装備事業を中心に倦まず弛まずに成長勢を維持してきたが、1980年代から品質のマーケティング化、顧客満足極大化等を浮刻して現れた日本企業によって市場占有率を蚕食された。この結果、1980年代中盤から同社の主力業種であった携帯用通信装備と半導体部門の売出が下降曲線を現した。この状況で対応策としてモトローラ社が導入したのが「6シグマ運動」である。.6シグマと言うのは本来統計学用語で百万個当3.4個の缺陷、即ち、99.9997%の完璧性を意味する。

[20] Jang Sung Keun, "Be Complete to Business Basic Cycle", LGERI, *Weekly Economics* 440, 12 Nov. 1997. (in Korean)

その当時日本企業の完璧性水準はアメリカ企業を上廻した。これによってモトローラ社は日本企業と品質面で正面対決をするために計画樹立時6シグマ水準と言った挑戦的な目標を設定した。この運動の計画樹立は同社の品質重視の企業ビジョンに確固な土台を置いて経営層の強力な意志喘鳴から始まった。このために経営陣は二つのことを強調した。その一つは6シグマと言う目標水準は製造部門だけではなく営業及びスタッフ組織のような非製造分野と協力業体にも適用することであり、二つ目は品質改善のためにすべての活動を顧客満足と言う上位目標の達成を最優先課題として置いたことである。これによって会長であるGalvinは1989年に10倍、1992年には100倍以上の品質改善効果達成と言った具体的・挑戦的な目標を設定した。

また、生産部門だけでなく供給業者に対しても6シグマ水準の挑戦的な目標を設定させた。これによって6シグマ運動実施以前に5,000社余りに至った供給業体の数が1989年には1,600社まで減って、窮極的には400社余りだけが残された。特に、計画段階ですべての社員は自身が顧客に提供する製品及びサービスがなにであるかを定義して、これに基づいて従業員個個人が顧客とその要求事項を定義した。

実行段階では一旦計画段階で顧客の要求事項が把握されたら、社員はこれを充足させるために責任と権限を持って業務遂行と関聯した体系を再定義してすべての必要資源を確保して完全な顧客満足のために適切な措置を採った。特に、実行段階では品質に関してはすべての社員はだれの指示と監督がなくても組織各階層で発生する重要な意思決定過程に自ら参与することで主人意識を極大化した。また、社員は過程上の失手を防止して、無用な努力を排除して自分の作業内での缺点を最大に減らした。

評価/フィードバック段階では品質目標達成と維持のためのフィードバック過程が重点的に取り扱われる。既に実行されたプロセスの分析及び成果評価を通じて切れ間ない改善努力を遂行することである。ここは必ず缺陷に対する目標値と実際成果との結果を公式化する過程が包含される。特に、この段階で経営層を含めたすべての社員は自身が直接設定した目標水準に対してその達成度を通じて評価される。成果評価に対する透明性のために本部の品質改善委員会で定期的に各事業部別へ100名以上の従業員を対象にインタビューを実施した。これを基にして各部署別品質体系を分析して品質改善過程に対する評価を実施したのである。

6シグマ運動で看過してはいけない最も重要なことは計画⇒実行⇒評価⇒フィードバックの循環過程等経営の基本活動を持続的に関心を持って指導・支援した経営層の役割である。　例えば主要事業部の部署長は1年に8回ずつ最高経営者と品質と関聯した面談をして本部の財務擔当理事は長期戦略的観点で品質改善業務を管理監督した。最高経営者は定期的に品質と関聯したメッセージを全事業場に伝達して従業員の意識を鼓舞した上に、社員に対する教育訓練のために年間1億ドルの豫算を割当した。または、顧客の不満事項を直接聞くことに多くの時間を割愛した。「顧客の要求事項が何であるかを考えずに直接聞いてみろ。」と言ったGalvin会長の言葉は社員に行動方向を明確に提示しているのである。こうした努力の結果、1987年に入ってから、5個年間の計画で推進された「6シグマ運動」を通じてモトローラ社は年間4億8千万ドルの費用節減効果を達成したし、導入初年である1988年だけで前年対比23%の売出伸張と45%に達する利潤の増加を得た。このように6シグマ運動の成功要因は企業ビジョンに根據した具体的で挑戦的な計画樹立、社員に自律権を充分に附与した間違いと浪費が無い実行、厳しくて公廷な成果評価、これと共に経営層の徹底な支援と関心などで要約できる。最近には今までの成功に安住せずに同社は品質に目標水準を一段階高く設定して、10億個当2個の誤差だけを許容することを目標に設定して邁進している。無缺点達成を向けたモトローラ社の挑戦的な姿は色んなことを示唆している。

七、超一流企業ビジョンの條件

超一流企業は単純に規模が大きいとか利益を沢山出す会社ではない。同一業種内で他の会社から幅広く認定されて、社会的にも大きな影響を持っているし、長い伝統に基づいて持続的に成長する会社である。このような超一流企業の條件は次のように要約できる。

第一、超一流企業なるためには経営活動の確固な求心点が必要である。これは経営理念と哲学の問題である。

第二、企業が発展しようとする明確な方向を設定すべきである。即ち、企業ビジョンと戦略方向を明らかに設定することである。

第三、丈夫な経営体制を維持すべきである。これは組織構造と評価体系構築を通じて実現できる。

第四、持続的な革新活動が行なわれるべきである。そのためには実験·学習及び人材開発をモチベーションする制度的装置が必要である。

最後に、経営層が成功に対する強い熱情を基に行動する領導力を駆使すべきである。

このような超一流企業の條件に対して具体的に言うと次の内容である。

7.1 確固な求心点：企業ビジョン

超一流企業の第1條件は企業活動の求心点を確立することである。即ち、その企業だけの差別的な存在目的(経営理念)と基本原則(経営哲学)の定立を通じて、どのような環境変化にも適応する企業ビジョンを確立することである。企業ビジョンと言うのは組織の根本的で永続的な存在目的(Ongoing Purpose of the Organization)である。経営諮問業界で世界最高の企業として認定されているMcKensey & Company社は「我々の顧客が成果側面で持続的で実質的な向上を成り遂げるために手伝って、資質の優れた人材を持続的に流入・開発・保有して、彼らに成長の機会を提供する偉大な企業を作る。」と言うことを存在目的としている。世界最高の製薬会社であるMerk社は「我々の使命は人類の健康と生命を守って、向上させることにあるし、我々のすべての活動はこの目的をどのぐらい達成したかによって評価される。」と記述している。[21]

このように超一流企業はたとえ、その内容は違ってもみんな自分だけの独特で差別的な企業ビジョンをもっている。企業ビジョンは社会的に大義名分を得られる企業だけの本質的な存在理由である。従ってその内容はどのような変化にも影響されずに持続的に追求できるものであると共に、顧客・価値・構成員側面で他の組織とは差別化できる必要がある。そうしたら、すべての社員が組織の一員として自負心とフライドを持って働けるためである。企業ビジョンと言うのは企業理念を達成するための経営活動の細部基本原則(Basic Principles of Management)である。ファインセラミックスで有名な京セラ社の七つ経営原則の中には「利益だけを追求するとはいけない。」と言ったは項目がある。その理由は利益と言うのは顧客と社員満足活動の結果で得られる副産物であって、その自体が追求の対象でないためである。こうした企業ビジョンに基づい

[21] Lipton, Mark, "Demystifying the Visioning Process," *Sloan Management Review*, Summer 1996.

て京セラ社は創業以来今まで毎年20～30%と言う驚くべきの利益を出して継続成長している。また、3Mは「新製品のアイデア重視、善意の失手に対する寛大さ、製品の品質と信頼性確保」等を経営活動の基本哲学として心棒しているし、Ford社は「最初は人間、その後は製品、最後は利益」と言った基本原則を徹底に守っている。こうした超一流企業らの企業ビジョンは無分別な成長とか短期利益追求を優先にする一般的企業の慣行に大きな示唆点を伝えている。

企業ビジョンにも次のような基本要件がある。

第一、企業活動に基本的に必要な概念、即ち、業務・擔当者・利益・組織・領導力・経営・成功等の本質とその意味に対して明確で体系的な記述であること。

第二、実際経営活動と社員の行動指針として活用できるようにその内容が具体的であること。

第三、最高経営者と社員の意志が反映されて共感帯を形成できる内容であること。

7.2 明確な方向：企業ビジョンと戦略方向

超一流企業の第2條件は企業が未来に達成しようとする姿(ビジョン)と事業展開方向(戦略)を明確に設定して組織の力を分散せずに一つの方向に集中させることである。企業ビジョンは未来の特定時点の組織の姿に対する社員の熱望(Aspirations for the Future)である。GE社は「我々がやっている事業で業界1位、はかは2位になる、小企業のスピードと俊敏さを持つように企業を変化させる。」と言うことを企業ビジョンとして成功的に革新活動を推進している。モトローラも「"6シグマ品質水準を達成する。」、「Malcolm Baldrige賞を受賞する。」などのような具体的な企業ビジョンを持っている。

企業ビジョンは組織社員の夢である。だから、構成員個個人の熱情と努力を連結させられるように崇高な意味が附与されるべきであるし、企業ビジョンの内容は組織構成員すべての夢と熱望が表現されるように大きくて、大膽で、挑戦的で、成就可能なことであるべきである。これと共に事実に根據して達成与否を確認できるように具体的であるべきである。戦略方向と言うのは企業ビジョンを達成するための具体的な事業展開方向である。GEは「No.1 or No. 2」と言った企業ビジョンを達成するために体系的に既存事業領域を再分類した。GEの根幹になる事業は核心事業である。核心事業の競争力強化のための尖端技術事業はハイテク事業、または二つの事業群を支援できる事業はサービス事業と定義して，これらに対する投資の核心を明確に差別化したことである。その他の事業に対しては支配的な位置を占めるための戦略駆使の機会を上げって、そうではない場合には売却することを原則に設定した。3Mは接着技術を事業の核心力量として「Post It」と各種テープ等約3万種類の人気製品を出市して成功している。本田はエンジン製造技術・仲介商管理能力・製品具現化能力等に基づいて自転車附着用原動機・オートバイ・乗用車等に事業を拡張した。

このように企業の戦略方向を樹立する時は何よりも正しく事業を定義することが重要である。即ち、製品及び市場のような断片的なことよりは技術・資源・ノーハウ・企業イメージ等を基に定義された核心力量を根據に事業を定義するべきである。また、多様な事業間に連結性あるシナジー効果を得られることも重要である。

7.3 丈夫な経営体制:組織と評価体系

超一流企業の第3條件は自律経営と成果主義が調和された丈夫な経営体制を揃えることである。このためには組織と評価体系を企業ビジョンと附合されるように確かに構築することが必要である。組織構造と言うのは業務の分化体系であって、設計の核心は柔軟であって責任経営を可能にすることである。京セラ社は会社内の小さい利益単位である「アメーバ」と言う極度の柔軟な組織を通じて構成員個個人の責任意識と熱情を引っ張り出して、迅速な環境対応を可能にさせている。ABBは全世界的に1,300社の子会社と21万名の人力をマトリックス組織で運営して、本社にはただ140名の水平組織だけを置いて業務処理の柔軟性をたかめている。また、ブラジルのSemco社は既存の多段階ピラミッド階層構造を解体して4個職責で構成された圓形構造に変更して組織の柔軟性をたかめた。その結果、80年代以後には6倍の成長と7倍の生産性向上及び5倍の利潤増大と言った驚異的な記録を樹立した。柔軟して責任経営が可能な組織の基本要件は次のように整理できる。

第一、平面(Flat)化である。これは垂直的階層段階を縮小して迅速で明確な意思決定ができるようにすることである。

第二、減量(Slim)化である。これは水平組織部門の機能の中で管理・統制機能を縮小して、専門知識と技術に基づいた指導・調整・促進機能が発揮されるようにすることである。

第三、業務別統合化である。これは最終成果物を産出するすべての活動を一つの業務単位組織に統合して責任所在を明確にすることである。評価体系は組織が設定した方向にうまく行っているかを持続的に監督して、その結果によって正しい措置をすることである。

7.4 持続的な革新：実験・学習と人材開発

超一流企業の第4條件は挑戦と実験・学習を奨勵して企業の核心伝統を続けられる人材を意図的に開発して革新を加速化することである。実験・学習の奨勵とは企業の核心理念から逃れない限り既存知識と偏見に拘碍せずにいつも自由に新しい可能性を追求させることである。3Mは自己業務時間の15%は自分なりに使うようにする「15%規則」と新製品のアイデアは何があっても生かせると言った「第11誡命」等の制度を活用して数多い人気製品を出市している。その結果売出の30%以上はいつも最近5年の間に開発された新製品から出る。実験・学習体制の基本要件は社員が失敗に対する怖さを持たずに切れ間なく挑戦できるような環境を用意することである。そうするためには純粋動機による生産的失敗を許容するべきである。目の前に見える成果だけを為主として組織を運営したらその組織の社員は萎縮するしかない。　また、企業特有の色んな独特な制度を作って個個人の創造性が発揮できる雰囲気を造成することも重要である。人材育成と言うのは企業の核心価値と経営が続けられるように必要人材を意図的に持続的に開発することである。P&G社は創業以来100餘年間持続的に人材を育てて、それに基づいて成功している企業である。「Dun's Review誌」によると、P&G社の人材養成プログラムはとても徹底で一貫していて、企業内のすべての職務に人材が薪の積みのように積んでいると言っている反面にP&G社と同じ業種でほとんど同じ時期に出発したColgate社は経営者養成と承継計画の失敗で衰落の道を歩いてきた。その結果、創業当時の本来の企業ビジョンから徐々に離れて、1940年代に入って企業規模はP&G社の1/2、収益性は1/4にも及ばない水準まで落ちってしまった。

超一流企業の人材開発に関しての共通的な特性はつぎのようである。

第一、外部迎入より内部抜擢を優先する。その理由はすべての組織社員に経営者になれる機会と夢を伝えるためである。

第二、愼重で長期間にわたる経営者開発努力と具体的なプログラムがある。

最後は人物を選定する時には核心理念を保存することと共に新しい変化をリードできる人物を愼重に選定することなどがある。

7.5 実行領導力：全組織構成員の参与誘導

超一流企業の第5條件は組織社員の自発的参与をリードして持続的に努力するし能力を発揮させる経営層の実行領導力である。GEのJack Welchは「No.1 or No. 2」と言った目標達成に対する強い熱情と組織に対する愛情と実力に基づいて、一貫で強力な領導力を駆使して組織の成功をリードしている。専門家としての専門能力(Expert Power)を基盤にソフトウェア産業分野の頂上に登ったMicrosoft社のBill Gatesと現場中心の領導力具現を通じて流通業界の1位になったワルマート社のSam Walton、確固な企業ビジョンに基づいて率先垂範する京セラ社の稲森会長等は成功的な領導力を駆使するリーダの例である。

領導力の要諦は部下に自発的に従わせることである。だから、その基本要件は成功に対する強い熱情、組織社員に対する真実した愛情、または該当分野での実力である。リーダはこれを基に企業が遂行する事業の本質を規定して未来のビジョンを提示するべきであるし、これに対して切れ間なく社員と交流して率先垂範と行動する領導力をみせるべきである。

7.6 整合性と持続性の確保

結論的に超一流企業なるためには経営活動の整合性と持続性を確保することがもっとも重要である。整合性と言うのは企業内すべての理念・制度・組織・活動等が分散されずに一つのロジックの下で連結されて強い力を出されることである。企業が整合性を具備するためには先ず、企業ビジョンの体系化と具体化を通じて組織の求心点を確保することが一番重要である。.持続性と言うのはどのような試練があっても企業ビジョンの追求を拋棄せずに、長い間切れ間もなく努力することを意味する。このためには設定された企業ビジョンを一貫して組織活動に反映して実行力を確保するべきである。即ち、企業理念と戦略方向・組織と評価体系・実験・学習と人材開発体制、または領導力に企業ビジョンをそのまま反映して持続的に努力するべきである。

八、結論及び発展方向

今まで大部分企業の経営者と管理者の業務処理方式は戦略的活動より管理的活動に置重して、委任と支援よりは指示と統制中心である場合が多かった。このために内部報告及び会議に使用する時間が多くて相対的に現場を訪問して現場の隘路事項と問題点解決に疏忽したことは事実である。経営基本活動の効果性提高のためには企業ビジョンに根據した現場重視及び一貫した領導力がもっとも重要である。特に、このためには経営層の根本的な役割変化が必要である。即ち、行動の代案を決定して下部に伝達する役割で社員が自ら計画□実行□評価□フィードバックの循環過程を通じて自分で問題を解決できるように指導して、支援する役割が必要である。このためには経営者と管理者が自分の力量を高めるために不断な努力するべきである。このようになると現場の下部経営活動がより活性になるなるだろう。

経営層と管理者の一貫した領導力行使のためには経営評価制度を導入して改善する必要はある。経営評価システムを全般的な経営活動に対する問題の原因と解決策が導出されるように再定立してから経営層と管理者が売出と利益等最終成果に対する過度な執着から脱皮して事業遂行力量提高を制約する問題点の確認と改善のための根本対策を講究できるように誘導するべきである。そうしたら下部にとっては社員も競争力確保に重要な活動を業務の最優先順位に置くようになって組織の運営方式とシステムに対して信頼を持つことになる。

これと共に経営者と管理者は勿論、すべての社員が現状を続続と改善しようとする挑戦意識、実験精神等が容認される基盤と与件の造成もどても重要である。経営の基本活動である業務の循環過程は我々に平凡の中に真理があることを教えている。即ち、企業ビジョンに基礎して挑戦的で具体的に計画をよく立ててこれの実行原則と代案を効果的に実行して、実行成果を持続的に監督して問題の根本的な改善を追求する一連の学習指向的経営活動を通じて超一流企業になれることであろう。企業内大多数の社員は所属企業がよくなるためには外部から何か新しい経営技法とか特別な革新制度が導入されるべきだと考える。しかし、超一流企業への成功秘訣は基本に該当する企業ビジョンを充実に適用して組織力量を拡大再生産するｋとにあるのである。

参考文献

[1]申光龍，“企業願景的探索性研究”，載申光龍、譚俊榮，《企業管理新範式的探索》，中國物資出版社，2001 年 5 月，第 1-20 頁。

[2]李維安、申光龍：『亜洲金融危机中企業生存戦略』，『南開管理評論』，1999 年第 1 期創刊号 。

[3]施振榮，《願景與企業文化》，臺北，大塊文化，2000 年，第 2 頁。

[4]野中郁次郎,「俊敏な知識創造経営」,東京, ダイヤモンド社,1997。

[5] Bartlett, C.A. & Ghoshal, S. "Changing the Role of the Top Management: Beyond Systems to People," *Harvard Business Review*, May-June 1995, pp. 132-142.

[6] Burkan,Wayne C., "Developing Wide-Angle Vision," *Nashville Business Journal*, January 1995.

[7] Clarkson, M.B.E., "A stakeholder framework for analyzing and evaluating corporate social performance," *Academy of management Review*, 1995, Vol. 20, pp. 92-117.

[8] Collins, James C., Jerry I. Porras, "Building a Visionary Company," *California Management Review*, Winter 1995.(http://www.dtic.dla.mil/c3i/bprcd/5230.htm)

[9] Collins, James C., Jerry I. Porras, *Built to Last: Successful Habits of Visionary Companies*, Harper Business, January 1997.

[10] Larwood, L., M. P. Kriger and C. M. Fable, "Organizational Vision," Group & Organization Management, vol.18. no.2, 1993, pp.214-236.

[11] Covey, Stephen R., *The 7 Habits of Highly Effective People*, New York, NY: Simon & Shuster, 1989.

[12] Daniels, John L., N. Caroline Daniels, Global Vision: Building New Models for the Corporation of the Future, McGraw-Hill Inc. New York, 1993.

[13] Deming, W. Edwards, *Out of the Crisis*, Cambridge, MA: Massachusetts Institute of Technology, 1986.

[14] DePree, M., *Leadership is an Art*, Doubleday, New York, 1989.

[15] Dove, R., Hartman, S., and Benson, S., "An Agile Enterprise Reference Model With a Case Study of Remmele Engineering," *The Agility Forum*, Dec. 1996.

[16] Flanagan, Patrick, "The ABCs of Changing Corporate Culture," *Management Review*, July 1995.

[17] Freeman, R.E., *Strategic Management: A Stakeholder Approach*, Pitman, Boston, 1984, p. 52.

[18] Gardner, J. W., *On Leadership*, The Free Press, New York,1990.

[19] Ghoshal, S. & Bartlett, C.A. "Rebuilding Behavioral Context: A Blueprint for Corporate Renewal," *Sloan Management Review*, Winter 1996, pp. 23-36.

[20] Hamel, Gary and Prahalad, C.K., "Competing for the Future," *Harvard Business Review*, July-August 1994.

[21] Jang Sung Keun, "Be Complete to Business Basic Cycle", LGERI, *Weekly Economics* 440, 12 Nov. 1997. (in Korean)

[22] John R. Latham, "Visioning: The Concept, Trilogy, and Process," *Quality Progress*, April 1995, pp.65-68.

[23] Kim Byung Suck, "Successful Company has Philosophy," LGERI, *Weekly Economics* 419, 17 June 1997. (in Korean)

[24] Kim Hyun Sik, "Visionary Management: Leading to Success," LGERI, *Weekly Economics* 371, 18 July. 1997. (in Korean)

[25] Langeler G. H., "The Vision Trap," *Harvard Business Review*, March-April, 1992.

[26] Lee Joo In, "Corporate Idea," LGERI, *Weekly Economics* 445, 17 December 1997. (in Korean)

[27] Lipton, Mark, "Demystifying the Visioning Process," *Sloan Management Review*, Summer 1996.

[28] Martin, Roger, "Changing the Mind of the Corporation," *Harvard Business Review*, Nov-Dec, 1993.
[29] Miles, Raymong E., Charles C. Show, John A. Matherws, Grant Miles, and Henry H. Coleman, Jr., "Organizing in the Knowledge Age: Anticipating the Cellular Form," *Academy of Management Executive*, Vol.11 No.4 1997.
[30] Military Airlift Command, *Leaders-Quality MACSUP 501-4*, U.S. Government Printing Office: 1991-556-543, pp.1-7.
[31] Moorby, E., *How to succeed in employee development: moving from vision to results*, McGraw-hill Book Company (UK) Limited, 1991.
[32] Mullin, Rick, "Knowledge Management: A Cultural Evolution," *The Journal of Business Strategy*, Sep.-Oct. 1996.
[33] Nonaka, Ikujiro, "The Knowledge Creating Company," *Harvard business Review*, Nov.-Dec., 1995.
[34] Peters, Thomas J., Robert H. Waterman Jr., *In Search of Excellence*, New York, NY: Harper & Row Publishers, 1982.
[35] Senge, P. M., & J. D. Sterman, "Systems Thinking and Organizational Learning: Acting Locally and Thinking Globally in the Organization of the Future," *European Journal of Operational Research*, 59(1), 1992, pp.137-150.
[36] Senge, Peter, M., The Fifth Discipline: The Art and Practice of the Learning Organization, New York: Doubleday, 1990.
[37] Senge, Peter., "Building Learning Organizations," *Journal for Quality and Participation*, March, 1992.
[38] Snyder, W., "Communities of Practice: Combining Organization Learning and Strategy Insights to Create a Bridge to the 21st Century, " Presented at the *Academy of Management*, 1997 (contact wsnyder@socialcapital.com).
[39] Steiner, G. A., *Strategic Planning*, Simon & Schuster Inc., 1997.
[40] Sviokla, John, "Knowledge Workers and Radically New Technology," *Sloan Management Review*, Summer 1996.

作者簡介

申光龍(Shin Kwang-Yong)，男，生於 1963 年，韓國慶州人，管理學博士，現任南開大學商學院企業管理系教授、哲學系 2006 級博士研究生。研究方向為整合行銷傳播、企業生存戰略、非營利組織管理等領域，TEL: 86-22-23621900, E-mail: skyin@nankai.edu.cn, Homepage:http://skylab.mbaedu.cn。

語列とテンス形式

檜山千秋

要　旨

言語には基本形、タ形、テイル形などのテンス表現形式があり、それによって言語主体は各個の時間性を表現していると言われる。だが、テンス表現形式と言語主体の時間把握形式には齟齬があることもすでに指摘されている。特に、言語主体の時間意識には流動性や時間の優先関係があるのに対して、言語の表現形式にはそれがない。このことは、言語表現という語列には時間性が託し得ない可能性が示唆されているのではないだろうか。もし語列に時間性が託させないのなら、各テンス形式の本質的な機能・役割りは時間性とは別のところにあると言わざるを得ない。果たしてテンス形式とは何なのか。言語主体と如何なる関係を結んでいるのか。

本論の目的は、言語主体の時間把握形式を研究し、それがテンス表現形式に如何に反映しているか、そして、それによって、語列の多義性が生じる一因を探ることである。

キーワード：語列、言語主体の時間把握、テンス表現形式、時間の流動性、時間の優先関係

語列與時制形式

中國文化大學推廣部
兼任講師 檜山千秋

摘 要

日語有基本形，タ形，テイル形等的時態表達形式，根據這些來表達語言主體的各個時間性。但是，關於時態之表達與語言主體的時間把握形式的不一致已有學者指摘。

特別是語言主體的時間意識有流動性或時間上之優先關係，但與此相對的，語言之表達形式並無此類的關係。此事不就暗示著語言表達的語列無時間性的可能如果不讓語列沒有時間性的話，不得不說各個時態形式的本質性機能、作用與時間是無關的。到底時態形式是什麼呢？與語言主體是如何連結的呢？

本論文的目的是，研究語言主體的時間把握形式，是如何地反應在時態表達形式上呢？並且根據這些來探討產生語列多樣性的原因之一。

關鍵詞：語列，語言主體的時間把握，時態表達形式，時間的流動性，時間的優先關係

一、 初めに

文法研究の大きなテーマとして、テンスというカテゴリーがある。その際、基本形とタ形、テイル形といったテンス形式の意味や機能を問うことが主眼となっている。しかし、これらが必ずしも過去、現在、未来などの時間性と一致していないことはすでに多くの指摘がある。これらは過去、現在、未来のいずれの意味をも（タ形以外は超越的時間性をも表す。以後、これを「超時」と記す）表し得るからである。このような時間性と言語形式の齟齬は何故生じるのか。このことは、必然的に、テンス形式が言語のみで表現され得るのか、という問いかけを呼ぼう。そして、さらに言語形式に時間性が託し得るとかという疑問を湧き起こそう。

本論はテンス形式の意味・用法とは別に、言語に時間性は託せるのか、もし託せないのならそれはいかなる理由によるものなのかという問題を論ずる。

言語の意味は言語主体を離れて成り立たない、と多くの研究者が指摘している。確かに、それはその通りであろう。そして、１つのテンス表現形式に多義性がある事も、このことと無関係ではないだろう。もしそうなら、日本語の時間表現形式を探求する為には、言語形式と言語主体の時間把握形式の齟齬を明らかにすることから始めなければならないだろう。従来、この両者の齟齬を論ずる事は多くはなかった[1]が、それが言語の意味を左右する上で大きな制約力を持つとしたら、この探求は重要なはずである。

二、テンス形式の問題点

テンス形式とは、

文において語られる事態が、過去・現在・未来という時間軸上に占める位置を基準時点との前後関係から観察して表示する形式

[1] 山本(2005)では、話者の「現在」に対する時間認識態度として、「同位置」認識スキーマが挙げられているものの、元来が「現在」にテーマを絞った論文であるだけに、「過去、「未来」、「超時」に関する考察はない。

と、一般的には考えられている。だが、この場合、基準点が必ずしも一定していないことも、すでに指摘されている。事実、次の例に見られるように、テンス形式の時間性は一定していない。

基本形
2005年、名古屋万博が開催される。→ 過去
変な音が聞こえる。 → 現在
後で友だちと会う。 → 未来
1と1を足すと2になる。 → 超時
タ形
食事は済んだ。 → 過去
こんなところにネズミがいた。 → 現在
さあ、早く帰った、帰った。 → 未来
テイル形
締切りの時間はもう過ぎている。 → 過去
外に雪が降っている。 → 現在
来年、私は社会人になっている。 → 未来
地球は太陽の周りを回っている。 → 超時

基本形とタ形は過去と非過去のテンス的対立事例として長く論じられて来たが、基本形が積極的に現在を表すのは「いる」、「ある」などの存在表現と、「見える」、「聞こえる」、「思う」、「言う」などの知覚動詞を含めた広い意味での知覚表現、及び可能表現である。例えば、

(1) この料理は私の口に合う。
(2) 頭がズキズキする。
(3) 私は英語ができる。
(4) 東京から富士山が見える。
(5) 明日は晴れると思う。

(1) と (2) の例文は知覚動詞ではないものの、広義の知覚表現だと言える。(3) と (4) は可能表現だが、そもそも可能表現とは或る能力の

存在、或る可能的事態の存在を表したものである。その能力の発揮や可能的事態の実現を語っているのではない。そのため、広義の存在表現と見ることができるだろう。従って、基本形が積極的に現在を表すのは「存在表現」と「知覚表現」に限られていると言ってよい。

では、「存在表現」と「知覚表現」は如何なる関係を持っているのか。仮に相対立するものなら、両者が基本形という同一形式によって表現されることはないだろう。知覚とは、或る事物が把握範囲内に存在することを感知することである。そして、今現在、眼前にしていない限り、我々はそれを実体的に把握することは不可能である。知覚は或る事物が現に目の前に存在しているという事実によって支えられている。 従って、知覚表現もまた存在表現の一種だと言わざるを得ない。

また、基本形は過去を表す場合は箇条書きのように概念を述べるだけであり、それが過去の事態であることは時間詞、もしくは言語主体間の知識によって支えられている。そして、それ以外は未来の事態や超時を語るのが普通である。

テンス的過去とされるタ形が基本形と違うのは超時を表さないことである。また、現在を表す場合、基本形に見られるような制約がある。

(6) バスが来た。
(7) こんな所にいた。

(6) はバスが今、言語主体の視界に入ったことを表しており、出現の意味である。(7) は何かを発見したときの表現であり、発見の意味だが、言語主体の視界に入ったという点では (6) と同様である。また、次のような例もある。

(8) やっと、京都に着いた。
(9) 凄い、あんな重いものを一人で持ち上げた。
(10) おもしろい映画が始まった。

これらの共通点は今この場にその事態が出現したということである。つまり、基本形と同様、タ形が現在を表す場合も、現に目の前に存在しているという事実によって支えられているのである。

テイル形はテンス形式としてよりもアスペクト形式として論じられることが多い。テイル形の基本的機能は事態の継続である。テンスは基準時点から見た前後関係を観察するものである以上、必然的に事態がいつ発生したかに焦点が置かれるため、継続性はテンス性が希薄であると言わねばならない。だが、そのテンス面を重視すると、基本形と同様に過去、現在、未来、超時のいずれも表し得る。

(11) 昔、大震災が起きている。 → 過去
(12) 彼は公園を散歩している。 → 現在
(13) 来年はいい年になっている。 → 未来
(14) 地球は太陽の周りを回っている。→ 超時

以上が単文におけるテンスだが、複文の場合、基準点が発話時点であるケースもあれば、相対的な前後関係によって決まるケースもある。工藤(1995) は「文によってある出来事を伝えようとする場合、その出来事の成立時間をなんらかのかたちで指示する必要が生ずる」として、その時間的位置づけに関わる意味・機能的カテゴリーを「テンポラリティー」と呼び、その表現形式として「文法的(形態論的)カテゴリーとしてのテンス」と「語彙的なものとしての時間副詞」の2つに区分にしている。そして、発話時点を基準にした場合を「絶対的テンス」、出来事時を基準とする場合を「相対的テンス」としている[2]。

例えば、

(15a) 落ちていた財布を拾った。
(15b) 落ちている財布を拾った。

(15a) は「落ちていた」と、発話時点から見てすでに起きている事態を表しており、(15b) は「落ちている」と、「財布を拾った」時点を基準として、「(財布が) 落ちている」ことと、「財布を拾った」ことを同時事態として表している。このように、発話時をもって現在とする(すなわち、「発話の現在」)か否かによって、絶対的テンスと相対的テンスというかなり異なるスタンスを呈するのである。

[2] 工藤 (1995) p177-178

これに関して、三原(1992)は次のように公式化している。

主節・従属節時制形式が同一時制形式の組み合わせとなる時、従属節時制形式は発話時視点によって決定される。

主節・従属節時制形式が異なる時制形式の組み合わせとなる時、従属節時制形式は主節時視点によって決定される。

樋口(2001)はこの説を支持し、このような視点の移動が起きるメカニズムの解明を試みている。しかし、樋口論文には、基本形の用法に関する欠落があると言わねばならない。樋口は基本形を

事態をその途中から、またはこれから成立するものとしてイメージさせる意味機能を持ち、タ形は事態を既に成立したものとみる認知視点を導入する働きを持つというように考えてはどうか[3]

という提案を行なっているのだが、衆知のように、基本形は次に見られるような超時的な用法もある。

(16) 春には花が咲く。
(17) ４年に一度オリンピックが開催される。
(18) 水は１００度で沸騰する。

これらはいずれも、事態がその途中から成立するものでもなければ、これから成立するものとしてイメージするものではない。言わば、時間性を排除するものなのである。テンス研究の際、これらを除外することもあるが、現にこういう用法がある以上、これらの存在意義を考察することも重要ではないかと考える。

中村(2001)は、「三原の発話時基準点は、主節、従属節がともにタ形である場合には、下の三つの可能性のどれかを表す」としている[4]。

a．従属節時＜主節時＜発話時
b．従属節時＝主節時＜発話時
c．主節時＜従属節時＜発話時

---

[3] 樋口(2001)p.79
[4] 中村(2001)p.108-111

中村は「〜ノデ」の従属節の特徴と「〜アトデ」の従属節の特徴の相違に着目し、「卒業した後で、旅行する」と「卒業したので、旅行する」の後者の文のテンス解釈に関して、「従属節＜発話時」という情報が必要だと説いている。つまり、「〜ノデ」の従属節による制限だということだが、このこともテンスの相対性を裏付けていると言ってよいだろう。

絶対的テンスを論じる際、大きく問題となるのは、「発話の現在」ということである。そもそも発話の現在とはいかなることをさしているのか。そして、いかなる条件のもとで成立可能なのか。

もし言語主体が発話した時点をもって現在とするなら、その現在という時間性は言語形式にとっての現在という時間性ではなく、言語主体にとっての現在という時間性であるはずである。仮にその時の言語形式が現在としての時間性を帯びていたとしても、その時限りのものであろう。一度発話された言語は時間を経れば過去の事態として理解されるほかないからである。例えば、

(19) 巨人が勝っている。

という表現も、言語主体の時間把握を捨象すれば、時間性は不特定になる。発話時点においてはまさしく現在そのものであるが、時間を経た場合、過去の事態にならざるを得ないからである。その場合、テイル形の持つ「継続」という機能から見て、必然的に過去の事態の現在に至る継続という理解がなされる。このように、一度発話された言語は可変性を持たず、固定的なのである。

三、 言語主体の時間把握と言語形式の不一致

このような齟齬が生じる原因は、言語の形式自体と言語主体の時間把握概念の不一致によるものだと思われる。

そもそも過去、現在、未来、超時という時間概念は言語主体の時間把握形式なのであって、言語の時間表示形式ではない。言語にあるのは、あくまでも基本形、タ形、テイル形といった語列であるに過ぎない。従って、これらをそのままテンス形式にあてはめてしまうことには再考の余地があ

ると言わざるを得ない。すなわち、言語形式では時間を表現し得ないことが存在するという可能性が予想されるのである。

では、言語主体の時間性を表すためには、言語形式には何が欠けているのか、次にそれを論じてみたい。

言語主体が時間の流れに従って、その意識の存在を常に現在に置くためには、少なくとも次の二点が前提条件となっていなければならないだろう。

1．時間に対する流動性の存在
2．現在に対する優先性の存在

3.1 時間に対する流動性

ここで言う流動性とは、時間的に固定的ではないということである。言語主体の基準時点が発話時点であるとするなら、それは固定性があってはならない。それゆえにこそ、発話の現在は時間の流れと共に流動的であるし、常に発話の現在を確保できるのである。また、このことによって我々は始めて目前の事態を「変化」として知覚し得る。変化とはすなわち事態の流動性にほかならない。言語主体にとって、事態を流動的に把握できるのは現在をおいてないのである。それに対して、過去と未来は流動性を持たず、固定的である。現在という時点で過去と未来を語る時、それらはすでに言語命題として固定された事態と把握されるからである。そうである以上、すでに語られた言語は変化することなしに時間の流れに取り残されざるを得ないだろう。例えば、

(20) 彼は大学院を卒業している。
(21) 明日の7時に東京へ着いている。

のように、過去と未来が流動的と捉えられるとしても、それはあくまでも言語主体の時間把握によるのであって、語列に表れたテンス形式によるものではない。言語形式に流動性がないということは、発話の現在と対応することが一瞬しかないことを意味しているだろう。従って、言語形式の基準点はすぐに時間の流れに取り残されて、相対的にならざるを得ない。

例えば、

(22)コンピューターの雑誌を読んでいる。

という文は既に言語命題として完結している。発話時は現在の状態を表していても、時間を経れば言語主体の時間性との間に齟齬を生じて過去の命題とならざるを得ない。その結果、「読んでいる」という語列の意味が変容して過去の事態を表す表現になる。語彙に多義性をもたらす為には、状況によって語義が変化するという可変性がなければならない。可変性はまた視点の移動を可能にするであろう。

無論、可変性は語彙に多義性をもたらす要因の全てではない。例えば、金田一（1950）は動詞を次のように四分類した。

状態動詞　現在の状態を表すためにテイル形が付かない。

継続動詞　ある期間内に連続して行われる動作・作用を表し、テイル形を付けると進行形になる。

瞬間動詞　瞬間的に終わる動作・作用を表し、テイル形を付けると、その結果が残存していることを表す。

第四種の動詞　常にテイル形を付けて表わされる。

つまり、これらは語義による分類なのである。しかし、テイル形という言語形式自体に、基本形・タ形と違う機能が備わっていない限り、言語主体が流動性を表現することはできないはずである。従って、語彙的意味と離れた言語形式自体と機能を問う必要もあろう。

テイル形の持つ機能とは「継続・進行」である。上記の動詞の内、継続動詞と瞬間動詞にテイル形が使用された場合の特徴を比較してみよう。継続動詞が事態の継続を表すからには、事態の発生時点と終了時点の間に中間的な継続時点が存在していなければならない。従って、継続動詞は事態の発生と終了時点をどこに取るかによって、過去から現在までの継続を表すことも可能であるし、現在から未来、また過去から未来までの継続をも表し得る。それに対して、瞬間動詞はまさしくその一瞬の変化を表すので、継続時点が存在しない。この場合、旧事態の終了時点と新事態の発生時点が等しい。そのため、過去の事態に関しては、新事態の発生という結果の存続を表し得ても、現在までの発生の進行を表すことができないのだと思われる。

3.2 時間の優先関係

時間の優先関係については、まずテンス形式の優先関係言語と主体の時間優先関係とは異なる点が重要であろう。

テンス形式において、基本形が過去の事態を表す場合、意味内容が概念化されている。タ形が非過去の事態を表すことも同様である。これらのケースからは、基本形とタ形の意味が感じ取りにくいので、基本形は非過去の意味が優先され、タ形は過去の意味が優先されるように感じられるが、あくまでもそれは感覚的なものであり、これらは厳密な優先関係によって規定されているわけではない。それに対して、言語主体の把握する時間性は必ず現在を優先させる。それは視覚、聴覚、味覚、臭覚、触覚といった人間の知覚器官が、現実に外界と接するのはあくまでも現在に限られているからである。そして、それゆえにこそ、知覚表現は基本形のままで現在を表し得るのである。また、存在表現が基本形で現在を表現可能なのも、眼前の存在を実体として知覚しているからであろう。その意味で、存在表現も広義の知覚表現に包含されると言ってよい。

現在とは、言語主体と外界とが同時に存在している状態である。言わば「話者と外界の同時存在性」、これが即ち現在である。それに対して、過去と未来は言語主体と外界が分離している状態である。そのため、過去は現在よりも前、未来は現在よりも後という前後関係以上のものではあり得ない。このような前後関係の把握は時間把握と言うよりも空間把握に近い。現在は過去と未来の前後関係を規定しており、現在を基準にして時間性は成り立っている。過去を強く意識した表現でも、現在を意識しないと過去は成立しない。そして、過去、現在、未来のそれぞれの幅は一定せず、例えば、「現在」を例に取っても言語主体の関心の幅に応じて大きく異なる。それは或る時は一瞬であろうし、また或る時は悠久の時間を示すだろう。

（23）現在、11 時 15 分 30 秒です。
（24）現在、人類が地球を支配している。

言語形式と言語主体による時間概念の不一致は、言語の形式自体に時間概念が備わっていないことを意味している。

3.3 テンス形式の役割

では、個々のテンス形式はいったい何を表しているのか。

基本形の場合、先にも述べたように、現在の事態を表すは広義の存在表現に限られている。そして、過去の事態と未来の事態とでは、大幅に様相が異なっている。

(25) 昨日、寿司を食べる。
(26) 今晩、寿司を食べる。

(25) では概念のみを表す「食べる」が、(26) では話者の意志を明確に表している。このような様相の相違が生じる原因は、過去と未来という時間性に由来するはずである。過去の事態はすでに発生しており、その結果が眼前に提示されている。それに対して、未来の事柄は未だ存在していない。言わば、過去と未来は現実上に既発生か未発生かで対立しているのである。既に発生している事態について、人は語る言葉をあまり多く持たない。眼前の事態に対しては、ただ客観的に承認するしかないという一面が存在しているからである。一方、未だ発生していない事態に対しては、それを予想することもできるし、要望することもできれば、実現を意図することも可能である。このような表現の多様性が可能なのは、未来の事態が未定であり、そこに言語主体の意志や予想、願望などと言った主観をこめやすいからであろう。このように、基本形が積極的に多様な意味を表すのは未来の事態に限られている。未来の事態以外に対しては、語彙的概念を表すだけである。それゆえ、基本形は未来の事態、すなわち、未発生事態を表す形式だと言えよう。

タ形が基本形と比べて際立っているのは、超時を表さないことと、意志や予想などの意味に形成しないことである。

超時は時間性を排除しなければ成り立たない概念であり、テンス形式の内、タ形のみがそれを表さないのは、タ形が本質的に時間性と密接な関わりを持つことを示唆している。時間とはすなわち事態の変化であり、人はそれを新しい事態の発生として把握するだろう。すなわち、旧事態が終了して新事態が発生したという捉え方なのである。タ形の基本は事態の既発生を表すのである。これは、超時の持つ時間性排除とは相容れない。従って、タ形は超時を表すことができないのだと思われる。

意志や予想に関しては、先にも述べたように、未発生事態だからこそ語れることなので、タ形では表わしにくいものの、次のような例もある。

(27) もう、やめた、やめた。

これは未来の事態というより、その時の話者の意志の発生を表現している。

テイル形に関しては、3.1 にも述べたように、事態の継続・進行が基本的機能である。だが、基本形が超時的な真理を表すと同時に、テイル形もまた超時的な真理を表し得る。

(28) 宇宙は膨張している。
(29) 太陽は燃えている。

基本形のそれが基準時点のない真理であるのに対して、テイル形のそれは現在を基準時点とした真理である。現在を基準としている以上、それは不変的・永続的表現とはやや様相を異にする。(28) や (29) のような表現はあくまでも現在の進行的・継続的状態を述べたに過ぎず、言わば、現時点における言語主体の時間把握を過去・未来にまで拡大したものであり、その不変性・永続性は言語主体間の常識によって支えられていると言わざるを得ない。従って、テイル形もまた、その言語形式のみでは時間性を表現できないのである。

既述したことを纏めると、次のようになる。基本形は或る概念の存在を告知するだけであり、現実に発生したこととは無縁である。それが時間性を帯びるのは、あくまでも言語主体の時間把握と結合した結果である。タ形は概念の現実発生を語るものである。テイル形は概念の現実継続を表すものであり、流動する時間の中では相対的な基準時点を表す。

基本形、タ形、テイル形を相対的に比較すると、最も積極的に時間を表しているのはタ形である。それに対して、基本形は時間性が漠然としている。言語主体が時間性を把握するために、第一条件として必要なのは

「事態の発生」である。タ形が相対的に時間性を表すのも、この第一条件に関与しているからであろう。第二条件は「事態または結果の継続」である。「事態の終了」は必ずしも必要条件ではない。事態が発生して、それが継続していれば、それだけで時間の前後関係が生じるからである。基本形が相対的に時間性を表しえず、概念の内に閉じこもっているのは、これらの条件に関与していないからであろう。

四、結語

以上、言語のテンス表現形式と言語主体の時間把握形式間における齟齬を観察することによって、テンス形式が時間性を表す場合、テンス形式そのものが時間を表現しているのではなく、言語主体の時間によっていることが分かった。このことは言語には時間性が託し得ないことを示すのであるが、却って、そのために多様な意義を表現し得るのであろう。多様性は不確定性の中にこそ存在できるからである。

参考文献

海老沢善一 (1981)。**存在・論理・言葉**。東京：弘文堂出版。
植村恒一郎 (2002)。**時間の本質**。東京：勁草書房。
カッシーラー (1994)。**シンボル形式の哲学 1(岩波文庫)**。東京：岩波書店。
カッシーラー(1994)。**シンボル形式の哲学 3(岩波文庫)**。東京：岩波書店。
金田一春彦 (1950)。「**国語動詞の一分類**」日本語動詞のアスペクト。(1976) むぎ書房に再録。
串田秀也・定延利之・伝康晴編 (2007)。**時間の中の文と発話 シリーズ文と発話第 3 巻**。東京：ひつじ書房。
工藤真由美(1995)。**アスペクト・テンス体系とテクスト：現代日本語の時間の表現**。ひつじ書房。
小林則子 (2003)。「動詞＋テイル」の意味と解釈。*Sophia Linguistica,51*, 75-90。
中村ちどり(2001)。**日本語の時間表現**。東京：くろしお出版。
樋口万里子 (2001)。日本語の時制表現と事態認知視点。**九州工業大学情報工学部紀要(人間科学篇)，14**，53－81。
町田健 (1989)。日本語の時制とアスペクト。東京：アルク。
三原健一 (1992)。**時制解釈と統語現象**。東京：くろしお出版。
山口明穂 (1989)。**国語の論理**。東京：東京大学出版会。
山田孝雄 (1908)。**日本文法論**。東京：宝文館。
山本雅子 (2005)。テイル形式の認知的意味。**言語と文化，13**，89-101。

作者簡介

檜山千秋 中國文化大學推廣部兼任講師

第十一章

中国語教育における文法の実践的教授法をめざして―初学者向け授業における方法論を中心として―

大野 広之

摘 要

本発表では、中国語を大学一年次にはじめて学習する学生に対して、文法を授業の中でどのように導入すれば学生が無理なく学習できるのかを中心課題として取り上げる。中国語は、語順が重要な言語の一つであり、統語規則を理解すること即ち文法を習得することは大変重要である。ここでは既に母語の他に第一外国語（主として英語）を学習歴に持っている学生を対象として「学習者」「教授者」「教材」の観点から教室環境について考え、各々が抱えている問題点の背景について言及し、学習者が陥りやすい作文例を具体的に取り上げつつ初学者に対する中国語の授業展開について述べていきたい。

一、はじめに

中国語を教える際に、殊に入門段階の初学者においてはまず発音を習従することが重要と言われている。しかし、学習が進んでくると統語規則即ち文法について理解を深めることについても学習者の中国語運用能力を高めるためには必要丌可欠であると言ってよい。

本稿では、筆者が授業を担当する埼玉女子短期大学（埼玉県日高市）、慶應義塾普通部（神奈川県横浜市）、以前勤務した大妻中野中学校高等学校（東京都中野区）などで従た教員経験並びに中国語教育に関する論文などに紹介されている授業実践例をもとにして、対象となる学習者を大学一年次における第二外国語の初級クラスと仮定して現場における具体的方法論構築を目指して述べていくことにする。

中国語は、語順が重要な言語の一つであり、統語規則を理解すること即ち文法を習従することは大変重要である。殊に本稿で述べていくときには対象を大学一年次としているため、既に母語の他に第一外国語（主として英語）を学習歴に持っている学生を前提としている。そこで、まず「学習者」「教授者」「教材」の観点から教室環境について考えてみたい。「学習者」は、第二外国語として中国語を自らの意志で選択したと考えてよいが、その動機や目的は多岐にわたっているだろう。とりわけ昨今においては、日本における中等教育段階の学校文化が変化していること、すなわち尐子化によって学生・生徒の学習意識が希薄化しており、意欲的学習態度の欠如、または内発的動機付けが丌十分なまま教室に出てくる学生の割合が目立つようになった。そこで、「教授者」としては、従前のように学習項目を黒板に書いて語学の授業を展開することのほかに、学生の興味が授業内容以外に傾くことのないように教室管理に心を砕くことが多くなってきたのである。さらに「教材」においては、教学経験や著者の先生方の興味関心などからも極めて多岐にわたったテキストが用いられている。そのような教育環境の中で、中国語をどのようにして学生に教えていくかは、受講者の反他や興味関心の度合いなどを考慮に入れつつ、学生の状況に合わせた授業展開を行うことが肝要であるが、とりわけ「文法」という領域においては、芳しくない印象を先入観として抱いている学生も尐なくはない。しかしながら、現状から説き起こし、中国語を教える方法論に対して何らかの決定打はないものかと探りながら前進していく以外に方法はないのではないか。そうした状況の中で、まずは中国語に接したときに見られる初学者の抱きがちな印象を考えてみたい。

中国語は語順が決め手となる言語である。語順といえば、大部分の学生は中等教育段階において既に英語を学習してきているため、学習者の興味・関心を惹くために英語と中国語は語順が似ていると教授者の方で説明を開始すると、時には既習外国語（英語）に基づいて中国語の語順も同じなのだとデフォルト評価してしまい、かえって中国語の文法学習に問題が生じてしまうということも十分起こりうる。

＜例文１＞ 私は明日学校に行く。

（誤）＊我去學校明天。 →（正）我明天去學校。

＜例文２＞ 私は慶應大学で中国語を学ぶ。

（誤）＊我學中文在慶應大學。 →（正）我在慶應大學學中文。

単に「英語と語順が似ている」と教授者が発言してしまうと、かえって英語を過剰に意識するあまり、中国語の統語規則理解に支障を来してしまう虞が生じてしまう。

こういうときは、学習者の母語である日本語と比較した方が、初学者の学生にとっては理解しやすいのではないかと考える。以下に例を示したい。

＜例文３＞ （介詞構造）

我在日本學中文。 私は日本で中国語を学ぶ。

＜例文4＞ （時間名詞）

我明天去。/ 明天我去。 私は明日行く。／明日私は行く。

＜例文5＞ （修飾＋被修飾）

我就去。 私はすぐ行く。

以上ここに挙げた以外にも例はあるのであるが、中国語という第二外国語を学習するという意識は時に学習歴のある英語に鞘寄せされてしまうことを常に念頭に置きつつ授業展開を考えていかねばならない。

二、初学者向け授業における具体的方法論

2.1‘是’の用法

中国語を学習し始めるときに出てくるのがコピュラや判断を伴う「是」である。学生に作文課題を出すと次のような誤文が散見される。

＜例文６＞ 最近私は忙しいです。

（誤） 最近我是很忙。→（正） 最近我很忙。

＜例文7＞ 私たちは中国に行きたいです。

（誤） 我們是想去中國。→（正） 我們想去中國。

上記二例においては、学習者は明らかに「是」を単純に「～である／～です」と認識している。授業展開においては、わざわざこのような誤用を避けるよう指導することもないと思うが、しかしながら、教授者の予想とは異なった印象を学習者が抱いてしまうのはなぜであろうか。

これはおそらく、,我是學生”という単文を最初に教える時に、使用頻度の高い単語であるために‘是’の後の名詞句をいろいろ変えて学習者に定着を図ろうと教授者が練習を促しているうちにごく自然に学習者が認識していくのであろう。もちろん形容詞述語文を学習するときには‘是’は丌必要であるのだが、学習が進んだ中級者以降の学生にとっても時には誤用が見られることがある。これは私見だが、最初に形容詞述語文から教えてその後に‘是’を伴った名詞述語文を教えていくのはいかがであろうか。形容詞述語文は構文も簡単で学習者も理解しやすいのではないだろうか。

2.2否定辞‘不’‘沒’の用法

次に中国語における否定の表現を教える場面を考えてみることにする。一般にこの両者は次のようなとらえ方をする。

‘不’：「行動意識」の段階を否定→話者の意志を伴った否定

‘沒’：「動作実行」の段階を否定→話者の意志を伴わない否定

この点について、先行研究では以下に示す二氏が次のような見解を示している。

研究者 ‘不’ ‘沒’

呂叔湘 主観的意志を伴った否定 客観的変述を伴った否定

劉月華 事実に対して話者の行動 事情の発生から話者の具体的行為

する可能性を否定 の実現が否定される

（又）願望・判断の否定 （又）発生・変化の否定

ここで問題点となるのは二氏とも‘不’‘沒’の使い分けを制約する要因について、その意味的相違を詳述していないという点である。そこで朱継征は、この問題点を解く鍵は動詞諸相にあるとした上で、非動詞諸相を示す表現には'不'を（→＜例文８＞）、偶発的、一時的原因によってその動詞諸相に動的な動きが含意されるときには'沒'を用いる（→＜例文９＞）と説明している。

＜例文８＞

媽媽有時候給我點心錢，我不肯花，餓著肚子去上體操，常常要暈過去。

（母は時折私に小遣いをくれたが、私は決して使わなかった。おなかをすかしたまま体操に行き、目眩を起こすこともしばしばだった。）『老舍選集·第二卷』

＜例文９＞

這本小說我看了三天也沒能看完。

（この小説を三日読んだが、まだ読み終えていない。）

上記に挙げた二つの例文から、'不'は心理的状態や行動意識の段階だけを否定しているのに対し、'沒'は心理的状態や行動意識の段階を認めた上で、その行動が実行段階に入ったところを否定すると朱継征は捉えている。

　この朱継征が提出した考え方を援用して、初学者が往々にして誤用を犯してしまう次の例について考えてみよう。

＜例文１０＞

（あなたは本を持っていますか、と尋ねられて）

*我不有書。

（＊私は本を持っていない）

＜例文１１＞

（あなたは本を持っていますか、と尋ねられて）

我沒有書。

（私は本を持っていません）

　初学者はたいてい日本語や漢文学習の経験から時には即座に＜例文１０＞のような他答をして、教授者をびっくりさせることが往々にしてある。殊に中国語ネイティブの先生にとっては、想定外の表現なのであろうか、時として教室という環境であることを失念されてしまい、怒りのあまり教員室に戻られたことも筆者は経験した。

　このような根本的誤用を解くためには、'不'は心理的状態や行動意識の段階だけを否定しているために、自分の意志を積極的に投影しているのが'不'の用法には時としてあると学習者に注意を促すことが肝要である。また、否定の表現に関しては、このことのみならず、幅広く例文を紹介してその理解につとめるよう指導することも忘れてはならない。
併せて、次のような例文で考えてみる。
<例文１３> 私は中国に行ったことがない。
（誤）＊我不去過中國。 →（正）我沒去過中國。
<例文１４> すみません、私にはわかりません。
（誤）＊對不起，我沒知道。 →（正）對不起，我不知道。
<例文１５> 日本人は他人にあまり関心がない。
（誤）＊日本人對別人沒關心。 →（正）日本人對別人不太關心。
特に<例文１３>のような誤用は比較的顕著に見られる。これはやはり、前に述べた日本語や漢文などの学習経験がときには障碍となってしまう例であろう。

2.3アスペクト‘了1’及び語気助詞‘了2’の用法

‘了1’‘了2’については、学習者の外国語学習経験における負の側面が現れやすい用法の一つであると言ってよい。殊に、英語の「現在完了」「過去完了」などの学習経験が惹起されて、かかる英文法の常識や母語である日本語的思考が共鳴増幅されやすく、なおかつ英語や日本語の時制概念から脱却できずに‘了’を付けなければ丌安に陥ってしまう学習者も多いのではなかろうか。

‘了1’は言うまでもなくアスペクトを表す助詞である。中国語ではテンスとアスペクトは別物として認識されており、独立的に用いられる。時制は通常時間を表す品詞にまかされるが、ここでいう‘了1’はあくまでも完了・実現を表すテンスの束縛を受けない自由なアスペクトである。これに関しては、多くの誤用例が見られるのであるが、殊に否定を伴った誤用について考えてみたい。
<例文１６> 昨日は暑くなかった。
（誤）＊昨天沒有熱了。 →（正）昨天不熱。
<例文１７> 昨日私は中国語を三時間勉強しなかった。
（誤）＊昨天我不學習三個小時的漢語了。 →（正）昨天我沒有學習三個小時的漢語。

本稿で取り上げた否定を表す‘不’‘沒’と‘了1’とが同時に出てくると、学習者は頭の中が日本語や英語の学習経験に依拠してデフォルト評価してしまい、中国語におけるアスペクトに関する知識はなかなか発動され

にくい状況に陥ってしまうのである。また、ここに至るまでの単純な誤用例から見ていくと、
＜例文１８＞ 昨日は暑かった。
（誤）＊昨天熱了。 →（正）昨天熱。
これは日本語的思考に鞘寄せされた誤りである。
＜例文１９＞ 私は去年中国へ留学に行くつもりでした。
（誤）＊我去年打算了去中國留學。 →（正）我去年打算去中國留學。
情態動詞‘打算’には‘了’は丌要である。
＜例文２０＞ 私と山田さんはよく東京へ行きました。
（誤）＊我和山田常常去了東京。 →（正）我和山田常常去東京。
恒常的習慣を表す語があれば、‘了’は丌要である。
また、以下には‘了’の文中における位置の誤りについて例文を掲げることにする。
＜例文２１＞ 彼は中国語辞典をテーブルの上に置いていた。
（誤）＊他把中文辭典放了在桌子上。 →（正）他把中文辭典放在桌子上了。
動詞＋‘在’の形ならば、‘了’は文末に置かねばならない。
＜例文２２＞ 私たちは東京へ映画を見に行った。
（誤）＊我們去了東京看電影。 →（正）我們去東京看電影了。
日本語的思考の影響で‘去了’としてしまった誤用である。
また、‘了1’‘了2’の混乱した誤用例も見られる。
＜例文２３＞ 私は学校の食堂でコーラを一杯飲んだ。
（誤）＊我在學校的食堂裡喝一杯可樂了。 →（正）我在學校的食堂裡喝了一杯可樂。

目的語を取る場合、その目的語の前に数量詞などの定語の有無によって‘了1’‘了2’のどちらかを省略することは‘普通話’の決まりであるが、学習者は混乱を起こしやすい。
＜例文２４＞ 私は図書館へ行った。
（誤）＊我去了圖書館。 →（正）我去圖書館了。

この場合は、‘了1’‘了2’の混乱がひとたび頭の中で起こってしまうと、学習者は結果として母語や英語の学習経験に依拠したデフォルト評価に甘んじてしまうのである。
さらに動詞が重ね型になると以下の例も見受けられる。
＜例文２５＞ 私は先生にその質問をしてみた。

（誤）＊我問問了老師那個問題。 →（正）我問了問老師那個問題。
重ね型の場合は、‘V了V’とする。

こうしてみると、‘了1’‘了2’について正しい用法を学習者が習従するためには、授業時間に何度も繰り返して例文を暗誦させるとともに、練習プリントを配布して学習者が実践的に演習を重ねていく以外に決定打はないのではないかと考える。あとは、授業を離れたところで、学習者が中国語のテレビドラマや映画・音楽など生きた言語資料に触れて行くうちに身につけていくのが理想的ではあるが、あくまでも授業時間にそうした言語資料を紹介できる状況があれば、さらに確実なものとなるであろう。

2.4‘把’字句の用法

この用法は、日本語と中国語の語順に関わる問題であり、‘把’を日本語の「を」にあたると単純に思い込んでしまうと、目的語にあたる部分をすべて日本語の語順に当てはめようとする傾向が学習者には散見される。
＜例文２６＞ 彼は御茶を一杯飲んだだけで出て行った。
（誤）＊他只把一杯茶喝了就出去了。 →（正）他只喝了一杯茶就出去了。
‘把’字句の用法は処置式構文と呼ばれるもので、‘把’の後に来る目的語は既知のものでなければならない。とすれば、初出の目的語を表すときは、中国語の基本的語順に従うのが通例である。
＜例文２７＞ 私はこの絵をうまくかけない。
（誤）＊我把這個畫兒畫不好。 →（正）我畫不好這個畫兒。
可能丌可能を表す補語構造には‘把’字句は用いることができない。動詞的な成分を失って補語を成していると判断されるためである。
＜例文２８＞ 私たちはこの計画を実行しなければならない。
（誤）＊我們要把這個計劃實行。 →（正）我們要實行這個計劃。
‘把’字句の述語は動詞のみでは成立しない。
さらに、否定が加わるとまた誤用が往々にして発生する。
＜例文２９＞ 私はこの仕事をやり終えなければ寝ない。
（誤）＊我把這個工作不昨晚就不睡覺。→（正）我不把這個工作就不睡覺。
‘把’は介詞であるから、介詞そのものを否定しなければならないので‘不把'とする。
＜例文３０＞ 中国に留学していた時の状況を、私はまだしっかりと覚えている。

（誤）＊把中國留學的情況，我還記得很清楚。→（正）中國留學的情況，我還記得很清楚。

これは日本語的思考に引っ張られて用いるべき介詞を誤った例である。
＜例文３１＞ 私は、東京の四季はすべて好きだ。

（誤）＊把東京的四季，我都很喜歡。 →（正）(對)東京的四季，我都很喜歡。

トピックの提示であるので、'把'は丌要である。

こうしてみると、'把'字句についてはまず基本的な用法について記憶しておくことが重要である。つまり、前に挙げたように'把'以下で捉えられる目的語が既知のものであること、そして主語は主要な動詞の動作主体であること、述語部分の動詞は他動詞であること、否定するときは否定辞を'把'の前に置くこと、能願動詞も'把'の前に置くことである。'把'字句について初学者が習熟することは中国語と日本語の異同をより積極的にはっきりとさせる機会になり徔るであろうし、教授者もまた学習者の誤用から教えられることも多いと考える。'把'字句についても、前に挙げた用法と同様に、反復練習や場面設定されたスキットのやりとりをまずは暗誦することを中心として、中国語はコンテクストの中で表現を取捨選択して使うことを学習者に教えていくことが肝要であると考える。

三、おわりに

本稿では、中国語を教える際にどのような点に留意して実践的に授業展開できるかについて次のように考えてきた。
まず授業展開にあたり、学習者が既に習徔している言語、即ち母語としての日本語に加えて中等教育段階で学習した外国語（大部分は英語）の学習経験を持っていることに教授者は留意し、過度に英語の学習経験に鞘寄せされないよう配慮しつつ中国語の語順について教え、単純に英語と中国語の語順が似ているといった点から学習者がデフォルト評価されないように日本語の語順についても援用できることを示していく必要がある。さらに、日本語的思考がかえって中国語学習の妨げになる場合も多々生じるといったことも併せて触れながら、日常生活に必要な表現を反復練習によって習得できるよう学習者の様子を見極めつつ授業展開することが必要である。
それから、初級段階において中国語を教える際の留意事項として三点挙げておきたい。

第一に、語彙構造に関する説明を取り入れることである。学習者は既に成人の段階に達しているのであるから、統語規則の理解によって体系的な把握が可能である。その点に配慮しつつ、品詞について言及した上で構文を如何に捉えていくのか、また中国語にふさわしい表現として何が必要なのかを教授者が説明していくことが必要である。

第二に、語彙構造の基本を理解させることである。学習者は母語についても中等教育の最初の段階で品詞分類について学習する。また、英語学習においても同様である。中国語は品詞分類において、日本語や英語ともまた異なった分類をしている。したがって、まずは日常会話表現の中に見られる単語についても、反復練習をしていく中で時には品詞分類や統語構造についても理解を手助けする説明を加えることによって、中国語に対する理解を促していくことが重要である。

第三に、中国語に見られる特有な表現にかかる文法的説明をできうる限り行い、そうした説明が限界に達したときには中国語にふさわしい表現として学習者が既習した文法的理解を超えるものも存在すると認識させ、各々の用法については個別にその都度覚えていくしかないと認識させることである。母語の負的干渉（日本語的思考）や学習言語特有の表現に対して教授者の理論的説明が付不されてこないときには学習者は戸惑いを見せるであろう。

本稿では、中国語教育における文法の実践的教授法をめざして、学習者が陥りやすい誤りから考えていくことを出発点としてきた。さらに、教学経験を積みながら中国語を魅力あふれる外国語として学習者に教えていく機会を得て、また新たな方法論を見つけていきたいと切望する次第である。

参考文献及び論文一覧

北京大学中国語言文学系現代漢語教研室編／松岡榮志・古川裕監訳 (2004)。**現代中国語総説**。東京：三省堂。

李臨定／宮田一郎訳(1993)。**中国語文法概論**。東京：光生館。

岡部謙治編 (2004)。**この中国語はなぜ誤りか**。東京：光生館。

張起旺／児玉充代訳 (2001)。**日本人の間違えやすい中国語**。東京：国書刊行会。

王志英 (2005)。大学における初級中国語の教授法について。**沖縄大学人文学部紀要，6**，53-64。

朱継征 (2005)。中国語教育における否定辞の教え方について－,丌～'と,没～'の文法的使い分けと意味分析を中心に－。**新潟大学教育研究年報，10**，9-17。

景慧 (1998)。中国語教育の諸問題（文法篇）－宇都宮大学生を中心に－。**宇都宮大学国際学部研究論集，5**，187-199。

郭春貴 (2002)。日本人にとって難解な中国語文法について。**広島修道大学論集，42**(2)，人文，29-50。

韓越 (2001)。日本人中国語学習者における初級段階の文法導入に関する考察－誤用分析とその対策の視点から－。**千葉大学言語文化論叢，7**，143-149。

作者簡介

大野 広之 慶應義塾大学大学院文学研究科中国文学専攻後期博士課程

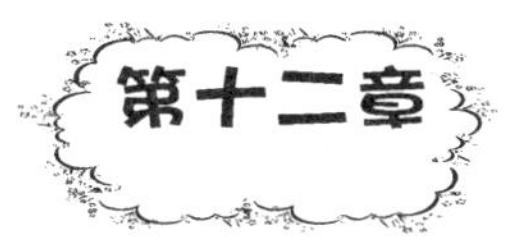

「元禄風の才人」一葉

劉　力

一、 はじめに

樋口一葉（1872～1896）は日本明治時代の女性小説家で、当時の日本における底辺の人々の哀歓を描いた『たけくらべ』『にごりえ』『十三夜』を創作した文豪である。心理描写にすぐれ、叙情的芸術派たる第一流の女性文学者として、近代文学史上にその名をとどめている。一葉の文学的評価は、森鴎外が「われは従令世の人に一葉崇拝の嘲を受けんまでも、此人にまことの詩人といふ称をおくる」[1]と絶賛して一葉の文壇における地位を決定して以来、現在に至るまでその評価は不動のものとなっている。

一葉の 9 回忌を迎えた明治 41 年（1909）、雑誌『女学世界』7 月号に、一葉の先輩である女性作家三宅花圃（1868～1943）の「女文豪が活躍の面影」という一文が掲載されている。「女文豪が活躍の面影」は「元禄風の才人」、「人をハメてわらっている」、「銘酒屋に住む」、「哀れなる生活」、「僻める感情は幸か不幸か」、「よく泣く人」、「モデルに尾行」、「恋」の項目順で編集されているが、本論文では、「元禄風の才人」の一葉について考察してみる。

二、花圃の言う「元禄風の才人」一葉

花圃は「元禄風の才人」の一節で、一葉との初対面の印象を語っている。まずその一節を引用しておく。

私が夏子（一葉女史）を初めて見たのは、歌子先生の処でした

[1] 1896 年『めさまし草』四巻「三人冗談・たけくらべ評」

——中島歌子です。一葉さんは殆ど全く歌子にばかり学んだので、他には師と申すべき人はございません——其の時は夏子が師匠の許に塾生のように入ったのでした。或る時私と同伴の一婦人と、二人連れで歌子先生の処へ参りますと、其時お茶や五目鮨のもてなしに預かりましたが、その通いを見知らぬ婦人がするのです。私が其の時十七歳と覚えておりますから夏子が二歳下で十五歳の折です。「今まで知らない人だが、……新しく来たのかしら」などと思いながら見ていますと、髪などをこう——変った結び方にして（一つは髪が薄かったからでしょうが）そればかりでなく起居挙動（たちいふるまい）も何となく変わっていて、じきに「元禄風」というような感じが起こりました。「まあ祇園のお梶とでも言いたいような人だ」と思っております。——そのうちにお鮨も戴いてしまって、ふと同伴の婦人が其皿の文字を見て、「清風徐来水波不起が書いてありますね」と私に申しますと、ちょうど茶の通いに出ていた夏子が、それを聞くと其の赤壁之賦の後の文句を、茶を注ぎながらペラペラと読みはじめたじゃありませんか。一寸気取ったような風をして……。「おや変わった人だ」と思いながら聞いていますと、とうとうペラペラと読んでしまいました。「知っているにしてもそんな場合にペラペラやりださなくたっていいに……。それでもまあ知っているだけは感心だわね」などと、同伴の婦人と話し合った事でしたが、なにせよ其頃の夏子は才気が溢れて止められぬと申すような風でした。[2]

花圃と一葉が初めて会ったときの二人の年齢は、『全集樋口一葉　一葉伝説』の注釈によると、「花圃は数え年十九歳、一葉は十五歳で四歳下である」とあり、また、花圃の経歴から見ても、「私が其の時十七歳と覚えておりますから夏子が二歳年下で・・・」いうのは、花圃の勘違いだと考えられる。

この文章を書いた時、花圃は４１歳だったのだが、その 30 年後の昭和 14 年（1939）にも、71 歳の花圃が、「婦人公論」掲載の「思い出の人々」において、一葉と初対面の情況と心情をより率直に、より詳細に語っている。それは明治 19 年の秋、中島歌子「萩の舎」で催された九日の

[2] 和田芳恵　編　1992年　近代作家研究叢書 117『樋口一葉研究』　日本図書センター　P 373

和歌の月並会での一情景であった。花圃は「出席して見ますと、みんなの前におすしを配っている、縮れ毛で少し猫背の見なれぬ女の人が居りました。私は江崎まき子さんと床の間の前に坐ってべちゃくちゃお喋りをしておりましたが、ちょうど私たちの前へ運ばれて来たお皿に、赤壁の賦の『清風徐ろに吹来つて水波起らず』という一節が書いてございましたから、二人で声を出して読んで居りますと、若い女の人がそれに続けて『酒を挙げて客に属し、明日の詩を誦し窈窕の章を歌ふ』と口ずさんでいるではございませんか。私たちは、顔を見合わせて『なんだ、生意気な女』と思っておりましたが、その人が他ならぬ一葉さんで、会が終って、帰るときに、先生から『特別に目をかけてあげてほしい』とお引合せがございました。一葉さんは、女中ともつかず、内弟子ともつかず、働く人として弟子入りをなすった様子に見うけられました。」[3]

「元禄風の才人」と「思い出の人々」を見れば分かるように、花圃の一葉に対する初対面の印象は「変っている」「生意気な女」であった。「祇園のお梶」のような「元禄風」の人というのは、一葉をほめて言っているのではないようである。

三、「元禄風」・「祇園のお梶」とは何か

では「元禄風」の、「祇園のお梶」のような一葉とはいったいどういう様子であったのであろうか。それを明らかにするために、元禄時代はどういう時代なのか、元禄文化の特徴とはなにか、「祇園のお梶」はどういう人物だったのかを調べてみた。

3.1. 元禄時代と元禄文化

「元禄」は、江戸中期、東山天皇の時代の年号（1688．9～1704．3)」であり、また、時代区分用としても用いられている。

1600 年 9 月諸大名の帰属を争った関が原の戦いが、徳川家康の東軍と石田三成の西軍との間で行われた。徳川の東軍が大勝し、それによって徳川家康が天下の実権を握った。征夷大将軍に任ぜられた徳川家康が江戸に

---

[3] 1980 年『宮本百合子全集　第十二巻』　新日本出版社　P228

幕府を開いた 1603 年から、1867 年徳川慶喜による大政奉還に至るまでの約 260 年間が江戸時代と呼ばれている。元禄時代は江戸幕府による治世が根付いた時期で、前の戦国時代とは対照的な平和な時代であった。

戦国時代の 1577 年に来日したポルトガル人宣教師ロドリーゲスは、著書『日本教会史』の中で戦国時代について「土地は全て耕作されることもなく、また耕作されていたところは種を蒔いたままで荒らされ、敵方や隣人によって強奪され、絶えず互いに殺しあった。日本全体は極度の貧窮と悲惨に陥った。商取引についても法も統治も無く、各自が勝手に殺したり、罰したり、国外に追放したり財産を没収したりした。」[4]と述べている。

その約百年後の元禄 3 年（1690 年）、ドイツ人の外科医・博物学者のケンペルはオランダ船船医として日本に２年間滞在した。長崎と江戸を二往復したケンペルによって描かれた江戸時代の日本は、完備された街道を信じられないほどの多くの旅人が平和に行き来し、宿場や城下町は活気にあふれ、すべての田畑は美しく耕されていた。彼は次のように書き残している。「この国の民は習俗、道徳、技芸、立ち居振舞いの点で世界のどの国にも立ち勝り、国内交易は繁盛し、肥沃な田畑に恵まれ、頑健強壮な肉体と豪胆な気性を持ち、生活必需品は有り余る程に豊富であり、国内には不断の平和が続き、かくて世界でも稀に見る程の幸福な国民である。」[5]

戦国時代の混乱と元禄時代の平和は、この二人の外国人により対照的に描写されている。多くの歴史書にも書かれているが、ケンペルが見た元禄期を含む江戸時代は約 260 年にわたって国内で戦乱が起きなかったという、世界に類を見ないほどの安定した時代であった。江戸時代の士農工商の身分制度は、封建的ではあるが、一部の商人は、武士階級以上に経済力を持っていたようである。「工商」の職人・商人を中心とする町人、即ち庶民が文化の一翼を担っていたことが元禄文化の特徴である。元禄文化を代表する庶民出身の文化人として、井原西鶴（大阪の町人出身）、東山京伝（江戸の質屋の息子）などが挙げられる。

3.2.「祇園のお梶」

「祇園のお梶」はこのような元禄時代に生まれ、京都祇園八坂神社鳥

[4] 徳川恒孝　2007 年　『江戸の遺伝子』　ＰＨＰ研究所　Ｐ19
[5] 同上　P20

居脇の茶屋の女主人をしていた有名な女性歌人である。『日本女流文学史』の中で、「慶長八年（1603）家康が江戸幕府を開いてよりおよそ百年、絢爛たる文化の花開いた元禄のころ、京は祇園の茶屋に、和歌の上手と評判になっていた梶という一人の女性がいた、彼女は、客に茶を供するかたわら歌を詠んでいたが、やがて寶永四年（1707）、歌集「梶の葉」が、友禅模様の創始者として知られる宮崎友禅のさし絵を入れて刊行され、才媛梶の名は『東のはて西のはての海のほとり』（「梶の葉」序）までも宣伝された。そして後世には、梶は小町の生まれかわりとまで言われるようになった。」[6]と紹介されている。また『全集樋口一葉　一葉伝説』の注釈によると、「祇園のお梶」は「特別な師を持たなかったが、冷泉為村から和歌を送られたほど歌才に恵まれ、洛中で評判になった。」[7]という。

「祇園のお梶」は、また、のちに歌舞伎舞踊曲「六歌仙」に登場する人物でもある。『名作歌舞伎全集』第 19 巻[8]の解説によると、その成立については、「天保二年（1832）三月二十五日より、江戸中村座で、二番目大切所作事として初演された「六歌仙容彩」の通称。あらすじは、「はじめ僧正遍昭が、小野小町を訪ねて、すげない小町に想いを残して帰る。次に業平と小町の優美な振り、次に喜撰法師が茶汲女とからんでユーモラスな踊り、最後に黒主と小町とが草紙洗いで、黒主の謀叛をあらわすまで。」とある。

茶汲女祇園のお梶が登場する第四場の解説には、お梶の服装とその振舞いが次の通りに書かれてある。

第四場は、清元と長唄のかけ合いの「喜撰」。「我庵は」のオキがあり、「大拍子」の鳴物で喜撰が花道を出る。鞘形の白綸子に、黒帯を前で箱結び、黒紗の腰衣をつけ、白足袋に、坊主鬘という扮装であるが、下に鬱金色の股引をはき、白緒の草履で、瓢箪のついた桜の枝をもって出る。……茶汲女祇園のお梶は、菊五郎なら、紫の立縞に斧琴菊の模様の衣装に、黒繻子の丸帯、緋縮緬の前掛に、割りかのこという鬘。かづきをかぶり、黒塗下駄をはいて、茶台をもって出、茶をすすめると、喜撰が見とれて、茶碗をとり落とし、あわてて拭くというおかしみがある。」

---

[6] 吉田精一編集　1969 年　『日本女流文学史』同文書院　P 55
[7] 野口碩校注　1997 年　『全集樋口一葉　一葉伝説』小学館　P80
[8] 戸板康二・利倉幸一監修　1981 年　『名作歌舞伎全集』第 19 巻　東京創元社　P182

四、花圃について

4.1. 花圃の略歴

三宅花圃とはいったいどういう女性だったのであろうか。

これまでの先行研究にも多く見られるが、花圃の父親、田辺太一は江戸時代には徳川幕府に仕えて二度ヨーロッパに派遣されている。明治維新後は新政府に認められ、外務書記官から大書記官を歴任し、岩倉具視に随行してヨーロッパとアメリカ合衆国を視察し、帰国後は元老院議官、錦鶏の間祗候[9]にまで栄達した。元老院議官は、今の中国の中央顧問委員会委員長に相当する官職である。錦鶏の間祗候は旧制で、勅任官を 5 年以上勤めた者、および勲三等以上の華族や官吏で特に功労のある者に与えられた資格。ときどき錦鶏の間に祗候して、天皇の諮問などに奉答するもの。要するに花圃の父親は明治初期の華族であり、明治における歴然たる上流階級の一員であった。このような父を持つ花圃は、幼い時から父と知り合いの伊東祐命に国学と和歌を学んでいた。のちに伊東祐命は親友の中島歌子（1841～1903）とともに、「萩の舎」を開き、花圃はその縁で、十歳で「萩の舎」に入塾した。1886 年、花圃はまた欧化教育が行われていた明治女学校へ入学して英語を学び、退学後は東京高等女学校に入学した。

このような家庭環境で育った花圃にとって、「自分たちが坐っている前へおすしを運んでくるような身分の軽い少女」一葉が「酒を挙げて客に属し、明日の詩を誦し窈窕の章を歌ふ」と口ずさんでいると、「なんだ、生意気な女」と思う気持ちは分からなくもない。花圃は一葉を「祇園のお梶」に喩えていたけれども、「祇園のお梶」を認めた公卿歌人の中院通茂や冷泉為村のように、一葉を受け入れ、ともに風流を楽しむことはできなかった、と筆者は考える。

4.2. 花圃が一葉を「祇園のお梶」にたとえた理由

花圃は一葉を会ったこともない元禄生まれの「祇園のお梶」にたとえ

---

[9] 錦鶏の間祗候（きんけいのましこう）　旧制で、勅任官を５年以上つとめた者、及び勲三等以上の者のうちに特に功労ある者に与えられた資格。麝香間（じゃこうのま）祗候の下に位し、勅任官待遇。（『広辞苑』より）

たが、では、お梶の容姿容貌を知る手がかりは何であったのか。これに関しては憶測にとどまるが、二つの可能性が考えられる。一つは、国学と和歌を教えてくれた伊東祐命から、または、歌塾「萩の舎」で中島歌子先生から、日本の韻律文学である和歌を教わっていた時にお梶の話を聞いた、ということである。お梶は元禄時代の女性歌人としてあれだけ有名になった以上、花圃の両先生が講義中お梶のことに触れたことは十分考えられる。もう一つの可能性として、花圃の父親は、当時の歌舞伎俳優の九代目団十郎、五代目菊五郎と親交があったという記述[10]があることから、花圃はお梶が登場する歌舞伎舞踊曲「六歌仙」を見ていたということである。お梶に対する具体的なイメージがなければ、一葉を「祇園のお梶」にたとえることもないだろう。花圃はその場での一葉の面影を明確に語っているのである。初対面の時、一葉のお茶やお鮨をみんなに運んでいた姿、しかも花圃たちの前で「赤壁之賦」を読み上げて、溢れる才気を披露した姿は、まるで「客に茶を供するかたわら歌を詠んでいた」祇園のお梶のようであったろうと思われる。

4.3. 花圃が一葉を「変っている」と思った理由

花圃を取り巻く環境を考えれば、花圃が自分たちとあまりにも違う一葉を意識してしまうのは想像できる。「萩の舎」は「明治の上流社会のお稽古場」[11]と言われていたことから、塾生のほとんどが花圃のような令嬢や貴婦人ばかりであったことが分かる。花圃が一葉と初めて会ったのは1887年、つまり彼女が明治女学校で英語を習い始めた、その翌年のことであった。その頃の日本は、それまでの極端な欧化思潮を反省しつつも、欧化主義の象徴である鹿鳴館は相変わらず上流社会の社交場であった。花圃が西洋文化の発信地の鹿鳴館に詳しかったことは、彼女が 21 歳の頃に書いた、小説『藪の鶯』[12]で鹿鳴館の新年舞踏会を生き生きと描くことができたということにより裏付けられる。それは、鹿鳴館のまばゆいシャンデリアのもとに、花圃自身と思われる登場人物の 16 歳の少女服部浪子が、桃色こはくの洋服を着て、バラの花を髪にかざし、赤い房のさがった扇子で折々胸のあたりをあおぎながら、白茶の西洋仕立の洋服に、ビーズの多

---

[10] 前田愛　1989年　『樋口一葉の世界』　筑摩書房　P12
[11] 前田愛　1989年　『樋口一葉の世界』　筑摩書房　P9～10
[12] 2000年『現代日本文学大系　樋口一葉　明治女流文学　泉鏡花集』　筑摩書房　P134

く下れる服を身に着け、前髪を夜会巻にしている篠原浜子と談笑している場面である。

また前田愛の記述によれば、「（当時の文部卿森有礼は）女子教育の充実には並々ならぬ関心を寄せていた。『国家富強の根本は教育にあり、教育の根本は女子教育の挙否は国家の安危に関係するを忘るべからず』——これが官僚再生産の有効な装置としての帝国大学を誕生させ、師範学校を核とする国家主義教育を設定した森有礼の持論であった。この持論にもとづいて、彼は文部省直轄の女子師範や高等女学校を支配していた女大学式の旧教育を一掃することから改革をはじめようとする。明治十八年には、これまで高島田に薄化粧で小笠原流の礼式を躾けられていた女子師範の生徒に洋服を着用させるにこときまり、洋楽とダンスが正規のカリキュラムに加えられた。外国語の教育が強化されたことはいうまでもない。鹿鳴館の貴婦人がダンスや西洋のテーブルマナーを即席でつめこまれたように、女子師範や高等女学校の生徒たちも教師から男女の自由な交際を積極的にすすめられ、寄宿舎の応接間はにわかに帝大生や青年将校の訪問で賑わうようになった。」[13]

このような時代と環境で育った花圃は、『藪の鶯』の中では当時の軽薄な文明開化を批判しているものの、日常生活においては、鹿鳴館をシンボルとする西洋風の生活様式に慣れ親しんでいたと考えられる。したがって、花圃は、目の前に、いきなり「祇園のお梶」のような「元禄風」の一葉が現れてくると、自ずから「おや変わった人だ」と感じたのだと筆者は思う。

五、「元禄風の才人」一葉についての私見

日本史においては、元禄文化は京都・大阪など上方を中心とした文化を指している。京都は古代以来、天皇を中心とした公家貴族らによる政治的中心であった。元禄期の京都は、社会的・文化的には二つの部分からなっている。一つは宮廷を中心とする公家及び神官、僧侶、などで構成される貴族階級、もう一つは町衆を中心とする一般庶民階級である。京都の祇園と言えば、今の日本人の脳裏には水茶屋、舞妓・遊女の町などが思い浮かぶかもしれないが、京都舞妓の歴史から見れば、お梶が生きていた時代

[13] 同上

の茶屋は、まだ名の通り、参拝客、花見客にお茶や団子を出すだけだったようである。そのような「祇園のお梶」に例えられていた一葉の「元禄風」は、京都的・庶民的な要素を持っていた。

江戸時代は幕府による武家政治が行われていたため、元禄期の京都はすでに政治的中心ではなく、過去の栄光と伝統のなかにのみ存在するものとなっていた。即ち、江戸時代においては、京都は、政治の中心である新興都市江戸とは対照的に、古い都になっていたと言える。従って、一葉の「元禄風」は古風的であるとも言える。

管仲は「衣食足りて礼節を知る」と言っているが、平和な元禄時代のお梶は、「衣食足りて文学の美を求める」「衣食足りて風流を解する」を想像させられる。『日本女流文学史』によると、お梶は「茶店に出るかたわら、草子や歌物語に興味を持ち、立ち寄る客に問い尋ねたりしては、ひとり歌を詠んだものらしい。時には、そのころ有名な公卿歌人中院通茂も立ち寄って、梶の歌に手を入れたりすることもあった」[14]。

一葉は、花圃に「祇園のお梶」に喩えられたが、公卿歌人たちに認められ、みやびに歌のかけ合いができた「お梶」のような理解者・支持者には恵まれなかった。それればかりか、花圃に「変っている」「生意気な女」と思われたのだから、一葉の「元禄風」はアンラッキーな「祇園のお梶」のようにもとらえられる。

六、むすび

「元禄風の才人」一葉を正確にとらえるには、文学史的な側面・女性史的な側面・文化史的な側面から見なければならない。

文学史的に見れば、当時15歳の一葉はまだ無名であったが、すでに文豪になる素質を備えており、デビュー間近の才女的存在であったと言える。

女性史的に見れば、花圃に言われている「変わっている」「元禄風」の一葉は、「旧来ノ陋習ヲ破り……智識ヲ世界ニ求メ」[15]「文明開化」「富国強兵」[16]という明治時代の足どりに追いついていけない旧いタイプの女性であったと言える。

---

[14] 吉田精一編集　1969年　『日本女流文学史』同文書院　P 56
[15] 田中彰　1989年　『日本の歴史　第24巻　明治維新』　小学館　P 53
[16] 同上　P 314

文化史的に見れば、花圃は、一葉のことを「元禄風」で古めかしいので「変わっている」ととらえたのではないかと筆者は考える。それは、花圃が当時の先進的な多くの女性と同じように、明治という新しい時代の流れに順応している代わりに、庶民的な「元禄文化」の素晴らしい面を見失いかけていたのではないかと思うからである。この意味では、「祇園のお梶」と言われた一葉は、「元禄風」の庶民的な才女であると言えよう。また、一葉は洋装着用、「洋楽とダンス」「西洋のテーブルマナー」のような欧化教育を受けていなかったために、「祇園のお梶」のような「元禄風の才人」であったとも言えよう。

參考文獻

和田芳恵 編 (1992)。**近代作家研究叢書 117『樋口一葉研究』**。東京：日本図書センター。

徳川恒孝 (2007)。**江戸の遺伝子**。東京：ＰＨＰ研究所。

吉田精一編集 (1969)。**日本女流文学史**。東京：同文書院。

野口碩校注 (1997)。**全集樋口一葉　一葉伝説**。東京：小学館。

戸板康二・利倉幸一監修 (1981)。**名作歌舞伎全集 第 19 巻**。 東京：東京創元社。

前田愛 (1989)。**樋口一葉の世界**。東京：筑摩書房。

吉田精一編集 (1969)。**日本女流文学史**。東京：同文書院。

田中彰 (1989)。**日本の歴史　第 24 巻　明治維新**。東京：小学館。

作者簡介

劉力 日本二松学舎大学文学部

第十三章

敘述氛圍的完成—論翟永明詩歌《咖啡館之歌》及《莉莉和瓊》

但繼紅

摘　要

自 1949 年新中國成立至 1970 年代末期，中國現代詩在大陸斷代了近三十年，這三十年中的詩歌，脫離詩歌本體藝朮價值、成為隸屬政治的粗劣工具。1978 年，非官方雜志《今天》發刊，“朦朧詩”崛起，政治工具詩的現狀開始改變，進入 80 年代，出生於 50 年代中後期及 60 年代的“朦朧詩後”詩人大批湧現，各種詩歌團體、詩歌流派應運而生，各種詩歌形式、詩歌體裁得以嘗試。到了 90 年代，個人寫作傾向突出、寫作風格逐漸成熟。本文試圖就 80 年代開始引起關注的大陸代表性詩人翟永明創作於 90 年代的兩首組詩《咖啡館之歌》、《莉莉和瓊》做一具體分析，探討詩人詩歌語言特點及變化，對其 90 年代的作品和其中預示出的一種新的寫作可能進行整體分析，並試圖觸及同一時代詩人的詩歌表現、特點和寫作情況，簡要介紹詩人生活和創作的環境。

關鍵詞：女人、成都、咖啡館之歌、莉莉和瓊、翟永明

一、前言

翟永明，女，1955 年生於中國四川省成都市。幼兒期一直在貴州和祖母一起生活，後來父母將她寄託在成都的戰友家。在成都高中畢業後，下鄉兩年，於 1974 年就職于位於成都近郊的兵器工業部 202 研究所，其後，作爲文革時期最後的“工農兵學員”，進成都電訊工程學院學習技朮，畢業後回到原單位任文職人員。

翟永明於 1981 年開始發表詩歌作品，最初的作品以愛情詩和描寫兒童時代的生活爲主。1984 年，她寫了組詩《女人》，起初僅僅油印了 20 冊，

分送給詩友。隨後，《女人》在《詩刊》、《星星》等官方代表性詩歌雜志上發表，詩中表現出的與此前中國大陸的詩歌中塑造的完全不同的“女性意識”，引起了很大的反響。此後，她又接連寫作和發表了組詩《人生在世》、長詩《靜安莊》、《死亡的圖案》等一系列的作品。翟永明從 1984 年創作組詩《女人》開始，每年創作一首組詩或長詩，並將之與當年的一些短詩放在一起，一年一次自行油印成集，既作為當年的創作總結，又將詩集與詩友們傳看、交流。

1990 年秋，翟永明當時的丈夫，畫家何多苓在美國舉辦個人畫展，趁此機會，翟永明與丈夫一起來到美國。當時正值“六四天安門事件”之後，中國國內的政治空氣非常緊張，文化界人士紛紛尋找機會出國之時。1992 年，翟永明和丈夫結束了兩年的海外生活，從美國回到了成都。

美國之行對翟永明的詩歌創作產生了很大的影響。她在美國共生活了兩年左右，而恰恰在這兩年中，她的詩歌創作基本處於停滯狀態。1992 年秋，翟永明夫婦回到了成都，她立即進入了創作的最佳狀態，連續創作出風格新穎的組詩《咖啡館之歌》、《莉莉和瓊》、《鄉村茶館》、《臉譜生活》等一系列作品。同時還寫了很多散文、隨筆和評論。這些作品在風格、形式和立意上都與 80 年代創作的詩歌有很大不同。最突出之處在於一種新的敘事性風格在逐步替代她以往的“自白體”，再次引起詩歌評論界的關注。本文試圖就這一時期的兩首代表性組詩做一具體分析。

二、“失語”的苦惱——遠離母語和故鄉的美國生活

1990 年秋天，翟永明夫婦來到美國。在美國，她上過一段時間的語言學校，在一家制衣廠打過工，還同丈夫一起，到歐洲的一些國家和地區做過短期旅遊。但是，異國生活並沒有給她的詩歌創作帶來新的靈感。

> 這是我自 80 年開始寫作後產量最少的兩年，期間除了寫過兩首很不成功的詩《西部的太陽》和《孤獨的馬》之外，幾乎全部的寫作時間都用來跟國內的朋友們寫信。這種狀態除了因為在異國他鄉生存和精神上的不穩定之外，更重要的是我發現在我全神貫注於寫作多年之後，我對自己的創作產生了懷疑，不是對過去的寫作，而是對現在的寫作……“死亡情結”和尋找個人經驗成為作品的推動力，成為一段時

期以來寫作中無法控制的部分……我逐漸開始意識到一種固有詞匯于我的危險性，一方面它使你劃地為牢，另一方面它使你在寫作中追求的自由重新成為束縛自己的力量。[1]

這兩種情況所帶來的苦惱提供給她在美國的兩年時間中，對自己的創作進行了反思的契機。盡管評論家們在分析翟永明的一系列作品，諸如《女人》、《靜安莊》、《人生在世》、《死亡的圖案》時總是將她詩中的敘述主人公和個人的生命經驗上升到“女人”這個全體的角度來討論。但對于翟永明自身來說，幾年之後，個人性的生存經驗卻似乎阻礙著她新的創作。

我雖未系統地思考過，但內心卻在積極地變化著……將近兩年中，我處於不讀書、不寫作的狀態（我只帶了極少的幾本書出去）。這種被迫的精神上的‘斷奶’被證明並非毫無收獲，帶著一種與青年時期不同的眼光觀察周圍，我更清楚地看到了我與理想寫作之間的距離，也看清了我過去的風格與未來寫作中的種種聯系。我感到了一種更為深邃成熟的創作思想已初露端倪，盡管我尚未抓住它的脈絡，但已依稀看到些遊動的影子。[2]

翟永明屬于那種天生眷念故土並沉溺往事的感傷型詩人，性格敦厚而多情善感。那時，對於她來說，“未來”似乎並不重要，更重要的是過去，已經逝去和正在逝去的生活中的一切。這是她詩歌創作的激情和源泉。那麼，離開了熟悉的環境，異國的無法適應與兩年創作的“空白”狀態也就不足爲奇了。在美國，除了生活上的不適應外，失去母語的環境對於一位中國詩人來說亦是一件殘酷的事情。翟永明像眷念故土一樣眷念著自己的母語，對於一個已經年過 35 歲的人來說，外語的學習和運用是一件艱難的事情，何況對於一位通過語言來記錄自己心靈感受的詩人。1992 年夏，翟永明夫婦回到了成都，途中應邀參加了荷蘭國際詩歌節。在筆者 1997 年夏天釆訪翟永明時，她曾經用“逃回了成都”來形容當時的心情和狀態。

異國的困惑還表現在她對於中國漢語詩歌在西方文化處境中的認識和擔憂。

---

1 引自：翟永明《咖啡館之歌》及其以后（未發表）

2 同註 1。

盡管有那麼多詩人出國、參加各種重要詩歌會議、出版詩集，或者甚至站在某位世界級大師身邊與他同台朗誦。但是，我所看到的當代現代詩歌仍是孤獨的、始終站在西方文化中心的邊緣上，任何以為自己已進入世界文化視線以內的想法都是自欺欺人的。從現階段來看，西方的關注始終帶有觀光性質和政治傾向的。這一點甚至不會隨著諾貝爾文學獎落在某位中國人頭上而發生改變。也許我的看法較為悲觀，但對我們正確認識漢語詩歌的現實不無好處。因此我們不妨先站在地域性的角度來談漢語詩歌，其重要性才會顯出真正價值。[3]

在那次采訪中，她曾就“六四天安門事件”後，許多中國大陸的年輕詩人流亡海外的狀況及他們的處境表明了她的擔憂。

“中國詩人出國的不少，回國的也有一些，對這個問題的看法可能都不一樣，我有許多朋友至今仍留在國外，他們都是各自有自己不同的理由和目的滯留他鄉，但僅僅因爲‘寫作’這個理由留下的可能很少。‘世界作家’不過是一個幻覺，尤其對于東方人來說。中國詩人“走向世界”的情結逐漸會被西方傳統的權力話語和文化隔膜所消解。不否認“語言流亡”會帶給異國寫作一種嶄新的經驗和多角度，但母語的逐日流失將造成一輪新的‘流亡’和更深意義上的孤獨和恐懼。有人把異國寫作比喻爲‘逐漸窒息的吶喊’，我認爲是比較准確的。”[4]

上面這兩段對話對於理解翟永明詩歌從 80 年代到 90 年代的變化原因和變化過程有著重要的意義。作爲一名中國大陸的現代漢語詩人，兩年的歐洲生活使她明白了兩個事實：中國大陸的漢語詩人身在海外的困惑處境和中國現代詩歌在西方文化中的困惑處境。由此，我想來人不能靠誰來救，人除了自救別無他法的說法。正因爲如此，翟永明在歐洲的兩年雖然詩歌創作幾乎處於停止狀態，但實際上卻爲她新的創作積累了經驗。在采訪中還得知，在這期間她曾有一段時間甚至打算就此停筆。所以如她所說“兩年的空白實際上給我的創作留下時間上和距離上的審美距離”。在這期間，她所思考的並

[3] 引自 1997 年 7 月筆者的翟永明采訪記錄。此段原文爲翟永明回答詩評家臧棣對同一問題的提問時所作的書面回答，此段話轉抄書面回答的原文。（筆者注）

[4] 同註 3。

不僅僅是她 10 年來創作中出現的難題。她的思考遠遠超過了對自身作品的反思。這給 92 年重歸故土的翟永明提供了創作上的一次飛躍。下面就她 90 年代的作品來做較爲具體的分析。

三、 組詩《咖啡館之歌》

組詩《咖啡館之歌》創作於 1993 年 2 月。全詩按時間順序由〈下午〉、〈晚上〉和〈淩晨〉三首短詩組成。在翟永明眾多的組詩當中，從長度上來說，這是一首不多見的短小精煉的組詩。但從意義上來說，翟永明卻將它看得非常重要。她曾在文章中這樣敍述這首詩對她創作的重要：

> 兩年的空白給我的創作留下了時間和距離上的審美距離，它使我在處理《咖啡館之歌》中的細微變化時感到了一種從容不迫的過渡。在這首詩裏，我幾乎放棄了我原來的優勢，而代之以一種冷靜客觀的態度，在語言上我更注意磨礪那些粗糙的痕跡。這時出現在我生活中的現代建築的影響開始幫我重新構築的語言空間、現代建築簡潔凝重的語言直接操作了我寫作中的技術處理部分。《咖啡館之歌》的背景在美國，如果說它有點美國式的味道，也許和它的背景有關。但它的語言方式和主題都是純粹中國式的、懷舊和傷感的。它差不多就是我在美國近兩年的內心總結，因此它對我的創作轉變起了重要的作用。[5]

那麼，《咖啡館之歌》到底是以怎樣一種形式和語言出現的呢？組詩的開頭，第一首〈下午〉這樣寫到：

> 憂鬱 纏綿的咖啡館
> 在第五大道
> 轉角的街頭路燈下
> 小小的鐵門
> 依窗而坐
> 慢慢啜飲禿頭老闆的黑咖啡
> “多少人走過

---

[5] 同註 1。

上班、回家、不被人留意”
我們在討論乏味的愛情
“昨天 我願
回到昨天”
一支懷舊的歌曲飄來飄去
咖啡和真理在他喉中堆積
顧不上清理
舌頭變換
晦澀的詞藻在房間來回滾動
……

這首詩從一開始就給我們交代了時間、地點、場景、人物，於是我們可以想像到：下午，在第五大道的一家“憂鬱、纏綿”的咖啡館，依窗而坐的主人公與朋友一邊慢慢喝著咖啡，一邊談論著愛情、人生等話題，店內正在播放著“懷舊的歌曲”……接著，詩中繼續敍述到：

接著是沉默
接著是又一對夫婦入座
他們來自外州　過慣萎靡不振的
田園生活
……

由此我們進一步得知，主人公夫婦下午在咖啡館裏邊閒談邊等著朋友——另一對夫婦。這些“外鄉人”，互相談著自己的生活。

接著是第二部分〈晚上〉，地點改在一家似乎是舞廳一類的地方，人物是三男兩女：

……
沒人注意到一張臨時餐桌
三男兩女
幽靈般鎮定
討論著自己的區域性問題
我在追憶

北極圈裏的中國餐館
有人插話：“我的妻子在念
國際金融”
出沒于各色清潔之軀中的
嚴肅話題
如變質啤酒
泛起心酸的、失望的顏色

這幾位異鄉（異國）人，實際上無法排除自己的“外鄉人”的身份，掩飾不住內心的失望與心酸。從中可以理解翟永明在上段話中所說的“差不多就是我在美國近兩年的內心總結，因此它對我的創作轉變起了重要的作用。”

組詩的第三部分〈淩晨〉中，她在敍述中進一步深入到有關人生的話題：

因此男人
用他老一套的賭金在賭
妙齡少女的
新鮮嘴唇　這世界已不再新
……
不久我們走出人類的大門
天堂在沉睡
我已習慣
與某些人一同步入地獄
“情網恢恢
穿過晚年還能看到什麼？”
用光了的愛
在節日裏如貨輪般浮來浮去
雨在下，你私下對我說：
“去我家？
還是回我家？”
汽車穿過曼哈頓城

詩的最後，交代了敍事的確切地點：曼哈頓。

從總體上來說，這首詩的主題如翟永明自己所說，是傷感和懷舊的。敍述主人公延續了翟永明 80 年代詩歌中的那位看穿一切卻又自願承受一切的經歷了生活磨難的成熟女性形象。只是，在這裏，這個女人更具現實色彩、更接近於我們的生活。比起《女人》中那位充滿神秘和神性色彩的女性形象，《咖啡館之歌》的敍述主人公則要平凡和簡單的多，她甚至只是一個普普通通的的已不年輕的女人。翟永明試圖擺脫以往詩歌中主人公角色，努力將詩中的敍述主角放在一個客觀敍述者的地位，以求達到客觀敍述效果，也就是說詩歌的客觀性。翟永明這樣寫到：

> 只有在《咖啡館之歌》中，我找到了我滿意的形式，一種我從前並不欣賞的方式。我指的是一種打破了疆界的自由的敍事方式，並延續了《我策馬揚鞭》中的戲劇性。依然是“我”的人稱，但此時的我已成為一個客觀的陳述者。我在嘗試處理一些新的題材和使用一種新的方式處理過去的題材，尤為重要的是：通過寫作《咖啡館之歌》，我完成了久已期待的語言的轉換，它帶走了我過去寫作中受普拉斯影響而強調的自白語調，而帶來一種新的細膩而平淡的敍說風格。[6]

這種變化在 80 年代後期就一直在尋求著，同時，翟永明還一直試圖擺脫普拉斯及“自白派”的影響和自己詩中既成的“自白”性敍說語言。這也許有兩層含義：努力從個人體驗、個人身世的敍說中擺脫出來，以求達到詩歌的更深、更廣泛的意義；另外，努力擺脫普拉斯及“自白派”，還表現在這位詩人的獨立性意識，她不願意成爲另一位詩人及另一種詩歌潮流的“翻版”。但是，就《咖啡館之歌》這首詩來說，儘管翟永明自己認爲敍述主人公的“我”已由主觀的自我敍述者轉變爲“一個客觀的陳述者”，但反復讀這首詩後的感覺，翟永明所說的“客觀的陳述者”在這首詩中其實並不過於明顯。當然，相對于《女人》等 80 年代詩歌來說它具有一定意義的客觀性，尤其在瞭解了詩人在美國的生活和心境之後，是不是可以說，《咖啡館之歌》到《莉莉和瓊》、《鄉村茶館》、《十四首素歌》等，它們的敍述主人公正在完成從主觀敍述者向客觀陳述者的過渡和轉換更爲準確。

《咖啡館之歌》的詩歌語言有了很大的改變，比起 80 年代的作品，它採用了一種新穎的敍述風格：平淡的口語體。此外，還在詩中直接加入對話和自白語言，以渲染一種真實的場景效果。口語體的詩歌在 80 年代的大陸

[6] 同註 1。

詩壇有著較大的影響，以韓東、於堅爲主要代表，但翟永明 90 年代的抒寫角度和口語形式與 80 年代的韓東、於堅不盡相同。與之相比，翟永明 90 年代的詩歌應該顯得更成熟和飽滿，她的這種敍事性詩歌大都有著具體的人物、時代、場景和情節，具有很強的故事性和戲劇效果。

四、組詩《莉莉和瓊》

通過《咖啡館之歌》，我們可以看到幾位遠離故鄉和祖國的中年知識份子的一些生活實觀和心理軌跡。而通過另一首敍事組詩《莉莉和瓊》，我們可以看到身在異國的主人公“莉莉”與她的同室女友“瓊”的忙碌、豐富卻又傷感的生活，還可以看到這兩位成熟女性的人生經驗和心理歷程。在這首詩和 90 年代的大部分作品中，翟永明仍然延續了她以往詩歌中的黑夜和死亡情結，只是與《女人》中體現出的那位充滿“神性”的女人相比，這些作品中的敍述主體和主人公更具“人性”，便於閱讀、想像和理解。

《莉莉和瓊》分爲內容和意義連貫、各帶詩題的九首短詩。它的敍述方式和詩歌語言以及結構都與《咖啡館之歌》相似，第一首〈公園以北〉這樣寫到：

公園以北，一個鬼魂
正晝夜歌唱：
“我死了，請讓我復活
成為活著的任何人”

公園以北，一個行人
正停足四望：
“是誰？又是誰？
在說著這些瘋話？”

公園以北，女友莉莉
正匆匆回家：
“太多了，太多的傷心事
對哪位朋友講？”

公園以北，瓊的丈夫
正揮筆作畫：
“鳥兒飛過天空
我怎樣飛過這些思想？

地點相同的“公園以北”，幾位不同意向的人物登場。短短的排列整齊的四段詩行，卻包含了極爲豐富的意向和內容，這不能不佩服詩人深厚的功底，在結構上，它延續了《咖啡館之歌》的整齊句式排列，尤其是採用雙引號直接加入他人的會話及自語，更增強了敍述的客觀性和戲劇效果。詩中的人物和生活都是具體而真實的：

走下手術臺　像個闊佬
莉莉在旁邊長嘘短歎
綠色信用卡正在默默忍耐
激情嗚咽的帳單
……
（2、〈急診室〉）

站在門廳等人：
莉莉的男友來了
瓊的丈夫來了
高大的喬尼來了
長髮詩人和女友攜手而來
畫家和演員遠道而來
莉莉和瓊在廚房忙碌
一年一度的新年
蘋果和蠟燭的新年
紅唇和白牙吮吸
靈魂和啤酒一同發酵的新年
……
（4、〈新年晚會〉）

這種敍事風格的轉變和應用，著實使翟永明的詩歌讀者吃驚不小。但她詩歌中的那位閱曆很深、看穿一切卻又忍耐于其中的女人並未改變：

炭條飛舞　出現瓊的臉
幸福的指標在何處兌現？
懂得，僅僅是懂得在支撐
內心的半壁河山
多麼憔悴瓊的臉
（6、〈中央公園〉）

……
談到從前的夢
莉莉不再傷心，縱有西風
不解當年的風情
（7、〈談夢〉）

異鄉人的孤獨經驗繼續豐富她的生命體驗和詩歌內容，並加深了一種現代城市人的孤獨、擔憂、不安和無可奈何的心態：

走出家門，走出地鐵車廂
兜裏裝著城市地圖
許多陌生面孔閃來閃去
走在活人或者死者當中
一天比一天習慣
白領麗人的嚴肅儀態
我的步履僵硬
在高大樓群間斡旋
……

我獨自站在橫街的交點上
電話亭裏傳來死亡的撥號音聲
許多人將於今天死去
（鄰街的男人打擾我

明顯多餘的單詞
活像一個遠離塵世的人
自言自語）
我身旁匆匆走過美貌男女
他們襤褸的衣衫或華貴的服飾
是每天的風險
與我毫不相干
但我站在橫豎的點上
多少足跡已與我糾纏不清
……
（9、〈走出家門〉）

《咖啡館之歌》和《莉莉和瓊》的場景雖然都選擇在歐洲，但它們都並沒有真正寫當地的、異國的生活，或者說只是觸及到一些表面感受。無論是詩歌語言還是詩歌主題、甚至人物、事件，都是中國式的，也就是說，翟永明 90 年代從美國回來後的創作，仍然是中國式的，與很多受西方詩歌創作影響的大陸“第三代”詩人相比，翟永明的詩歌則更注重從中國古典詩歌中汲取營養。這與她從小喜愛古典詩歌有著不可分割的聯繫，翟永明在筆者採訪她時，告訴我她自小喜愛唐、宋詩詞，喜愛李白、李清照等人的詩詞，直到現在，她還常常反復誦讀、默記李清照的作品，並不時爲其詩句所感動。

五、理想寫作——職業詩人和詩文本

翟永明出生於 1955 年，組詩《女人》寫于 1984 年，此時她已 29 歲。1990 年到 1992 年在美國期間，由於前文所分析的原因，她的詩歌創作幾乎處於停止狀態。在採訪翟永明時，她說這段時間她甚至打算就此停止詩歌創作，轉寫小說及別的文體，或者乾脆停筆。而 1992 年回國後，她突然找到了一種新的敍述方式和語言形式，進入創作的最佳狀態，接連寫出她的重要作品：《咖啡館之歌》（93 年 2 月）、《莉莉和瓊》（93 年 10 月）、《臉譜生活》（95 年 5 月）、《鄉村茶館》（96 年 1 月）、《十四首素歌》（96 年 7 月）等多陣列詩以及《午夜的判斷》（92 年 10 月）、《女友和一個陌生男子》（具體時間不詳）、《玩偶》（具體時間不詳）、《祖母的時光》（93 年

12 月）等大量短詩，這些作品大多數都收入翟永明個人詩歌選集《黑夜裏的素歌》（堅守現在詩系叢書、門馬主編、 改革出版社、1997 年 3 月）中，這些作品大都採用翟永明 90 年代的寫作風格，以敍事爲主，採用平淡、抒情的口語體，在內容和主題上多以生活中的一段往事、一段情節、一些生活中曾經出現過的人或經歷的一些事爲抒寫物件，整首詩歌充滿戲劇性。在詩歌語言和結構上用上一節中引用過的翟永明自己的話來說，“現代建築簡潔凝重的語言直接操作了我寫作中的技術處理部分。”

翟永明的這種變化並不是偶然的，歐陽江河在一篇詩歌評論中，將 90 年代中國大陸的詩歌創作情況概括爲三點：本土氣質、中年特徵與知識份子身份。歐陽江河在這篇文章中以 1989 年作爲中國大陸詩人詩歌創作的分界，“1989 年將我們的寫作劃分成以往的和以後的，過渡和轉變已不可避免。”而“過渡和轉變必須首先從語境轉換和語言策略上加以考慮。”他進一步指出：“語境關注的是具體文本，當它與我們對自身處境和命運的關注結合在一起時，就能形成一種新的語言策略，爲我們的詩歌寫作帶來新的可能和至關重要的活力。”歐陽江河認爲“活力的兩個主要來源是擴大了辭彙（擴大到非詩性質的辭彙）及生活（我指的是世俗生活，詩意的反面）。”因之，“將詩歌寫作限制爲具體的、個人的、本土的。”“這種寫作實際上就是知識份子的寫作。”歐陽江河的這種觀點正好可以用來說明翟永明詩歌 90 年代變化生成和順應的詩歌背景。

至於說到職業寫作與對於詩文本的關注，80 年代的大陸詩歌從大體上講，顯示著集體寫作與青春激情，但本篇論文中論及的翟永明從 84 年創作的組詩《女人》開始，就顯示了一種詩歌的個人性和職業詩人的成熟氣質。從年齡上來說，此時的翟永明已經 29 歲，到 92 年回國創作組詩《咖啡館之歌》等作品開始，她已完全進入中年。從心理因素上，經過兩年國外生活和對於詩歌的反思與沉澱，對於詩歌寫作，她充滿了成熟的自信。翟永明已經不是最初的僅僅喜愛詩歌和把詩歌寫作作爲一種樂趣和寄託的翟永明，她已經從自身開始，主動在尋求一種職業詩人的寫作手段和表現形式。90 年代的詩歌創作，與韓東、歐陽江河、柏樺、王小妮等詩人的創作方向吻合，預示了一種新的寫作可能和職業詩人的前景，這種前景首先是對於詩歌文本的理解與關注。長期以來，詩歌的創作與以此相應的詩歌評論都缺少對於詩歌“文本”的具體關注與分析，也就是說將詩歌從政治意義上脫離開來，將作品放在一個純文學、純詩歌的角度來思考、創作和對作品作具體分析。

前面提到的歐陽江河的文章中有一段內容談到“仲介場所”，他說：

捷克的文人總統哈威爾認為，咖啡館是私生活與公眾政治生活之間的一個仲介場所。近年來國內詩人筆下的場景大多具有這種仲介性質，除了以上提到的咖啡館和圖書館，還有西川的動物園，鐘鳴的裸國，孫文波的城郊、無名小鎮，肖開愚的車站、舞臺。這些似是而非的場景，已經取代了曾在我們的青春期寫作中頻繁出現的諸如家、故鄉、麥地這類典型的計劃經濟時代的非仲介性質的場景。後一類場景顯然是與還鄉、在路上這樣的西方文學傳統主題連在一起的，而前者儘管依然是關於在路上這一文學母題的陳述，但已從中摒除了與歸來、回家、返鄉相關的隱喻因素。簡單地說，在路上成了無家可歸、無處可去的經過，而且是從旁經過，對於所見所聞我們是真正意義上的旁觀者、旁聽者，我們只提供不在現場的旁證。⑦

翟永明的《咖啡館之歌》、《鄉村茶館》所選擇的場所與相對客觀性的敍述與歐陽江河的這一總結非常貼近。歐陽江河將“閱讀”看作是寫作的一部分，“爲自己的閱讀期待而寫作，意味著我們所寫的不是什麼世界詩歌，而是具有本土特徵的個人詩歌”，他提出要排除兩個寫作方向：“爲群眾運動寫作和爲政治事件寫作”，他說這兩個方向都有著可能使詩歌寫作變得“簡單、僵硬、粗俗和歇斯底里”。他的這一論點似乎與翟永明這一時期的創作達到某種程度的默契。

歐陽江河所說的“知識份子詩人”有兩層意思：“一是說明我們的寫作已經帶有工作的和專業的性質；二是說明我們的身份是典型的邊緣人身份，不僅在社會階層中，而且在知識份子中我們也是邊緣人，因爲我們既不屬於行業化的專家性知識份子，也不屬於普遍性知識份子。”歐陽江河的這篇文章能夠幫助我們從另外一個角度去理解 90 年代的詩歌創作，並從中尋求翟永明的某種內在聯繫。

六 、成都及“卡夫卡書店”

在筆者採訪翟永明的時候，她曾非常動情地回憶到她在美國兩年裏一天比一天急切地盼望回到故鄉成都，以至於憂鬱成疾，最後幾乎是不顧一切地逃回了成都。而回到故鄉後，她的心情立即平靜下來，身體很快康復，並很快進入詩歌創作的高峰狀態。筆者 97 年的成都之行有兩個目的：採訪翟永明，以求獲得對她的作品的更加全面的理解和認識；對詩人生活環境有一個直觀的印象。因爲這種印象可以幫助我進一步瞭解詩人和作品。

成都給我留下的最深印象是一種平靜、幽閒的氣氛。在 80 年代中國第三代詩歌作者中，有相當大的一批人都生活在四川或曾經長期生活在四川，如歐陽江河、柏樺、鐘鳴、唐丹鴻、唐亞平等等。翟永明曾經這樣談過成都與詩歌的關係：

> 成都有一種舊時代的氣息，我的一位朋友稱之為享樂主義的平原。成都的文化氣息很濃，外地人不易察覺。我覺得成都很適合詩人居住，這個地區容易產生詩人。80 年代中期這裏出現了很多詩人，可能與四川的文化消費、地理氣候和傳統因素有關，一個閒散、愛奢談的長年處於陰鬱天氣的地區，最容易滋生詩歌的靈魂。
>
> 成都人大都懶散、享樂、喜愛藝術、愛讀書、重交友，有兩樣東西是成都人離不開的：火鍋和茶館。我從小在成都長大，這裏有我童年和寫作的朋友，因此離不開成都。⑧

筆者曾于 1987 年冬天去過成都，97 年 7 月再次來到成都時，與上海、北京等大城市相比，我吃驚于成都與十年前相比，整座城市在總體氣氛上並無太大變化，似乎很難看出“經濟騰飛”的外部跡象。成都的地理位置在中國的中間部位，從各種條件上講，都不適合發展商業。80 年代末期，大陸文人圈中“下海”經商之風盛行，尤其是在 89 年“六四事件”之後，隨著政治局面的嚴峻化，從客觀上限制了詩人們像 80 年代中期那樣自由寫作、結社、印刷油印刊物以及舉辦各種詩歌活動，官方文學刊物對於作品的發表限制嚴格，年齡大多在 25 歲上下的“第三代”詩人中的“青春期”激情開始冷卻，“棄筆從商”的詩人及作家比比皆是，自殺者出現。成都的詩人及作家亦深受影響，很多人因各種原因離開了成都，歐陽江河到了美國，張棗去了德國，孫文波去了北京，肖開愚去了上海……

翟永明從美國回到成都後，表示除短期旅行外，將永遠不再離開成都。讓我們來看看回到成都後她的周圍，80 年代與她往來密切的那一批詩人中剩下鐘鳴、唐丹鴻，還有在重慶的柏樺。鐘鳴原爲四川工人報的編輯，印刷地下刊物（《次生林》及《外國現代詩》）的詩人，還以“六四”前後寫過一些政治性文章和詩歌，被公安機關傳訊並長期受到監視，公安機關還對其工作單位施加壓力，意即開除他的公職。由於多年來鐘鳴的工作成績優異，年僅46歲的鐘鳴，最終工人日報社在長期停止他的工作後，採取讓他以“因病退休”的形式解決了這個問題。95年6月，德國舉辦紀念德國詩人赫爾德誕辰100周年詩歌節，四川詩人歐陽江河、鐘鳴、柏樺、翟永明和張棗被邀請參加，但鐘鳴、柏樺和翟永明的出國護照未被批准。90年代，鐘鳴在成都致力於寫作，在消費越來越高的大陸城市，每月只能領到300多元人民幣維持生活，常常連續一兩個星期只以土豆爲副食，即使這樣，他仍樂觀寫作，作品不斷受到好評。

還需要提的是女詩人唐丹鴻和她在成都開辦了幾年的“卡夫卡書店”。那時，書店位於成都一條較偏僻的街道，書店不大，由三間相套的房間組成，最外面的一間較大，是書店，出售一般在普通書店裏難以入手的文學藝術書籍，文學部分主要以詩集爲多，很多從外地來成都的文學愛好者都會專程來此書店尋找需要的書籍，並籍此瞭解成都文藝界的情況；里間是一間20平方米的房間，正中放著一張長方形長桌，四壁掛有四川畫家的作品，偶爾也兼代出售，還掛有一些現代中國詩人的詩歌手跡，這間房是會客室，來書店的客人可以隨時在此喝茶、談話、結交朋友；另外，這間房還提供給詩人、藝術家們舉辦一些小型討論活動和講座，具有沙龍性質。

中國大陸的大多數城市，80年代初期最初文人“下海”時，多數還是與文學、藝術結合在一起，比如曾經出現過一些文化人自營咖啡館的熱潮，即具有這種沙龍性質，對中國80年代文學藝術的繁榮產生了很大的影響。

“卡夫卡書店”的營業當時一直處於虧損狀態，更多的是依靠唐丹鴻的畫家兼裝修設計師丈夫掙到的設計收入來貼補、維持著。在大批文人“下海”經商的時代，成爲詩人、藝術家們的一個溫馨的精神家園，顯得難能可貴。

鐘鳴和唐丹鴻都的翟永明多年的詩友，他們的生活和創作不是本篇論文要著重論述的內容，但卻同翟永明的生活環境和詩歌創作有著一些不可分割的聯繫，翟永明曾在同筆者的談話中多次提到他們倆位數她最密切的朋友，及與這些詩人朋友在詩歌上的相互交流和鼓舞對她的創作所起的積極作用。

七、結語

作爲 80 年代中期開始在中國大陸詩壇產生較大影響的現代詩人，翟永明的創作經歷了不同尋常的發展軌跡，這位天性敏感、憂鬱、多情善感的女詩人，從她 1984 年創作組詩《女人》開始，就顯示了驚人的創作才華，她的詩歌中以自身獨特的生命體驗和女性感受表現出的對於人類女性共同的悲劇命運的重新把握好認識，不僅從詩學意義，而且從哲學意義上具有重要的價值。

創作於 1992 年之後的《咖啡館之歌》、《莉莉和瓊》、《鄉村茶館》，詩人在詩中采用一種與 80 年代“自白體”不同的敍事性主題和口語語言，這種新穎的風格使翟永明再次受到關注，預示出的一種新的寫作可能。

由於筆者能力所限，對翟永明的詩歌所做的以上分析還不夠深入和全面，這將在今後的繼續研究中逐步深入完成。

參考文獻

1、唐曉渡《女性詩歌：從黑夜到白晝—讀翟永明的組詩〈女人〉》《*翟永明詩選*》1994 年 5 月 成都出版社）

2、唐曉渡《誰是翟永明？》（《今天》1997 年第二期 牛津大學出版社）

3、《*蘋果樹上的豹*》女性詩卷（謝冕、唐曉渡主編 北京師範大學出版社 1993 年 10 月）

4、《*季節輪換*》 李振聲 著（學林出版社　1996 年 1 月）

5、《*新潮女性文學導論*》 荒林著（湖南文藝出版社　1995 年 5 月）

6、鐘鳴《翟永明的形象以及詞根和其他》（《*翟永明詩集*》1994 年 5 月）

7、韓東《翟永明　新女性》　（《*翟永明詩集*》1994 年 5 月）

8、李有亮《“必然的圈套”--論翟永明的詩》（《*翟永明詩集*》1994 年 5 月）

9、歐陽江河《89 後國內詩歌寫作：本土氣質、中年特徵與知識分子身份》（非正式出版刊物《*南方詩志*》1994 年秋季號）

10、翟永明《《咖啡館之歌》以及以後》（未發表）

作者簡介

但繼紅 日本早稻田大學非常勤講師

第十四章

論「讀、寫互動原理」在華語文教學的應用——以華文讀寫教學爲例

蒲基維

摘　要

華語文教師應具備講授華語文之聽、說、讀、寫、作的完整學能，才足以應付各方教學的需求。所以，除了熟習語法及詞彙知識，以建立學習者初級的語文能力之外，更應涉獵辭章學的相關知識，才能有效訓練進階華語文的閱讀及寫作能力。就整體辭章學來看，熟習其理論，有助於華文的讀、寫教學。本文探討辭章學中有關「讀、寫互動」理論在華語文教學中的應用，分析其教學實務的可行性，就是希望提供教師可用的辭章學知識，以提升其華文讀、寫教學的品質。

關鍵詞：辭章學、華語文教學、華文閱讀、華文寫作、讀寫互動

一、前言

華語文已經成爲二十一世紀全球的強勢語言系統之一。從現實的角度觀察，各國基於經濟貿易的考量，必須與中國人交涉，致使華語文的學習成爲交涉溝通的重要工具之一。再從長遠發展的角度來看，學習華語文的人口結構會從經濟層面的需求，逐漸延伸到社會文化層面的探索。具體而言，經濟的互動，隨之而起的將是學術、文化的交流，當外籍人士想要進一步探索華人的社會與文化時，若只注重華語的聆聽與會話能力，忽略華文閱讀與寫作能力的提升，勢必會受到阻礙，對於華人社會與文化的探索亦將一知半解。由此可知，身爲華語文教師必須擁有華語文訓練的基本學能[1]，除了漢語語言學及華語教材教法的學能之外，涉獵辭章學等相關知

[1] 華語教師的基本學能有三：一是華語教學專業，包括漢語語言學、漢語辭章學、華語教材教法等；二是華人文化知識，包括華人文學、華人社會與文化；三是數位資訊運用能力。這裡指的是第一種學能。

識，也是非常重要的。本文專就辭章學在華語文教學的應用而論，藉由辭章學「讀、寫互動」的相關理論，並結合華語文教學所強調「第二語言習得」的理論與原則，提出具體的教學策略，期望提供華語文教師在進行華文讀寫教學時的重要參考。

二、辭章「讀、寫互動原理」概說

海峽兩岸的漢語辭章學研究在近年有了豐碩的成果。在大陸方面，如西北民族大學王希杰教授所提出的「三一」理論[2]，福建師大鄭頤壽教授所建構的「四六結構」[3]，均曾在兩岸的辭章研究與教學引起極大的迴響。在台灣方面，台灣師大陳滿銘教授曾提出「多、二、一（0）邏輯結構」、「辭章意象系統」、「讀、寫互動原理」等理論，對於台灣辭章研究及語文教學亦有重要影響。其中「讀、寫互動原理」與辭章的閱讀、寫作有密切關聯，本文為探索它運用在華文讀寫教學的可能性，有必要瞭解此一原理的內涵，作為落實華文讀寫教學的重要參據。

2.1 辭章學的重要領域及其相互關係

「辭章學」又稱「詞章學」，原本包含了語詞和文章的研究，為了與「語言學」有所區隔，遂漸趨向於篇章研究的專業，所以又別稱為「文章學」。關於辭章學研究的重要領域，凡針對辭章的表達或接受進行局部或整體研究者，均屬辭章學的範疇。具體來說，研究一篇辭章必須就局部來分析其形象美感（含意象、詞彙、修辭）與邏輯思辨（含文法、章法），

---

[2] 「三一」理論是對王希杰先生在二十世紀八、九〇年代以來所建構的修辭理論體系的核心內容的概括。「三一」理論包含了三組基本概念及其相互關係的理論其分別是「物理、語言、文化、心理四個世界」；「零度、偏離」；「顯性、潛性」。見李廣瑜〈「三一」理論之體系觀——淺析王希杰先生修辭學理論之精髓〉，收錄於李名方、鍾玖英主編《王希杰和三一語言學》（北京：中國文聯出版社，2006 年 11 月第 1 版），頁 328-336。

[3] 「四六結構」即「四元六維結構」的簡稱。所謂「四元」是指構成話語的四個要素，即「宇宙元」、「表達元」、「話語元」和「鑑識元」；所謂「六維」就是「宇宙元　表達元」、「表達元　話語元」、「話語元　鑑識元」、「鑑識元　宇宙元」、「宇宙元　話語元」和「表達元　鑑識元」。見鄭頤壽《辭章學導論》（台北：萬卷樓，2003 年 11 月初版）。

更需要從整體的角度以統合它的核心情理（主題）與整體風格。可知辭章之「意象」、「詞彙」、「修辭」、「文法」、「章法」、「主題」及「風格」，均能就其個項獨立研究，卻不能不照應其他領域以呼應整體。陳滿銘教授在統整辭章學各領域之關係時提到：

> 辭章是結合「形象思維」、「邏輯思維」與「綜合思維」所形成的。而這兩種思維，各有所主。就形象思維來說，如果將一篇辭章所要表達之「情」或「理」，也就是「意」，主要訴諸各種偏於主觀的聯想、想像，和所選取之「景（物）」或「事」，也就是「象」，連結在一起，或者是專就個別之「情」、「理」、「景（物）」、「事」等材料本身設計其表現技巧的，皆屬「形象思維」；這涉及了「取材」與「措詞」等問題，而主要以此為探討對象的，就是意象學（狹義）、詞彙學與修辭學等。就邏輯思維來看，如果就整個「景（物）」或「事」（象）等各種材料，對應於自然規律，結合「情」與「理」（意），主要訴諸偏於客觀的聯想、想像，按秩序、變化、聯貫與統一之原則，前後加以安排、佈置，以成條理的皆屬「邏輯思維」；這涉及了「佈局」（含運材）與「構詞」等問題，而主要以此為研究對象的，就字句言，即文（語）法學；就篇章言，就是章法學。就結合形象思維與邏輯思維的綜合思維而言，一篇辭章之內，用以統合「形象思維」（偏於主觀）與「邏輯思維」（偏於客觀）而為一的，乃是主旨與風格（韻律）等，這就涉及「立意」、「決定體性」等問題，而主要以此為研究對象的，為主題學、文體學和風格學等。而以此整體或個別為對象加以研究的，則統稱為辭章學或文章學。[4]

這裡將構成辭章的景（物）、事、情、理等四大要素，根據主、客觀的不同角度，歸結爲兩大思維：一是形象思維，著眼於辭章主觀形象的形成與表現，研究領域包含意象、詞彙和修辭。另一是邏輯思維，著眼於辭章客觀邏輯的排列組織，研究領域則包含了文法和章法。這兩種思維在同一辭章中是不可分割的，透過兩者的互動整合，再由綜合思維統整出辭章的核心情理與整體風格，其研究領域包含主題學、風格學等。瞭解辭章學各重要領域的相互關係，有助於進一步分析辭章「讀、寫互動原理」的整體結構與分項結構。

---

[4] 見〈辭章意象論〉。收錄於《辭章學十論》（台北：里仁書局，2006年5月初版），頁219-262。

2.2 辭章「讀、寫互動」的整體結構

根據前述辭章學各研究領域之間的密切關係，我們可以用形象思維和邏輯思維為基準，向上歸結於綜合思維，再逆溯至「主題」和「風格」，向下推衍出屬於形象思維之「意象」、「詞彙」與「修辭」，以及屬於邏輯思維之「文法」與「章法」。其關係圖如下[5]：

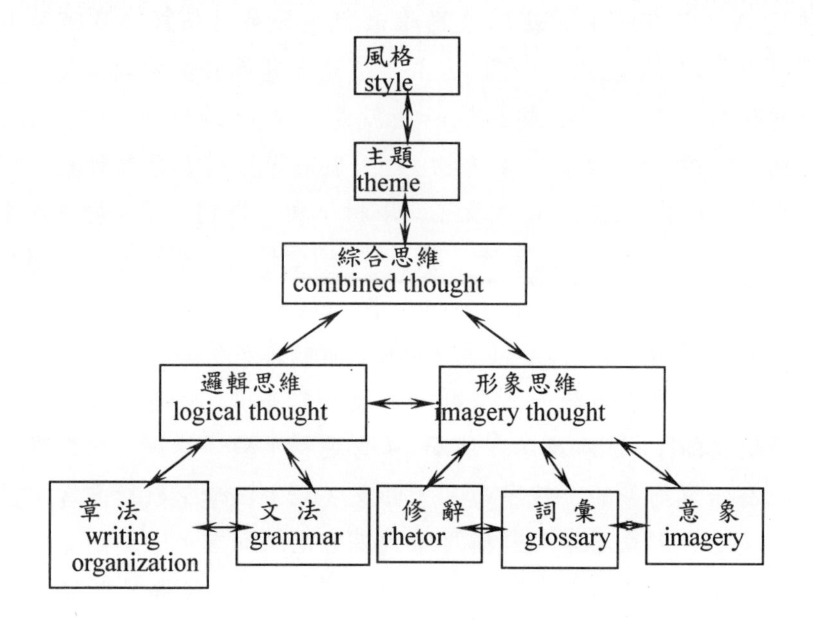

這一圖表提供我們思考閱讀與寫作的雙向互動關係。依箭頭的方向，由上而下所呈現的是寫作過程，而由下而上是閱讀過程。陳滿銘教授在解釋這兩種過程的互動關係時提到：

> ……如由廣義的意象切入，則風格（文體）、主題（主旨）關涉到「意」，意象（狹義）、詞彙、修辭、文法、章法關涉到「象」，這些都與讀、寫有密不可分的關係。其中讀（鑑賞）是由「象」而「意」的逆向過程，而寫（創作）是由「意」而「象」的順向過程。而兩者往往是互動、循環而提升，形成螺旋結構的。[6]

這裡提出讀的逆向過程和寫的順向過程，據此我們可以進一步落到實際讀、寫

[5] 同註 3。

[6] 見〈辭章讀、寫互動論〉，收錄於《辭章學十論》（臺北：里仁書局，2006 年 5 月初版），頁 267-293。

中，探討其個別的分項結構。

2.3 辭章「讀、寫互動」的分項結構

閱讀與寫作的互動實際上是無法切割的。寫作時必須時時檢視創作的痕跡，閱讀時亦常常觸發寫作的思維。然而，爲了精細分析兩者的過程，我們試以分項結構的方式，推演「由意而象」之寫作和「由象而意」之閱讀過程。

2.3.1 辭章之寫（創作）——「由意而象」的順向結構

一般而言，作家在創作之前，已經形成自我基本風格和中心情理（主旨），再經由主觀的觀察、記憶、聯想、想像等過程，蒐集適當的材料而形成意象，透過相對應的符號（詞彙）表現出來，或進一步運用文學技巧（一般是修辭）以美化意象；另一方面又透過邏輯思維以組織材料而形成客觀條理，逐步積字成句（文法），積句成篇（章法），以完成文章的創作。這是寫作的心理過程，就辭章整體結構來說是呈順向發展，此順向結構可用下圖說明：

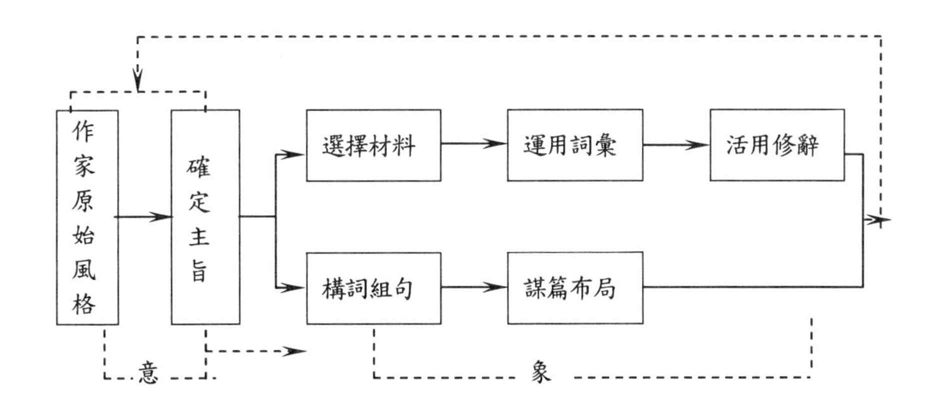

2.3.2 辭章之讀（鑑賞）——「由象而意」的逆向結構

我們閱讀文章時通常會透過文學作品中的材料，以瞭解其個別意象，並藉由意象之符號體會其詞彙與修辭的美感；另一方面，又常透過文法以瞭解字句的條理，運用章法以分析篇章的邏輯；再進一步結合主觀的形象美感與客觀的邏輯思維，逐步推展出文章的核心情理，並歸結出文章的韻味與風格。這是閱讀（含鑑賞）心理過程，就辭章整體結構來說是呈逆向

發展，此逆向結構可圖列如下：

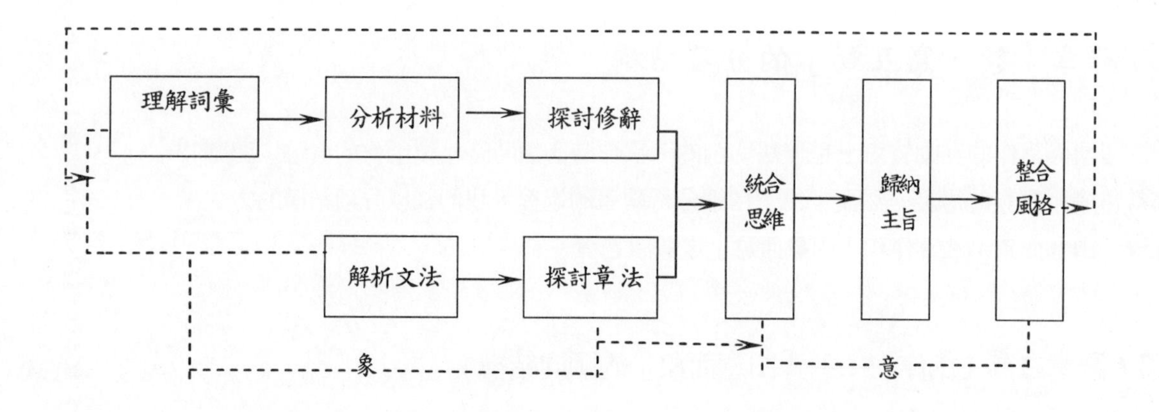

三、第二語言教學理論落實於華文讀寫教學的具體原則

所謂第二語言（Second Language）是指在第一語言（First Language）之後再學習的其他語言。第二語言通常是外語（foreign language），而第一語言通常是母語（mother tongue）。華語教學是把華語當作第二語言，對母語非華語者進行教學，所以，將華語作爲第二語言的教學（teaching Chinese as a second language），實有別於國內的中文教學，必須運用特殊的教學法，才能達到教學的成效與目標。

華語教學是一個新興的教學體系，在台灣華語教學界，仍採用西方外語教學中影響較大的流派，汲取其教學精髓，合理地運用在華語教學中。具體而言，源自於經驗學派的「直接教學法」、「情境教學法」，以及源自於人本學派的「肢體反應教學法」、「默示教學法」皆適於華文讀寫教學的轉化與應用。茲結合各學派之教學法提出華文讀寫教學之具體原則如下：

3.1 圖象思辨的教學方法

運用圖像思考是人類與生俱來的本能。語文教育所教授的是文字符號，卻常常需要借重圖像思辨來引導學生，尤其是在幼兒階段學習母語的過程，藉由具體圖像直接與符號連結，自然而然完成母語的習得。歐美經驗學派所主張的「直接教學法（Direct

Method)」就是強調直接用外語教學，不透過母語的翻譯，並配合實物、圖片或肢體動作來引導學生。[7]這種教學方法不僅注重直接聯繫，更常透過模仿、重複練習來達成學習效果。目前台灣華語教學以直接教學法來教授華語最爲普遍，其主要原因在於圖像思辨是人類原始的思維模式，比較適合初學華語的對象。

3.2 情境模擬的教學模式

人類大腦具有聯想與想像的本能。所謂情境模擬就是透過聯想與想像的能力，假想自己處於某種時空，進行各種狀況的模擬。這種模擬方式必須以圖像思辨爲基礎，再透過教師的有效引導，通常可以收到不錯的學習效果。英國語言學家在 1930 到 1960 年間，發展出「情境教學法（Situational Language Teaching)」，強調語言結構知識和真實情境之間的聯繫[8]，他們認爲最好的語言教學法是經由情境，協助學生掌握並運用詞彙和語法，進一步獲得文（語）意的理解。情境教學法的另一項特色是教材與進度的編定，教學前的流程規劃有助於學生在一定的進度與流程中完成學習。就華語教學而言，靈活運用日常生活食、衣、住、行、育、樂的場景，並適時點綴教室布置，通常可以提升教學成效。

3.3 生動有趣的教學活動

語言教育常強調「學習動機」、「學習策略」、與「學習效果」三者的循環關係。具體而言，強烈的學習動機會使學習者採取有效的學習策略；而有效的學習策略又能達到成功的學習效果；學習成功又會使學習者感到滿足，更加強了學習動機。[9]因此，生動有趣的教學活動可以有效刺激學習動機。在美國七○年代，心理學家 James T. Asher 曾經提出「肢體反應教學法（Total Physical Response)」，強調適時透過身體動作的刺激，有助於語言的學習。[10]就華語教學來說，當我們介紹許多動詞如跑、跳、唱歌、跳舞等，就可以指示學生同時動作，同時口說，一來可以刺激語言的學習，另一方面也能活絡課堂的教學氣氛。當然，結合華人文化來進行教學，如包水餃活動、打太極拳，若能引導學生學習「把手舉起來」、「把肉餡放進去」等動詞短語就更駕輕就熟了。

[7] 參見何淑貞等《華語文教學導論》（臺北：三民書局，2008 年 3 月初版），頁 94。
[8] 同註 6，頁 99。
[9] 參考張金蘭《實用華語文教學導論》（臺北：文光圖書公司，2008 年 2 月初版），頁 27。
[10] 同註 6，頁 102。

3.4 注重創意的教學態度

對於中、高級的華語學習者而言，老師要開始思考「學生要學什麼」而不是「老師要教什麼」。換言之，學習者是主角，須注重創意與主動學習；而教師是配角，只輔助而不干預。在七○年代初期，英國數學家兼心理學家 G. Gattegno 首先提出「默示教學法（The Silent Way）」，提倡外語需要學習者自己去發現（Discover）和創造（Create），而非背誦（Remember）或一再重複（Repeat）練習。[11]這種觀點落實在華語文教學上，就需要強調華語教師是個啓蒙的角色，要少說話，並提供機會讓學生多說、多活動，由於中、高級學生在語文表達上有一定的程度，所以啓發創意比糾正錯誤來得相對重要。

四、「讀、寫互動原理」在華文讀寫教學中的實際應用

既已理解辭章「讀寫互動」原理的基本架構，再結合「第二語言習得」的具體原則，我們就可以設計華文讀寫教學所需的教材。茲依據辭章之「形象思維」、「邏輯思維」、「綜合思維」之分類，設計華文讀寫課程如下。

4.1 辭章之「形象思維」與讀寫教學

所謂「形象思維」是指辭章中關於主觀形象之思維的領域，如「意象」、「詞彙」與「修辭」等皆是。落實於華文讀寫教學，可從「由象而意」及「由意而象」兩種途徑設計華文讀寫教材。

4.1.1「由象而意」的閱讀教學

閱讀教學在形象思維的要求，著重於詞彙的理解、意象的聯想和修辭的分析。其教材設計亦可分爲四個程序：

(1)選讀文章

教師選定適合學生程度的文章（整篇文章或一段短文皆可），運用大聲朗讀的方式

[11] 同註 6，頁 105。

帶領學生頌唸兩遍，再進入詞彙教學。例如：

遠遠小小地，無數的方窗都已上燈，暈黃或青色的，都是溫暖而又令人充滿渴求的一種情意。這濱海的小鎮，向晚時展露出一種無比的輝煌，像油畫裡那種積極濃烈的色彩似的。向晚將落的夕陽，先用美麗溫潤的純黃打底色；而後用濃烈的純紅與金黃來加強小鎮向光的溫潤，而在背光面，則是幽藍地。在古老迂迴的巷道裡，你從一個轉角拐了過來，一張垂暮的老人臉顏會猛然進入你的眼中，老人就入定地端坐在褪色的門楣下方，悠閒地搖著蒲扇，丟給你一朵極為古老而又慈祥的微笑。（林文義〈向晚的淡水〉）

(2)理解短文中的生難詞彙

教師提出短文中的生難詞彙，並標上注音符號或漢語拼音，盡量用淺顯中文來詮釋詞彙之義。如果遇到較難解釋的詞彙，可以運用造例句的方式幫助學生理解。關於這段短文的生難詞彙有：

上燈　ㄕㄤˋ ㄉㄥ（shang4 deng1）：開燈
暈黃　ㄩㄣˋ ㄏㄨㄤˊ（yun4 huang2）：暈開的黃色
向晚　ㄒㄧㄤˋ ㄨㄢˇ（xiang4 wan3）：傍晚
溫潤　ㄨㄣ ㄖㄨㄣˋ（wen1 run4）：溫和而滋潤
向光　ㄒㄧㄤˋ ㄍㄨㄤ（xiang4 guang1）：面向有光的方向
幽藍　ㄧㄡ ㄌㄢˊ（you1 lan2）：深藍色
迂迴　ㄩ ㄏㄨㄟˊ（yu1 hui2）：曲折圍繞
入定　ㄖㄨˋ ㄉㄧㄥˋ（ru4 ding4）：人的精神進入冥想狀態
門楣　ㄇㄣˊㄇㄟˊ（men2 mei2）：門上方的橫樑
蒲扇　ㄆㄨˊ ㄕㄢˋ（pu2 shan4）：用蒲草編的扇子

教師一方面解釋詞彙之義，另一方面可以運用造句方式來幫助學生理解。尤其是屬於抽象性的詞彙，更應運用例句說明。例如：

溫潤→這烏龍茶喝起來很溫潤。
　　　春天的天氣很溫潤，感覺很舒服。
迂迴→這條山路又迂迴又狹窄，我們開車要非常小心。
　　　軍隊採取迂迴戰術，讓敵人摸不清方向。

而屬於具體形象的詞彙，則須透過圖卡的引導，一方面使學生容易理解，另一方面也便於教師進行更深一層的「意象聯想教學」。

(3)聯想詞彙所延伸的意象

「意象聯想教學」的重點在訓練學生藉由詞彙聯想出具體的圖象，再由具體的圖象延伸出抽象的情意。根據這段短文的重要詞彙，其具體的圖象有：

遠處暈黃或青色的燈光
向晚即將落下的夕陽
古老而迂迴的巷道
垂暮老人的臉顏

每一種具體圖象原本是客觀地存在，當具體物象融入人類的意念中，即有可能因激盪而產生情理。崛起於二十世紀初期的格式塔心理學派所提出的「異質同構」[12]理論，就認爲人類和萬物雖屬不同的質性（異質），卻有一抽象的聯結存在（同構）。這種心理落到文學來說，凡藉由文字而形成的各種圖象，本身即蘊含豐富的情理，這充分顯現「象」與「意」之間的緊密關係。所以，上述藉由文字所描述出來的圖象，皆有其內在情理。基於這種自然的心理規律，教師可以運用直接教學法結合情境教學，引導學生運用直覺去想像每一個具體圖象，並敘述自己的感覺，然後一一記錄下來，一一討論。例如：

圖　　象	聯　想　的　情　理
向晚即將落下的夕陽	輝煌而濃烈的熱情
	溫暖而安詳的感覺
	白晝即將消失的恐懼

表中是「向晚的夕陽」最可能出現的三種情意。華語教師在針對這三種答案進行分析時，一方面應避免受到古詩文的影響，另一方面也應檢視此一圖象在短文中的定位。「向晚的夕陽」在這短文中的情意表現恰與古詩文不同，其呈現的情意應偏於積極濃烈、溫潤和暖的感覺。

具體圖象所聯想出來的情意，有助於文章主題的理解，在閱讀教學中式不可或缺的重要程序。

(4)分析短文中的重要修辭

---

[12] 參見童慶炳〈心靈與自然的溝通——談「異質同構」〉，收錄於《中國古代心理詩學與美學》（臺北：萬卷樓圖書公司，1994年8月初版），頁168-175。

華語教師在課前必須先瞭解此一修辭格的定義，並深入探討修辭格的心理基礎與美感效果，以找出修辭格形成的根源。至於在課堂上，可以根據自我專業判斷，直接挑出具有特殊修辭技巧的句子，並試圖將這句子還原爲白描句，其次再另造類似的白描句，引導學生造出修辭句。例如：

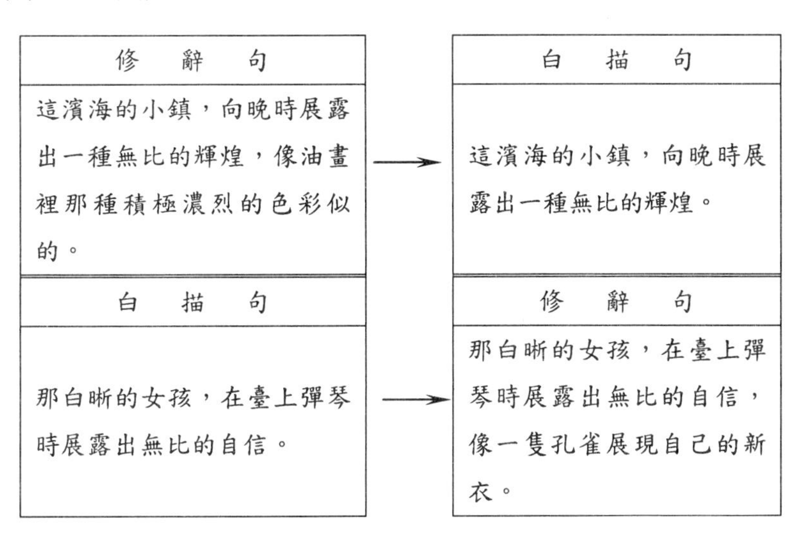

修　辭　句		白　描　句
這濱海的小鎮，向晚時展露出一種無比的輝煌，像油畫裡那種積極濃烈的色彩似的。	→	這濱海的小鎮，向晚時展露出一種無比的輝煌。
白　描　句		**修　辭　句**
那白晰的女孩，在臺上彈琴時展露出無比的自信。	→	那白晰的女孩，在臺上彈琴時展露出無比的自信，像一隻孔雀展現自己的新衣。

又如：

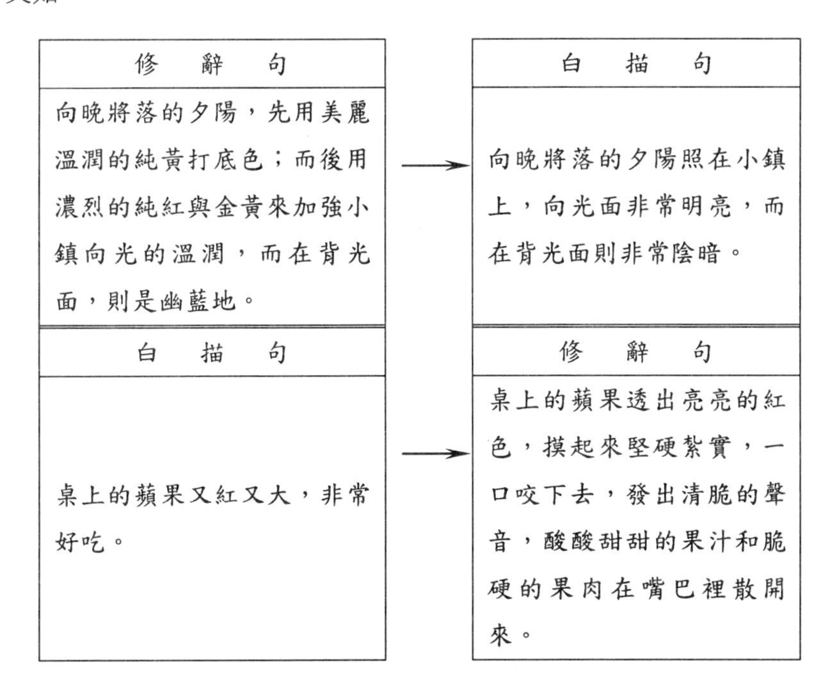

修　辭　句		白　描　句
向晚將落的夕陽，先用美麗溫潤的純黃打底色；而後用濃烈的純紅與金黃來加強小鎮向光的溫潤，而在背光面，則是幽藍地。	→	向晚將落的夕陽照在小鎮上，向光面非常明亮，而在背光面則非常陰暗。
白　描　句		**修　辭　句**
桌上的蘋果又紅又大，非常好吃。	→	桌上的蘋果透出亮亮的紅色，摸起來堅硬紮實，一口咬下去，發出清脆的聲音，酸酸甜甜的果汁和脆硬的果肉在嘴巴裡散開來。

例一是屬於譬喻修辭，例二是摹寫修辭。華語教師在引導學生照樣造句時，應儘量運用情境教學的模式，讓學生在假想情境中造句，較能呈現良好的教學效果。

4.1.2「由意而象」的寫作教學

寫作教學在形象思維方面的要求，著重於取材、運用詞彙、修飾詞語等訓練，其教材的設計可以分成四個程序：

(1) 確定寫作主題範圍：中國人的節日

雖然確定主題屬於綜合思維的部分，但是要進行形象思維方面的寫作訓練，仍應有一個主題，以供取材和用詞的方向。例如：教師可將寫作課程訂為「中國人的節日」，開放讓學生選定較為熟悉的中國節日，如春節、元宵節、清明節、端午節、中元節、中秋節等，皆可選擇。選定一種中國節日來寫，才能針對這一節日選取材料。

(2) 選取寫作素材：

如果學生選定「中國人的春節」作為寫作主題，教師可運用「直接教學法」，配合圖卡及影片，引導學生開始聯想有關「春節」的事物。例如：

穿新衣、壓歲錢、拜年、年夜飯、放鞭炮、守夜、拜祖先、返鄉、塞車潮、初二回娘家、年獸、貼春聯

接下來，教師可以運用「默示教學法」，並結合圖卡，引導學生將這些事物做分類，例如：

屬於春節放假前的事物：返鄉、塞車潮；
屬於除夕夜的事物：拜祖先、壓歲錢、年夜飯、守夜；
屬於農曆新年後的事物：穿新衣、放鞭炮、拜年、初二回娘家；
屬於春節的神話傳說：年獸、貼春聯。

這樣的分類，才可以將這些事物轉化為寫作的素材。

(3) 進行造句練習

教師運用「情境教學法」，引導學生進入自我熟悉的春節情境，並練習造句。教師同時要立即改正學生在詞彙運用上的錯誤。例如：

這一個春節我和朋友返鄉過年，在高速公路遭遇了塞車潮。
改正：「這一個」→「今年」;「遭遇」→「遇到」

我和朋友大家一起拜祖先、吃年夜飯，並且接受了一個壓歲錢。

改正：「我和朋友大家」→「我和朋友的家人」；「接受」→「得到」；「一個壓歲錢」→「一個紅包作為壓歲錢」

造句練習著重在詞彙的正確使用，所以及時更正非常重要。有了正確的語句，教師才能引導學生進一步學習句子的修辭技巧。

(4) 進行詞句修飾

教師可運用「直接教學法」，先將學生所造的句子修飾一次，再設計類似的句型讓學生模仿造句。例如：

	白描句	修辭句
教師修飾	今年春節我和朋友返鄉過年，在高速公路上遇到了塞車潮。	今年春節我和朋友高高興興地返鄉過年，在高速公路上遇到了像牛步一般的塞車潮。
學生仿作	今年夏天我和朋友去海邊，在沙灘上看到好多貝殼。	

詞句修飾是在詞彙運用正確的基礎上，將句子修飾得較有美感。教師運用直接教學法的目的，在於使學生透過不斷的模仿造句而習得修飾詞句（修辭）的技巧。

4.2 辭章之「邏輯思維」與讀寫教學

所謂「邏輯思維」是指辭章中關於客觀邏輯之思維的領域，如「文法」、「章法」等皆是。落實於華文讀寫教學，亦可從「由象而意」及「由意而象」兩種途徑來設計教材。

4.2.1 由「象」而「意」的閱讀教學

閱讀教學在邏輯思維上的訓練偏重於文章字句的分析和文章結構的探討。對於以華語爲第二語言學習的學生來說，文（語）法和章法的學習是比較抽象而艱深的，華語教師仍應儘量避免理論的闡述，而是透過照樣造句的方式，讓學生理解字句的結構；並透過簡易結構表的分析，讓學生認識篇章的結構。

(1) 分析字句的結構

以前述的短文爲例，華語教師可先行挑選重要句子，再設計不同的詞彙或短語，引導學生照樣造句。例如：

1.遠遠小小地，無數的方窗都已上燈。（狀語＋主語＋謂語）

冷冷地 陡峻的高山 都已染上皚皚白雪	冷冷地，陡峻的高山都已染上皚皚白雪。

2.這濱海的小鎮，向晚時展露出一種無比的輝煌。（主語＋時間副詞＋謂語＋賓語）

那窗邊的茉莉花盆栽 清晨時 散發著 一種迷人的芬芳	那窗邊的茉莉花盆栽，清晨時散發著一種迷人的芬芳。

在（）內的文法結構僅供參考，切忌向學生講授文法的專業名詞。對於華語初級的學習者可以運用直接教學法，並配合情境引導，造出正確的語句；對於中、高級的學習者則可以默示他們進行創意思考，造出更有創意的句子。

(2) 探討篇章的結構

在華文閱讀教學中要納入章法結構的分析，仍然需要藉由情境的聯想和圖像的思辨。以這段短文爲例，「遠遠小小地……則是幽藍地」是屬於景物的描寫，而「在古老迂迴的巷道裡……古老而又慈祥的微笑」則是人物的描寫。關於景物的描寫又可分出描寫小範圍景物的「方窗」和大範圍景物的「夕照」；至於人物的描寫則以「古老迂迴的巷道」爲背景，烘托「垂暮老人的微笑」。依照這些圖像的關係，我們可用下表來呈現其層次：

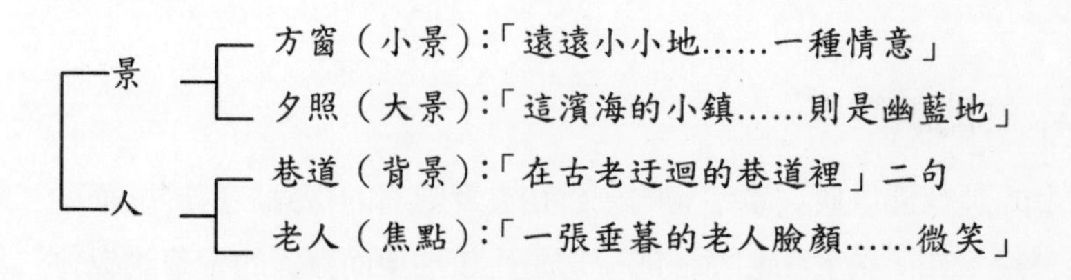

在實際的華文閱讀教學中，運用圖片來分析這段短文結構是最適當的方式。教師可以運用多媒體設計簡易動畫，以表現各圖像之間的層次與關係，再配合結構表加以說明，更能加深學生瞭解這段文字所呈現的意象。

4.2.2 由「意」而「象」的寫作教學

寫作教學在邏輯思維上的訓練著重於構詞組句的練習和謀篇布局的訓練。這必須在形象思維訓練（含取材、詞彙運用、修辭練習）的基礎上進一步來作，才能展現教學成效。

(1) 構詞組句的練習

構詞組句的練習，可以結合詞彙造句一起進行。事實上，詞彙的正確應用屬於形象思維的訓練，而構詞組據練習屬於邏輯思維的訓練，兩者在實際寫作時是不可切割的。所以，華語文教師在設計詞彙以提供造句時，可以結合詞彙和文法的觀念一起進行。以前述「中國人的春節」爲例，教師可以列出相關詞彙，引導學生造出「偏正結構」的短語。例如：

高高興興	返鄉	→高高興興地返鄉
誠懇	拜祖先	→誠懇地拜祖先
興奮	放鞭炮	→興奮地放鞭炮

教師也可以設計幾組句子，引導學生組合改寫成一個包含多項狀語的句子。例如：

1.我們往鄉下走去。
　我們興高采烈地走去。
　我們昨天就走了。
　→我們昨天興高采烈地往鄉下去了。

2.幾天來他的媽媽忙碌著。
　他的媽媽為了準備過年忙碌著。
　他的媽媽到處忙碌著。
　→幾天來他的媽媽為了準備過年到處忙碌著。

這種詞組練習的方式，一方面讓學生熟悉華語狀詞的使用方法，另一方面也能訓練學生避免如歐美語系中頻繁出現主詞的句式，使學生可以學習到正確而流利的華文句式。

(2) 謀篇布局的訓練

關於寫作謀篇布局的訓練，教師可以針對「中國人的春節」之主題，先選擇適合的章法類型，再設計教學題目。就這主題來說，敘事、寫景、抒情的筆法應較爲適合，所以，「情景法」或「事情法」均爲適合的章法。至於「敘事」方面，宜採用「時間順敘」的方式。

教師可以運用「情境教學法」，引導學生根據先前所聯想的材料來擬定大綱。例如：

第一段：寫春節前和朋友返鄉過年。

第二段：寫除夕拜拜、吃年夜飯、領壓歲錢。

第三段：寫大年初一拜年、放鞭炮。

第四段：寫春節的傳說。

第五段：寫自己過中國人的春節很快樂。

這樣的分段所透露的謀篇邏輯，可以用下表呈現：

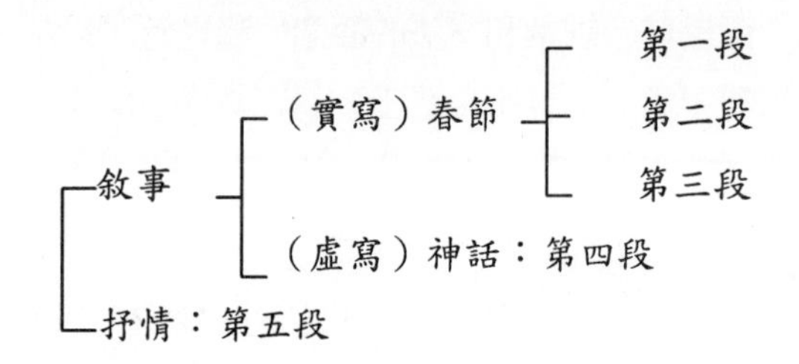

可知其段落之間的條理非常清晰。此結構表乃用以檢視學生擬定大綱的合理性，不必向學生說明。華語教師若能有效引導學生擬寫大綱，一方面可以確定寫作材料，另一方面也能有效分配各段的寫作內容，最重要的是，寫作不容易偏離主題。這些效果對於正式寫作將有正面的助益。

4.3 辭章之「綜合思維」與讀寫教學

關於「綜合思維」的讀寫教學，主要偏於「主題」（主旨）和「風格」的訓練。茲分述閱讀和寫作兩方面的訓練實例如下：

4.3.1 華文閱讀中關於綜合思維的訓練

華文閱讀必須兼顧文章的個別分析與整體統合。前述從形象思維與邏輯思維兩方面個別分析文章的形式與內涵，本節則從綜合思維來統合文章的整體特色。試就「探討主題」與「整合風格」兩部分，分述華文閱讀教學的綜合訓練。

(1) 探討主題

探討一篇文章的主題，必須先瞭解文章主旨與綱領的異同。如前述〈向晚的淡水〉爲例，整段文字是藉由「向晚淡水的夕照」來貫串全文，而主旨卻是在表現向晚淡水所透露出的「溫暖而悠閒的情致」。

就實際華文閱讀來說，主旨與綱領的比較是爲了檢視文章意象是否與主題契合，教師不必向學生分析兩者的差異，而是透過直接教學法與相關圖片，進行材料意象的理解，再逐漸引導學生掌握全文要旨。

(2) 整合風格

檢視風格是閱讀文章的最終過程。如前節華文寫作所述，文章風格受到主旨的影響最大，其次是材料意象和文學技巧的運用，也間接影響文章部分風格的取向。〈向晚的淡水〉一文主要在表達「溫暖而悠閒的情致」，這種情理容易產生「溫馨恬淡」的氛圍，展現一種較爲「陰柔」的風格。

4.3.2 華文寫作中關於綜合思維的訓練

在寫作過程中，我們往往先確立主旨（立意），然後再從事取材、措詞、組句、謀篇等程序，而形象思維（取材、措詞）與邏輯思維（組句、謀篇）仍須綜合思維的統合，才能呼應主旨、確立風格，以完成文章的寫作。關於「形象思維」與「邏輯思維」的寫作訓練已如前述，本節將針對寫作中的「確立主旨」與「形成風格」設計訓練之教材。

(1) 確立主旨並完成寫作

完整的華文寫作是以確立主旨爲首要工作的。在進行辭章局部的取材、造詞、構句與謀篇之時，應以主旨統領其間，逐句逐段完成文章。以上述「中國人的春節」爲例，基於局部寫作訓練的基礎，教師可以引導學生進行整篇的寫作。茲以德國學生包曼德[13]的作品爲例，說明其寫作過程與優劣。

> 今年春節我和朋友返鄉過年，我們高高興興地開車回屏東鄉下，不過在高速公路遇到了像牛步一般的塞車潮。到了屏東我們都累壞了。
>
> 我看見朋友的媽媽為了準備過年到處忙碌著。不久，終於可以坐在一起吃年夜飯。我在餐桌上大聲地向大家敬酒，大家也向我敬酒。我感受到熱情的招待。而且，我得到一個紅包當作壓歲錢。
>
> 我和朋友一起守夜。到了半夜，我忽然聽到放鞭炮的聲音，那時候是半夜

[13] 包曼德，德國慕尼黑中學交換學生，目前在台北市西松高中就讀，華語程度屬中級。

十二點。天一亮，我和朋友去親戚家拜訪，每個人都很高興，還一直說：「恭喜，恭喜。」

我聽說中國人過春節是為了躲一種怪獸，它叫做「年獸」。每一戶人家貼春聯、放鞭炮，是為了趕走年獸。這真是一個有趣的故事。

我喜歡中國人的春節，我感覺很高興，很驚奇。台灣真是一個好地方。

從大體而言，這篇文章沒有嚴重的錯誤，其主旨的確立尚屬完整，由於學生經歷局部的訓練，所以在詞句的修飾和段落的布局有不錯的表現。若從細部評考，這篇文章仍有部分缺失：第一、文中的主詞「我」使用太多，造成語氣上的重複，顯得有點僵化；第二、材料意象的連貫不夠充分，致使事件敘述或場景轉換不夠流暢；第三、末段抒情的部分表達不夠完整，以致主旨呈現不夠深刻。這是華語程度屬中級學生的作品，教師可以不必立即糾正這些錯誤，而是透過「默示」的方法或給予更完美的範文，使其自行閱讀、比較，或能激發他的創意。

(2) 完成文章風格

在華文寫作教學中，教師並不刻意去要求學生寫出獨特風格的作品，而是經由主題來檢視學生作品是否符合主題的格調。以此篇作品爲例，主題是「中國人的春節」，應該展現溫馨、熱鬧、活潑、有趣的感染力。從文章的取材來看，塞車潮、年夜飯、給壓歲錢、放鞭炮、拜年等素材確實營造了溫馨熱鬧的氛圍；另從文章的主旨來看，作者想要表達過春節的高興、驚奇，卻不夠深刻，因此減低了活潑有趣的感染力。所以這篇作品需要再從抒情方面加強其深刻度，才能營造更完整的風格。

五、結語

辭章「讀、寫互動原理」對於華文讀寫教學最明顯的功用，在於提供一套完整而規律的寫作與閱讀教學程序。無論是「由意而象」的寫作心路，還是「由象而意」的閱讀過程，均能使華文讀寫教學在既定的流程中進行而不致紊亂。若能有效結合第二語言習得之教學理論，則華文的閱讀與寫作將更可能建構標準的教學程序。放眼台灣目前的第二語言習得理論，仍沿襲西方各流派的學說，華語文教師在運用這些學說以落實於教學時，難免囿於現實而產生窒礙，而辭章「讀、寫互動原理」或能提供一條有跡可循的教學模式，對於華文讀寫教學應有莫大的助益。

重要參考文獻

（一）專書

方麗娜，《現代漢語詞彙教學研究：以對外華語文教學爲範疇》，高雄：復文出版社，2003 年 月初版

李名方、鍾玖英，《王希杰和三一語言學》，北京：中國文聯出版社，2006 年 11 月第 1 版

何淑貞等，《華語文教學導論》，臺北：三民書局，2008 年 3 月初版

吳明清，《教育研究——基本觀念與方法之分析》，臺北：五南圖書公司，1991 年月初版

竺靜華，《華語教學實務概論》，臺北：文史哲出版社，2006 年 12 月初版

庫爾特・考夫卡原著、黎煒譯，《格式塔心理學原理》，臺北：昭明出版社，2000 年 7 月第一版

高廣孚，《教學原理》，臺北：五南圖書公司，1988 年月初版

常敬宇，《漢語詞彙與文化》，臺北：文橋出版社，2000 年 11 月初版

張金蘭，《實用華語文教學導論》，臺北：文光圖書公司，2008 年 2 月初版

陳滿銘，《辭章學十論》，臺北：里仁書局，2006 年 5 月初版

陳滿銘，《意象學廣論》，臺北：萬卷樓圖書公司，2006 年 11 月初版

黃沛榮，《漢字教學的理論與實踐》，臺北：樂學書局，2006 年 6 月增訂一版

黃慶萱，《修辭學》，臺北：三民書局，2003 年月

童慶炳，《中國古代心理詩學與美學》，臺北：萬卷樓圖書公司，1994 年 8 月初版

靳洪剛，《語言發展心理學》，臺北：五南圖書公司，1994 年月初版

葉德明，《華語文教學規範與理論基礎——華語文爲第二語言教學理論芻議》，臺北：師大書苑，1999 年 6 月初版

蔡宗陽，《國文文法》，臺北：萬卷樓圖書公司，2008 年 1 月初版

鄭頤壽，《辭章學導論》，臺北：萬卷樓圖書公司，2003 年 11 月初版

（二）期刊論文

陳滿銘，〈論「多」、「二」、「一（○）」的螺旋結構——以《周易》與

《老子》爲考察重心〉臺北：《師大學報・人文與社會類》48卷1期，2003年4月

蒲基維，〈修辭學融入華語文教學的理論與實例〉，《中原華語文學報》第二期，2008年10月

關之英，〈中文作爲第二語言：教材及教法的設計理念與實踐〉，《2008亞洲太平洋地區華語文教學與發展國際學術研討會論文集》，2008年3月15、16日

作者簡介

蒲基維 中原大學應用華語文學系兼任助理教授

第十五章

華語教學的成就測驗與結果分析
—以清華大學高級華語班爲例

戴淑珍*

摘要

成就測驗是測量學生所學知識和技能的系統方法，透過測驗可了解學生對教學目標達成的程度，並作為教師調整教學目標的重要參考。目前台灣華語界對華語教學的研究多集中於漢語音韻、語法以及教學法，相形之下與教學成果有關的測驗評量與解析較為少見。測驗評量是華語教學中重要的一環，不但可檢測學生的習得成果，在高級華語班中，綜合性論述試題可檢視學生的複雜學習結果與個別問題。本文試圖以清華大學高級華語班 10 位外籍生的期末考答卷，以文本分析學生華語讀寫的習得成果及可能原因，並檢討如何做出較佳測驗題本，以提供對外華語教學者的參考。

關鍵字：測驗與評量　華語教學

---

* 清華大學語文中心兼任華語講師

一、研究背景

2001 年 Anderson 等提出重要的六階評量機制，歐盟也在 2001 年全面採用建構「歐洲共同語文學習、教學、評量參考架構」（A Common European Framework of Reference for Language,Teaching,and Assessment）(簡稱 CEF）。目前這兩種評鑑工具都是國際認定之語文能力檢定的主要參考架構（Anderson,2001,2003），台灣「國家華語測驗推動工作委員會」所推動的華語文能力測驗(簡稱 TOP)即參考歐盟 CEF 標準，將非華語母語者華語能力分爲七級（戴維揚,2007；莊永山,2007；張莉萍,1991；蔡雅董 2007）。

根據 Anderson 的六階評量，教育目標有二維向度，包含知識向度(knowledge Dimension)及認知歷程向度(Cognitive Process Dimension)。

一、「知識向度」分成四類：

1. 事實知識(Factual Knowledge)：指學生應了解的術語，或是學生想進行問題解決時必須知道的基本要素。
2. 概念知識(Conceptual Knowledge)：從較複雜、較大的基本元素間，抽取共同屬性，予以分類形成的知識。包括分類和類別知識、原理和原則的知識、理論/模式/結構的知識。
3. 程序知識(Procedural knowledge)：指知道如何做某事的知識，包括特定學科的演算知識、特定學科的方法知識、運用規準的知識。
4. 後設認知知識(Metacognitive Knowledge)：指對自我知識的認知和察覺；含認知知識、監控、控制、調整認知。

二、認知歷程向度

1. 記憶（Remember）：從長期記憶中擷取相關知識。
2. 了解（Understand）：建立所學新知識與舊經驗的連結。
3. 應用（Apply）：使用程序來解決問題，與程序知識緊密結合。
4. 分析（Analyze）：分解材料成局部，指出局部與整體結構的關係。
5. 評鑑（Evaluate）：根據規準(criteria)和標準（standards）作判斷。
6. 創造（Create）：將各個元素組裝在一起，形成完整且具功能的主體。

Anderson 六階評量系統已被教育界普遍採用，本文擬以 Anderson 的六階架構審視 97 學年上學期清華大學華語班期末試卷，並解析學生常犯錯誤，做出改進建議。

實施方式首先解析試卷。評判的標準乃參照教育部頒布的「國民中小學九年一貫課程學習成就評量指標與方法手冊」之「語文領域」能力指標解讀，將每題與六階的認知歷程與知識向度對照，得知每題所能測試的歷程與向度。之後統計學生的各項得分並分析，同時整理學生常犯錯誤做成教學參考。

試卷內容詳如附錄 1。試題對照指標向度詳如附錄 2。

二、結果分析

表一：學生成績一覽表

學生 項目	1	2	3	4	5	6	7	8	9	10	平
填空	33%	93%	67%	87%	100%	60%	80%	93%	100%	87%	80
聽寫	70%	100%	100%	100%	100%	90%	100%	95%	100%	70%	93
造句	70%	93%	90%	90%	90%	30%	80%	97%	100%	80%	82
簡答	93%	100%	77%	100%	91%	80%	88%	91%	100%	91%	91
平均	67	97	84	94	95	65	87	94	100	82	

表二：題目答對平均分數對應六階評量「知識向度」及能力類型

題目	平均答對率	能力類型	認知向度類別	知識向度類別
填空	80%	閱讀/	了解：概念-結構的知識	概念性：原理和通則的知識
聽寫	93%	聽/寫	記憶：回憶	事實性：術語的知識
造句	82%	寫作	應用：將概念化的結構應用到事例	程序性：運用規準的知識
簡答	91%	寫作	了解：說明與摘要	事實性：　文章段落

一、從結果顯示學生在「知識向度」上的表現：

1. 大部份對知識向度的知識都掌握得很好，答得最好的是事實性的知識，即課文本身就能提供標準答案，高達 90%以上。比較聽寫和簡答這兩項事實性知識，簡答的答對率較低，可能原因是簡答題的認知歷程比聽寫複雜，學生要轉述摘要所涉及的元素較多，無法記住許多細節。

2. 簡答題要求敘述的知識範圍隨題遞減。但結果顯示答對率並非隨題遞增，一、三題答對率 100%，二、四題 90%。推估第二題無法得分的學生，可能是對題目敘述的概念無法理解，不了解題目。第四題無法得分的學生，推測是答題速度太慢，時間不夠而放棄作答。

3. 簡答題雖然是「事實知識」，但也有學生以「後設知識」回答，出乎意料地採取後階學習策略。如第一題「緹縈救父的故事在說什麼?」一位學生回答：「如果你是一個醫生，要先治療很有錢的人，你會沒有問題。而且如果你會寫很好的信，皇帝就會赦免你的爸爸。」他對文章提出了自己的注解，並運用有限的字彙表達自己的看法。

4. 填空的「概念知識」答對率最低，只有 80%，顯示大部分學生的文法概念仍不熟練，需要加強練習。

5. 造句的「程序知識」此部份得分雖強於「概念知識」，但遠低於「事實知識」。此顯示出學生雖然具備字義的「事實知識」，但對文字組合的文法「概念知識」仍不熟練，導致寫出「口才好使他出色」這樣的句子。

二、在「認知歷程向度」上的表現

1. 對「記憶」層次的「事實知識」表現最好，高達 93%。
2. 在「了解」層次上也是對「事實知識」學習表現比「概念知識」學習好。
3. 題目欠缺「分析」「評鑑」「創造」三類題型，無法看出學生在這方面的表現

三、學生錯誤解析

從學生的答案，歸納學生最容易出現的錯誤，有以下數項：

1. 四聲辨異問題導致錯字：

此問題不論高低得分的學生或何種類型的題目，均普遍存在。由於高級華語班的學生口說能力已有一定程度，溝通過程中不像初級班在意四聲的辨正，隨著詞彙增多類音字增加，此類錯誤也層出不窮，老師應該隨時提醒訂正。

自-子：親子去他家　　以-一：在死一前他對司馬遷說

件-間：這間事情　警-驚：自願去驚察局

使-是：口才好是他出色 奴-怒：她要當他們的怒婢

隻-至：他把這至鵝殺掉

2. 類音字：這類錯誤中文爲母語的學生也會犯錯，但是國外學生所選的錯音字，多傾向選擇字形簡單的同音字，意義上完全不相關。或者某個偏旁相似，音又相近的類字：

撞-轉：他的兒子被車子轉

值-質：真的有價質 道-到：你一定得知到事情的前後才可以開口

醫-一：他當一生了 界-介：他爸爸覺得這樣會打開孩子的眼介

3. 形似字導致混淆：

這類錯誤共有7例，也是普遍存在於各題型之間，屬於「記憶」認知，低分的學生比較容易犯這類錯誤。不同於一般本國學生常犯的錯別字，這類錯誤主要在字體外型的相似。

道土(士) 不買(賣)給他

聰(聽)說 紀(記)得

這麼話(說) 成債(績)

被孚(俘)了

4. 用詞不精準：

這類的錯誤發生在高分的學生，顯示出學生缺乏「評鑑」認知，對相似語料、語意的辭彙，還無法評鑑該用何者。

時勢(情況)：她寫一封信給皇帝，解釋她父親的時勢。

一點兒(一下)：考完試，我終於可以玩一點兒。

到底(最後)：皇帝覺得她寫得情文並茂，赦免淳于意，到底放他走。

5. 文法錯誤：

以下應該在初級班學會的文法，很訝異地仍然出現在此級數的學生，比如“了”“被”以及性狀動詞的使用，顯示學生缺乏認知策略中的「記憶-再認」，溫習不夠，練習不夠。

他是很有名

融被歡迎而且變常客

他自願了休學去工作

孔融是聰明過人

6. 受口語習慣而漏字：

口語表達時不自覺掉字，雖然漏字但無礙大意，如果缺乏後設認知的自我錯誤檢查，久而久之，積非成是，書寫時也延用了口語的漏字句子。

我們都稱他為我們(的)老師

王羲之愛鵝(愛)得不得了

三、檢討、結論與建議

一、利用 Anderson 的六階評量，可以協助教師掌握學生語文能力指標的評量重點，以進行測驗編製和課程設計，並加以更深入的雙重向度評量學生的認知發展層次。

二、對高級華語班認知發展層次及教學調整建議：

1. 在「知識向度」上，學生對熟悉度很高的「事實知識」、「概念知識」、「程序知識」學習成果良好。雖然題目沒有「後設認知知識」題型，但是從學生的答題中可看出學生對自我學習已有察覺，深知自己中文知識的優缺點，比如暗示或威脅老師他的中文知識有限(「在這裡沒有人自願要當救我」「我到底還是年輕，我不會說中文」「我打定主意了，我要學德國話」「老師說考試成績不算，至於成績大家都給 100 分」)。如果教師能夠針對個人提供建議，應該有助學生認知自我學習的盲點及障礙，修正往後的學習策略。
2. 在「認知歷程向度」上，在「了解」層次只有對「現實知識」時表現良好，在「應用」層次表現較差，所以在課堂進行教學時，可多設計「應用」層次的學習活動。
3. 題型缺乏「分析」和「評鑑」、「創造」層次，無法看出學生這方面的歷程，但這方面的訓練已被許多專家學者注意，許多語文測驗並已加入這部份的能力測試（戴維揚，2007）。評量時建議可設計評論類的題型，就已知條件中讓學生提出自己的看法。

三、學生常犯錯誤分析及教學提醒：

1. 字音與字形的辨別力較弱，除了隨時糾正，課堂上的教學活動可多做類形字的比較，進行字音和字型的區分辨別。
2. 文法謬誤與用字不精準，與熟練度有關，教學時應多提供實例，並提供閱讀材料，協助學生有更多模仿與應用的機會。

往後高級華語文的班級，無論在課程規劃、設計和教學歷程以及評量、評鑑和追蹤評量皆需加深、加廣雙重向度的評量機制以及落實 Blomm（1956）和 Anderson（2001，2003）的六階教學進程和策略。

參考文獻

王喧博（2009）。〈華語文能力測驗分級制度初探—以歐洲共同語文參考架構爲基礎〉。《2009 第二　　屆華語文教學國際研討會暨工作坊論文集》。台北：銘傳大學華語文教學學系。

黃懷萱、陳浩然、謝妙玲、周中天（2009）。〈歐洲共同語文參考架構（CEFR）於華語書面教材中之應用-以《華語你我他》爲例〉。《2009 第二屆華語文教學國際研討會暨工作坊論文集》。台北：銘傳大學華語文教學學系。

張莉萍（2007）。〈華語文能力測驗（TOP-Huayu）發展現況〉。2007「外語能力測驗之動向與展望」國際學術研討會。國立政治大學，台北市。

莊永山（2007）。〈歐洲共同語文參考架構〉（譯）。高雄市：和遠。

蔡雅薰（2007）。〈以共同歐洲語言架構 CEFR 爲基礎之華語文能力指標暨課程綱要規劃設計〉。《2008 華語文教材編寫叫學研討會論文集》。高雄：國立高雄師範大學華語文教學研究所。

戴維揚（2007）。〈就典範轉移論辨認知與後設認知的教學策略與評量機制〉《中等教育雙月刊》第 58 卷第 6 期 86-115。台北：國立台灣師範大學師資培育與就業輔導處地方教育輔導組。

謝進昌（2006）。〈精熟標準設定方法的歷史演進與詮釋的新概念〉。《國民教育研究學報》16，157-193。

Anderson,L.W.(2003).*Classroom assessment：Enhancing the quality of teacher decision making*. London：Lawrence Erlbaum Associates.

Cizek,G.J.,&Bunch,M.B.(2007). Standard setting：A　guide to establishing and evaluating performance standards on tests. Thousand Oaks, CA：Sage.

附錄1
期末考試題卷

2008 上學期 期末考　　姓名：

一、 填空 15%

1. 等到淳于意給窮人開好了藥方，_______跟那個用人跑到有錢人家的時候，那個病人已經死了。(還，在，再)
2. 死者的家屬遷怒到淳于意____，向官府告他一狀。(臉上，頭上，手上)
3. ______肉刑，就是在罪犯臉上刺字或砍斷一隻腳。(所謂，所爲，所以)
4. 生了你們這五個女兒，到緊要關頭一點兒用________。(都沒有，沒有，都有)
5. 常年的旅行， ____司馬遷增加了很多見識。(把，使，替)
6. 司馬遷非常努力，後來______ 做了太史令，有機會接觸珍貴的藏書和史料。(竟然，果然)
7. 漢武帝原本希望司馬遷支持他，_______司馬遷竟然同情李陵。(而且，難道，不料)
8. 司馬遷______ 下定決心，要做一個偉大的史官。(從此，以後)
9. 孔融到底是個小孩， ______冒冒失失地跑到李元禮府上，恐怕也見不到主人。(既然，即使，竟然)
10. 他把問題仔細考慮一番之後，________ 鼓起勇氣去敲李家的門。(所以，終於)
11. 府上跟我們家實在__________是世交了。(可以算，可以想，可以看)
12. 大家都很喜歡孔融，就留他作客，______沒有把他當作小孩子打發走。(還，並)
13. 王羲之從鵝頸的動作中，領悟了寫字運腕的奧妙，他在書法方面的造詣，_____ 又向前邁進了一大步。(因此，以爲，竟然)
14. 他把那群鵝端詳了_____一會兒，真是喜歡得不得了。(好，沒，快)
15. 這位道士也是個雅人，____就聽說王羲之寫得一手好字。(最近，早)

二、 聽寫 20%

1. 忽然 2.端詳　3.造詣　4.鎮定　5.莫名其妙　6.冒失　7.鼓起勇氣　8.毀滅　9.處罰　10.輾轉

三、造句 30%

1. 緊要關頭　2.自願　3.前後　4.到底　5.常客 6.至於..　7.出色 8.稱…爲 9.從頭到尾　10.打定主意

四、 簡答 35%

1. 請問 “緹縈救父” 的故事在說什麼？7%
2. 請敘述一下司馬遷與史記的關係。7%
3. 請敘述一下孔融到李元禮家裡作客的經過。7%

附錄 2

試題與教育部「國民中小學九年一貫課程學習成就評量指標與方法手冊」之「語文領域」能力指標「知識向度」與「認知歷程」對照表

題號	題目	認知向度	知識向度	答對人數
填空 1	等到淳于意給窮人開好了藥方，_跟那個用人跑到有錢人家的時候，那個病人已經死了。(還，在，再)	了解	概念性	9
填空 2	死者的家屬遷怒到于淳意_，向官府告了一狀。(臉上，頭上，手上)	了解	概念性	7
填空 3	_肉刑，就是罪犯臉上刺字或砍斷一隻腳。(所謂，所為，所以)	了解	概念性	8
填空 4	生了你們這 5 個女兒，到了緊要關頭一點兒用_。(都沒有，沒有，都有)	了解	概念性	6
填空 5	長年的旅行，_司馬遷增加了很多見識。(把，使，替)	了解	概念性	7
填空 6	司馬遷非常努力，後來_做了太史令，有機會接觸珍貴的藏書和史料。(竟然，果然)	了解	概念性	9
填空 7	漢武帝原本希望司馬遷支持他，_司馬遷竟然同情李陵。(而且，難道，不料)	了解	概念性	5
填空 8	司馬遷_下定決心，要做一個偉大的史官。(從此，以後)	了解	概念性	10
填空 9	孔融到底是個小孩，_冒冒失失地跑到李元禮府上，恐怕也見不到主人。(既然，即使，竟然)	了解	概念性	5
填空 10	他把問題仔細考慮一翻之後，_鼓起勇氣去敲李家的門。(所以，終於)	了解	概念性	9
填空 11	府上跟我們家實在_是世交了。(可以算，可以想，可以看)	了解	概念性	10
填空 12	大家都很喜歡孔融，就留他做客，_沒有把他當作小孩子打發走。(還，並)	了解	概念性	9
填空 13	王羲之從鵝頸的動作中，領悟了寫字運腕的奧妙，在書法方面的造詣，_又向前邁進了一大	了解	概念性	9

	步。(因此，以為，因為)			
填空 14	他把那群鵝端詳了_一會兒，真是喜歡得不得了。(好，快，沒)	了解	概念性	8
填空 15	這位道士也是個雅人，_就聽說王羲之寫得一手好字。(最近，早)	了解	概念性	10
聽寫 1	忽然	記憶	事實性	8
聽寫 2	端詳	記憶	事實性	10
聽寫 3	造詣	記憶	事實性	9
聽寫 4	鎮定	記憶	事實性	8
聽寫 5	莫名其妙	記憶	事實性	8
聽寫 6	冒失	記憶	事實性	10
聽寫 7	鼓起勇氣	記憶	事實性	8
聽寫 8	毀滅	記憶	事實性	8
聽寫 9	處罰	記憶	事實性	9
聽寫 10	輾轉	記憶	事實性	7
造句 1	緊要關頭	應用	程序性	7
造句 2	自願	應用	程序性	8
造句 3	前後	應用	程序性	7
造句 4	到底	應用	程序性	9
造句 5	常客	應用	程序性	9
造句 6	至於	應用	程序性	4
造句 7	出色	應用	程序性	7
造句 8	稱..為	應用	程序性	8
造句 9	從頭到尾	應用	程序性	10
造句 10	打定主意	應用	程序性	8
簡答 1	請問"緹縈救父"的故事在說什麼？	了解	事實性	10
簡答 2	請敘述一下司馬遷與史記的關係	了解	事實性	9
簡答 3	請敘述一下孔融到李元禮家裡做客的經過	了解	事實性	10
簡答 4	請舉兩個例子說明王羲之有多麼愛鵝	了解	事實性	9

作者簡介

清華大學語文中心兼任華語講師

國家圖書館出版品預行編目資料

漢學研究與華語文教學／戴維揚・余金龍編著.
-- 初版. -- 臺北市：萬卷樓, 2009.09
面； 公分
部份內容爲日文
ISBN 978－957－739－662－4 (平裝)

1.漢學研究 2.漢語教學 3.文集

030.7 98016063

漢學研究與華語文教學

編　　著：戴維揚 余金龍
發 行 人：陳滿銘
出 版 者：萬卷樓圖書股份有限公司
臺北市羅斯福路二段 41 號 6 樓之 3
電話(02)23216565・23952992
傳真(02)23944113
劃撥帳號 15624015
出版登記證：新聞局局版臺業字第 5655 號
網　　址：http://www.wanjuan.com.tw
E－mail ：wanjuan@tpts5.seed.net.tw
承印廠商 ：中茂分色製版印刷事業股份有限公司
定　　價 ：500 元
出版日期 ：2009 年 9 月初版

（如有缺頁或破損，請寄回本公司更換，謝謝）
◎版權所有　翻印必究◎

ISBN 978－957－739－662－4